TOP 10
ROMA

REID BRAMBLETT E
JEFFREY KENNEDY

PUBLIFOLHA

Monte Palatino; Piazza Navona

UM LIVRO DORLING KINDERSLEY

www.dk.com

COORDENAÇÃO DO PROJETO
PUBLIFOLHA
EDITORA ASSISTENTE: Paula Marconi de Lima
COORDENADORA DE PRODUÇÃO GRÁFICA: Mariana Metidieri

PRODUÇÃO EDITORIAL
PÁGINA VIVA
TRADUÇÃO: Vera Caputo
EDIÇÃO: Rosi Ribeiro
REVISÃO: Shirley Gomes, Pedro Ribeiro
DIAGRAMAÇÃO: Bianca Galante

Atualização da 3ª edição: Página Viva

Dados Internacionais de Catalogação na Publicação (CIP)
(Câmara Brasileira do Livro, SP, Brasil)

Bramblett, Reid
Top 10 Roma / Reid Bramblett e Jeffrey Kennedy ; [tradução Vera Caputo]. – 3. ed.– São Paulo : Publifolha, 2014. – (Guia Top 10)

Título original: Top 10 Rome.
ISBN 978-85-7914-288-8

1. Roma (Itália) - Descrição e viagens - Guias I. Kennedy, Jeffrey. II. Título. III. Série.

11-02728 CDD-914.5632

Índices para catálogo sistemático:

1. Guias de viagem : Roma : Itália 914.5632
2. Roma : Itália : Guias de viagem 914.5632

Este livro segue as regras do Acordo Ortográfico da Língua Portuguesa (1990), em vigor desde 1º de janeiro de 2009.

Impresso na Leo Paper Products Ltd., China.

PUBLIFOLHA
Divisão de Publicações do Grupo Folha
Al. Barão de Limeira, 401, 6º andar
CEP 01202-900, São Paulo, SP
Tel.: (11) 3224-2186/2187/2197
www.publifolha.com.br

Sumário

Top 10 Roma

As listas Top 10 não estão em ordem de qualidade ou popularidade. As 10 atrações, na opinião dos editores, são iguais em importância.

Foi feito o possível para garantir que as informações deste livro fossem as mais atualizadas disponíveis até o momento da impressão. No entanto, alguns dados como telefones, preços, horários de funcionamento e informações de viagens estão sujeitos a mudanças. Os editores não podem se responsabilizar por qualquer consequência do uso deste guia nem garantir a validade das informações contidas nos sites indicados.

Os leitores interessados em fazer sugestões ou comunicar eventuais correções podem escrever para a Publifolha, Al. Barão de Limeira, 401, 6º andar, CEP 01202-900, São Paulo, SP, ou enviar um e-mail para atendimento@publifolha.com.br

Capa – **AWL Images:** Francesco Iacobelli c; **Dorling Kindersley:** Mike Dunning be. Lombada – **Dorling Kindersley:** Rough Guides/James McConnachie b. Contracapa – **DK Images** cd; Mike Dunning c, ce.

Vista aérea de Roma; Campidoglio iluminado

O interior do Pantheon; Igreja Trinità dei Monti

Abreviação usada na ficha de informação:
AD = acesso para portadores de deficiência

TOP 10 ROMA

TOP 10 ROMATOP

TOP 10 Destaques

Embora seja uma cidade moderna e vibrante, assim como outras capitais europeias, Roma se destaca por ser um vasto museu com 3 mil anos de idade. Em todo canto há museus, tesouros artísticos e a arquitetura eterna em igrejas, galerias e ruínas protegidas. Incorporando o menor país do mundo, o Vaticano, Roma tem a religião no lugar do coração e a história na alma – é uma cidade que encanta e inspira os visitantes de todos os cantos do planeta.

1 Vaticano

Nesta pequenina cidade-estado onde vive o papa, está o maior museu e a maior igreja do mundo, e a mais bela obra criada pelo homem: o teto da Capela Sistina, de Michelangelo *(pp. 8-13)*.

2 Pantheon

Além de ser um dos templos antigos mais preservados, esta joia da engenharia arquitetônica possui um óculo gigantesco, eternamente aberto para o céu *(pp. 14-5)*.

3 Fórum Romano

No coração do movimentado centro político, judicial e comercial da Roma Antiga, hoje há um evocativo vazio de arcos grandiosos, colunas solitárias e esculturas em ruínas *(pp. 16-9)*.

4 Galleria Borghese

A elegância e o luxo deste palácio paradisíaco, pertencente ao hedonista e milionário sobrinho de um papa, se traduzem em obras de arte greco-romanas, renascentistas e barrocas criadas por grandes mestres *(pp. 20-1)*.

Nas páginas anteriores, **Piazza San Pietro**

5 Coliseu e Fóruns Imperiais

O espetacular anfiteatro *(pp. 22-3)* é um dos mais fantásticos monumentos da Roma imperial, entre muitos outros.

7 Museo Nazionale Romano

Esculturas clássicas e belos mosaicos são apenas algumas das obras de arte que preenchem os dois setores deste importante museu *(pp. 28-31)*.

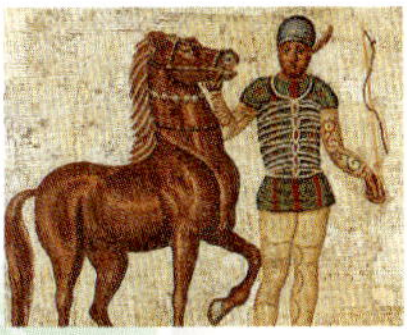

8 Santa Maria del Popolo

Erguida sobre túmulos de imperadores, esta igreja nos reserva uma preciosa coleção de obras-primas renascentistas e barrocas, entre elas trabalhos de Pinturicchio, Rafael, Caravaggio e Bernini *(pp. 32-3)*.

9 San Clemente

As misteriosas passagens e as lendas que permeiam esta igreja proporcionam uma experiência inédita das várias "camadas" da história de Roma; aqui, você desce a 18m de profundidade e recua 2 mil anos no tempo *(pp. 34-5)*.

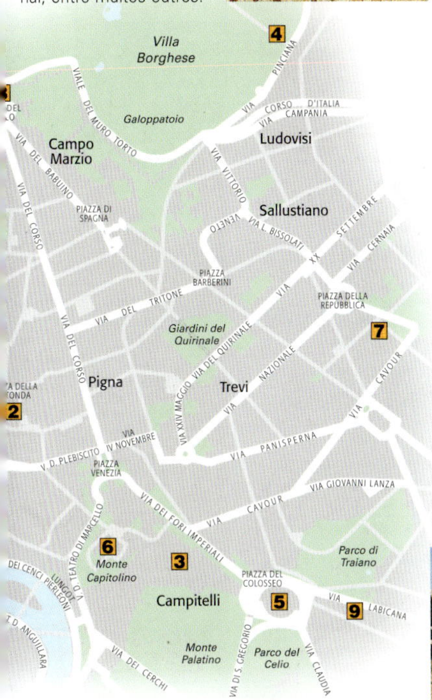

6 Museus Capitolinos

No centro antigo da Roma religiosa podem ser encontradas algumas das principais obras de arte do mundo, de esculturas gregas do século IV a.C. às revolucionárias e até mesmo escandalosas pinturas de Caravaggio *(pp. 24-7)*.

10 Ostia Antica

Ocupando uma área de vários quilômetros, as fantásticas ruínas da principal cidade portuária da Roma Antiga reservam muitas surpresas e fortes impressões do cotidiano imperial *(pp. 36-7)*.

TOP 10 Vaticano

Com uma área de apenas 50ha, o Vaticano é o menor país do planeta, uma teocracia com cerca de 550 cidadãos chefiados pelo papa. No entanto, abriga um conjunto artístico que não se compara a qualquer outro no mundo. Dentro de seus muros encontram-se a suntuosa Basílica de São Pedro (pp. 12-3), *a deslumbrante Capela Sistina* (pp. 10-1), *jardins exuberantes, aposentos com pinturas murais de Fra Angelico, Rafael e Pinturicchio, e mais dez museus. Estes últimos abrigam coleções de antiguidades egípcias, gregas, etruscas e romanas; arte paleocristã, renascentista e moderna; e uma magnífica coleção etnográfica.*

Pátio do Vaticano

Há um café no interior dos Museus do Vaticano, que está sempre lotado.

Estando na cidade, o papa costuma dar audiência coletiva às quartas-feiras de manhã. Reserve os bilhetes gratuitos com antecedência na Prefeitura da Residência Papal (Fax 06 6988 5863).

- *Mapa B2*
- *www.vatican.va*
- *Museus e Capela Sistina: Viale Vaticano 100; 06 6988 4947; abertos 9h-18h (última entrada 16h) seg-sáb e 9h-14h último dom do mês; fechado 1º jan, 11 fev, 19 mar, Páscoa, seg Páscoa, 1º mai, 29 jun, 14-15 ago, 1º nov, 8, 25, 26 dez; entr. €16 (€8 ISIC estudantes menores de 26); DA (parcial).* • *Basílica de S. Pedro: Piazza S. Pietro; 06 6988 3731 (para informações); aberta 7h-19h diariam, 13h-19h qua (até 18h30 out-mar); grátis basílica; entr. €6 (tesouraria), €5 (cúpula de escadas), €7 (cúpula de elevador).*

Destaques

1. Capela Sistina
2. Salas de Rafael
3. Apolo do Belvedere
4. Transfiguração, de Rafael
5. Capela de Nicolau V
6. Laocoonte
7. Deposição, de Caravaggio
8. Aposentos dos Borgia
9. Torso do Belvedere
10. São Jerônimo, de Leonardo da Vinci

1 Capela Sistina

Não há no mundo obra de arte mais espetacular que o teto pintado por Michelangelo *(pp. 10-1)*.

2 Salas de Rafael

Rafael pintou os aposentos de Júlio II entre 1508 e 1520. A Stanza della Segnatura representa a Escola de Atenas, uma convenção de filósofos que portam retratos de gênios do Renascimento, como Leonardo da Vinci, no centro da cena, como um Platão de barba.

3 Apolo do Belvedere

Esta é uma cópia romana da estátua grega do século IV a.C., considerada modelo de beleza física. É inspirada no *Apolo* de Bernini, da Galleria Borghese *(pp. 20-1)*.

Planta do Vaticano

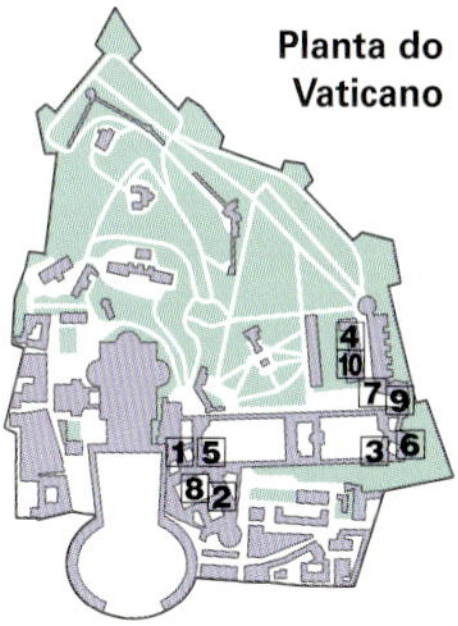

4 Transfiguração, de Rafael

Rafael trabalhava nesta gigantesca obra-prima (1517-20) quando morreu, aos 37 anos; a base foi terminada por seus discípulos. Ela representa a gloriosa aparição de Cristo para os Apóstolos.

5 Capela de Nicolau V

Uma das joias do Vaticano, esta capela abriga afrescos coloridos (1447-50) de Fra Angelico, representando os primeiros mártires.

7 Deposição, de Caravaggio

A técnica *chiaroscuro*, de Caravaggio, acentua uma composição diagonal (1604) de figuras rústicas e um realismo cruel.

9 Torso do Belvedere

Os músculos claramente delineados do torso do herói Hércules, do século I a.C., foram muito usados como modelo para os estudos iniciais de Michelangelo e muitos outros mestres do Renascimento.

8 Aposentos dos Borgia

O papa Alexandre VI ocupava estes belos aposentos, cujos afrescos das paredes foram pintados por Pinturicchio (Rafael foi seu discípulo e colaborador) entre 1492 e 1495. Hoje, eles exibem uma coleção de Arte Moderna.

10 São Jerônimo, de Leonardo da Vinci

Esboçada, mas inacabada – Leonardo era um gênio dispersivo –, a pintura de 1482 é considerada um modelo de anatomia humana.

Guia dos Museus

Os Museus do Vaticano (15 minutos a pé seguindo os muros do Vaticano, a partir da Basílica de São Pedro) são formados por dez museus, a Capela Sistina e os aposentos do papa. Para ver apenas os destaques, comece pela Pinacoteca, à direita das catracas da entrada. A Sistina e outras coleções ficam à esquerda.

6 Laocoonte

Esta famosa escultura do século I d.C. representa o profeta troiano e seus filhos sendo estrangulados por serpentes, ao tentar impedir que o cavalo de madeira presenteado pelos gregos entrasse na cidade.

Adão e Eva; O profeta Ezequiel

TOP 10 Tesouros da Capela Sistina

1 Adão e Eva
Numa das cenas mais reproduzidas da arte ocidental, Deus sopra a fagulha de vida em Adão e tira Eva de sua costela.

2 Criação
Deus separa a escuridão da luz, a água da terra e cria o Sol e a Lua. Por pouco Michelangelo não comete uma blasfêmia ao representar Deus com os pés sujos.

3 O Sacrifício, o Dilúvio e a Embriaguês de Noé
Depois que desmontou os andaimes e olhou os trabalhos do chão, Michelângelo percebeu que estas três cenas tumultuadas eram as mais detalhadas.

4 O Juízo Final
Nesta grande cena, os santos são identificados pelos ícones medievais: Catarina está com a roda e Bartolomeu com o punhal com o qual foi esfolado.

5 Sibilas e Profetas
Os profetas hebreus, como Jonas fugindo da baleia, se misturam às Sibilas que previram a vinda de Cristo.

6 Cenas de Salvação do Velho Testamento e os Ancestrais de Cristo
A árvore genealógica de Jesus está retratada acima das janelas; e nos tímpanos dos frontões, nos cantos, veem-se cenas sanguinolentas da Salvação, entre elas a de Davi e Golias.

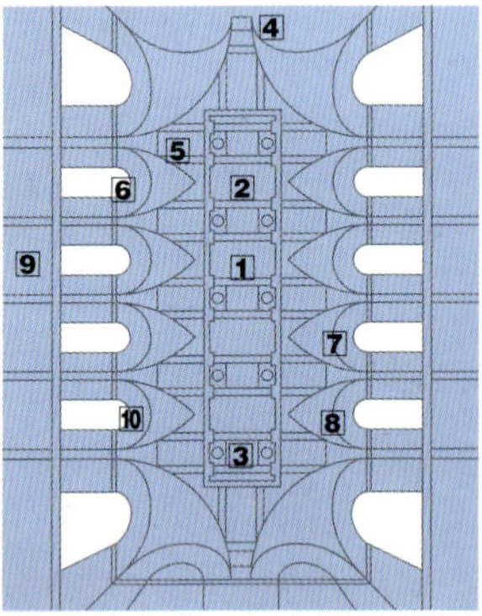

Planta da Capela Sistina

7 Cenas da Vida de Cristo
A tentação de Cristo, de Botticelli, *O chamado de Pedro e André*, de Ghirlandaio, e um Perugino ficam na parede à direita.

8 Entrega das Chaves a São Pedro
Construções clássicas servem de pano de fundo para a imagem central, na qual Cristo transfere o poder aos papas. Cada cena se divide em três partes.

9 Cenas da Vida de Moisés
Os destaques da parede esquerda são *A sarça ardente*, de Botticelli, e *Moisés dá o cajado a Josué*, de Signorelli e Della Gatta.

10 O Castigo dos Rebeldes, de Botticelli
Os cismáticos questionam por que Aarão tem direito de queimar incenso. Moisés vinga-se, fazendo a terra se abrir para engoli-los.

Veja mais sobre obras-primas romanas nas **pp. 48-9**

Pintores da Capela Sistina

1 Michelangelo (1475-1564)
2 Perugino (1450-1523)
3 Sandro Botticelli (1445-1510)
4 Domenico Ghirlandaio (c. 1449-94)
5 Luca Signorelli (c. 1450-1523)
6 Rosselli (1439-1507)
7 Fra Diamante (1430-98)
8 Pinturicchio (1454-1513)
9 Piero di Cosimo (1462-1521)
10 Bartolomeo della Gatta (1448-1502)

Entenda a Arte da Capela Sistina

As pinturas murais da Sistina não são meros trabalhos decorativos dos grandes artistas do Renascimento – as imagens contam histórias e montam complexos argumentos teológicos. O papa Sisto IV encomendou os afrescos da Capela do Papa em 1481-83. Com isso, pretendia reforçar a autoridade papal, questionada na época, estabelecendo uma linha de poder entre Deus e o papa. No ciclo A vida de Moisés*, os papéis inquestionáveis de Moisés e Aarão como representantes de Deus são reforçados no destino reservado aos que se opõem a Aarão – que não por acaso, e anacronicamente, usa a tiara papal – em* O castigo dos rebeldes*. Na frente dessa cena está* Entrega das chaves a São Pedro*, de Perugino, que faz a ponte entre o Velho e o Novo Testamento, quando Cristo passa o controle da Igreja a São Pedro – e, portanto, aos papas, seus sucessores (representados entre as janelas da Sistina). Posteriormente, o teto pintado por Michelangelo (1508-12) acrescentou o Gênesis, a Redenção e a Salvação.*

O Pecado Original
Parte do Gênesis de Michelangelo mostra a expulsão de Adão e Eva do Paraíso por comerem o fruto da Árvore do Conhecimento.

***A vida de Moisés*, Sandro Botticelli**

Cúpula; Baldaquino

TOP 10 Detalhes da Basílica de São Pedro

1 Pietà

Michelangelo esculpiu esta obra-prima *(p. 48)* em 1499, aos 25 anos. Ela é, a um só tempo, suave e sofrida, majestosa e etérea. Está protegida por um vidro desde 1972, quando um homem que se dizia ser Jesus Cristo atacou-a com um martelo, danificando os dedos e o nariz da Virgem.

2 A Cúpula

Quando Michelangelo projetou a cúpula sobre o imenso transepto da basílica, ele a fez com 42m de diâmetro em respeito aos 43,3m da cúpula do Pantheon. Os visitantes sobem de elevador a maior parte do caminho, mas terão que subir a pé os últimos 330 degraus entre a parte interna e a concha externa da cúpula para alcançar a claraboia a 132m de altura e ter uma vista panorâmica da cidade.

3 Piazza San Pietro

As notáveis colunatas semielípticas de Bernini são como dois braços abertos para receber os fiéis que se aproximam da basílica *(p. 46)*. Infelizmente, a sensação de chegar à praça por um emaranhado de ruelas medievais já não existe mais, desde que Mussolini demoliu os arredores para instalar o majestoso Via della Conciliazione. O obelisco foi trazido de Alexandria.

4 Baldaquino

Não importa se considerado glorioso ou ostensivo, o fato é que o imenso baldaquino de Bernini é algo impressionante. Dizem que suas colunas de bronze espiraladas foram feitas com os revestimentos (as decorações do teto do pórtico) do Pantheon *(p. 14)*, por ordem do papa Urbano VIII. Por ter profanado aquele templo da Antiguidade, o papa Barberini e sua família *(p. 51)* passaram a ser alvo da expressão espirituosa: "O que os bárbaros não fizeram foi feito pelos Barberini."

5 Estátua de São Pedro

Remanescente de um São Pedro medieval, esta estátua de bronze do século XIII, obra do escultor Arnolfo di Cambio, ganhou status de objeto sagrado. Os fiéis fazem fila para tocar (ou beijar) o pé já gasto de Pedro para dar sorte.

Pietà, de Michelangelo

6 Tesouro

Entre os tesouros eclesiásticos existe uma cruz do século VI de bronze e pedras preciosas, a Crux Vaticana, vários fragmentos de objetos da basílica medieval, como o cibório de Donatello, de 1432, e a lápide de bronze, de 1493, de Antonio Pollaiuolo, usada na sepultura de Sisto IV: uma efígie do papa no meio de representações das virtudes teológicas e artes liberais.

Monumento a Alexandre VII

7 Abside

Um exuberante vitral barroco de Bernini (1666) tem no centro uma pomba representando o Espírito Santo, do qual emanam raios de sol e uma infinidade de detalhes esculturais. Sob o vitral, vê-se o Trono de Pedro (1665), também de Bernini; do lado de dentro, há uma cadeira de madeira e marfim que dizem ser o verdadeiro trono de São Pedro. Bernini também esculpiu o mármore colorido do *Monumento a Urbano VIII* (1644), à direita, inspirado nos túmulos dos Medici, de Michelangelo, em Florença. Seu valor artístico é muito superior ao monumento do papa Paulo III (1549), de Guglielmo della Porta, que está do lado esquerdo.

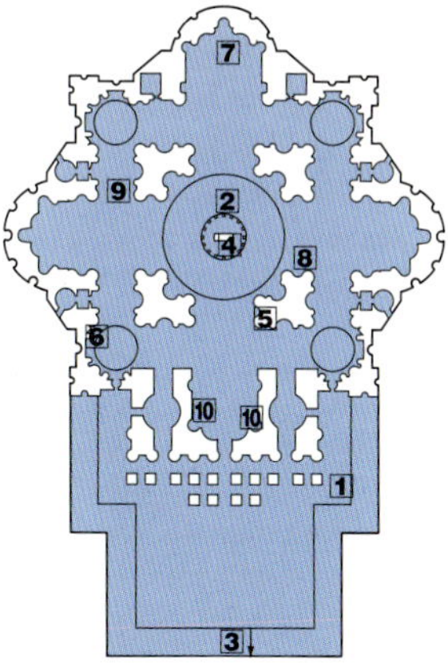

Planta da Basílica de São Pedro

8 Cripta

Muitos monumentos medievais estão guardados no subsolo da basílica. Em escavações feitas nos anos 1940, os pesquisadores descobriram na Necrópole a lendária Parede Vermelha, atrás da qual São Pedro estaria enterrado. A parede era coberta por antigos grafites medievais que invocavam o santo, e atrás foi encontrada uma caixa de ossos. João Paulo II está sepultado nesta cripta.

9 Monumento a Alexandre VII

Um dos últimos trabalhos de Bernini (1678) são as imagens da Justiça, Verdade, Castidade e Prudência voltadas para o pontífice que está ajoelhado no centro. Um esqueleto ergue-se do panejamento segurando uma ampulheta, que representa a mortalidade.

10 Corredores Centrais

Até recentemente, as igrejas eram avaliadas por suas relíquias. Na Basílica de São Pedro estão a lança de São Longuinho que perfurou Jesus na Cruz, o lenço com que Verônica enxugou o rosto de Cristo e um fragmento da Santa Cruz.

TOP 10 Pantheon

Quando o imperador bizantino Focas deu um templo pagão ao papa Bonifácio IV em 608, sem querer garantiu que uma das maravilhas da Roma Antiga fosse preservada, quase integralmente, como a igreja cristã de Santa Maria dos Mártires. O imperador Adriano, um arquiteto amador, projetou a atual estrutura em 118-125 d.C. Ao longo dos anos ela sofreu alguns saques: os bárbaros se apossaram de algumas peças, Constança II usou os tijolos dourados e, em 1625, Urbano VIII fundiu os canhões do Castelo de Sant' Angelo com o bronze derretido dos painéis do telhado. Mas seu interior e as proporções perfeitas deste patrimônio mundial permanecem intactos desde o primeiro momento de sua existência.

A inscrição de Agripa na fachada do Pantheon

Há uma boa sorveteria, a Cremeria Monteforte *(p. 96)*, do lado direito do Pantheon, e uma excelente cafeteria, La Tazza d'Oro, do outro lado da praça *(p. 71)*.

Aproveite um dia chuvoso para ir ao Pantheon ver a água da chuva entrar pelo óculo, espalhar-se no piso de mármore e escorrer pela canaleta. Quando neva, é ainda mais bonito.

- *Piazza della Rotonda*
- *Mapa M3*
- *06 6830 0230*
- *Aberto 8h30-19h30 seg-sáb, 9h-18h dom (9h-13h nos feriados); missa: 10h30 dom e 17h sáb; fechado 1º jan, 1º mai, 25 dez* • *Grátis*

Destaques

1. Cúpula
2. Óculo
3. Pórtico
4. Portas
5. Paredes
6. Túmulos Reais
7. Túmulo de Rafael
8. Fonte
9. Ornamentos de Mármore
10. Ruínas da Basílica de Netuno

1 Cúpula

A mais larga cúpula de tijolos da Europa tem exatamente a mesma medida na altura e na largura: 43,3m. O espaço amplo e alveolado, iluminado pelos raios de sol que penetram pelo óculo, é responsável pela atmosfera etérea do Pantheon.

2 Óculo

O orifício com 8,3m de diâmetro no alto da cúpula não só permite a entrada de luz como é um suporte estrutural: a tensão em torno de seus anéis ajuda a sustentar o peso da cúpula.

3 Pórtico

O frontão triangular da fachada se apoia em dezesseis colunas de granito rosa e cinza; são todas originais, exceto as três da esquerda, do século XVII.

4 Portas

As imensas portas de bronze são consideradas originais, mas passaram por tantas reformas sob o papado de Pio IV (1653) que foram praticamente fundidas outra vez.

5 Paredes

As paredes, com 6,2m de espessura, incorporam arcos internos de tijolos, que ajudam a distribuir o peso do teto e a diminuir a pressão sobre elas.

6 Túmulos Reais

Dois reis italianos estão enterrados aqui: Vittorio Emanuele II (1861-78), que foi o primeiro rei e unificou o país, e seu filho Umberto I, seu sucessor assassinado em 1900.

7 Túmulo de Rafael

O maior artista do Renascimento romano, morto aos 37 anos, repousa em um sarcófago de pedra. No epitáfio do poeta latino Bembo lê-se: "Aqui jaz Rafael, pelo qual a Natureza temeu ser ultrapassada enquanto vivia, mas, agora que ele se foi, teme morrer." Há outros artistas enterrados aqui, como Baldassare Peruzzi.

8 Fonte

Giacomo della Porta desenhou a base do pilar esculpido por Leonardo Sormani em 1575. O obelisco egípcio de Ramsés II foi acrescentado em 1711.

9 Ornamentos de Mármore

Granito vermelho, *giallo antico* e outros mármores antigos ornamentam o interior do Pantheon. Grande parte dos painéis coloridos que revestem as paredes é original; outros, como os do piso, são cópias perfeitas.

10 Ruínas da Basílica de Netuno

Só o que resta da mais antiga vizinha do Pantheon são uma elaborada cornija ornamentada e as colunas estriadas que estão atrás dele.

O Primeiro Pantheon

Marcus Agripa, genro do imperador Augusto, construiu em 27 a.C. o primeiro Pantheon, que foi substituído em 118-125 d.C. pela obra reformada por Adriano.
A inscrição no frontão triangular, "*M. Agripa cos tertium fecit*" ("Feito por M. Agripa") é uma homegagem que Adriano presta a Agripa. O frontão tem a função de dar a ilusão de que o templo é menor, tornando ainda mais impressionante o amplo espaço interno (a frente do Pantheon original encobria o domo). As "orelhas de asno", as pequenas torres que Bernini acrescentou ao frontão, foram retiradas em 1883.

TOP 10 Fórum Romano

Diante do que se vê hoje, um pitoresco amontoado de ruínas e ervas daninhas, ninguém diria que o Fórum foi símbolo do orgulho cívico durante mil anos. No início, há mais de 3 mil anos, era apenas o cemitério enlameado de um vilarejo no alto do Palatino. Aos poucos foi crescendo e ganhando poder. Quando a área alagadiça foi drenada, no século VI a.C., o Fórum passou a ter um papel central na vida da República. E sua face mais elegante revelou-se no reinado de Augusto, o primeiro imperador romano, que teria substituído por mármore os tijolos da cidade.

Cúria

As únicas opções para beber ou comer nas imediações do Fórum são os vendedores ambulantes de refrigerantes. Para algo mais substancioso, há muitos cafés e restaurantes na Via Cavour.

No verão, é melhor visitar o Fórum de manhã ou no fim do dia, por causa do calor.

• Via dei Fori Imperiali • Mapa Q5 • 06 3996 7700 • Aberto 1º nov-15 fev: 8h30-16h30 diariam; 16 fev-15 mar: 8h30-17h diariam; 16-31 mar: 8h30-17h30 diariam; 1º abr-31 ago: 8h30-19h15 diariam; set: 8h30-19h diariam; out: 8h30-18h30 diariam. Fechado 1º jan, 25 dez • Fórum: entr. €12 (inclui Palatino e Coliseu; vale por 48 horas); grátis para cidadãos da UE menores de 18 e maiores de 65

Destaques

1. Arco de Sétimo Severo
2. Templo de Vesta e Casa das Virgens Vestais
3. A Cúria
4. Templo de Castor e Pólux
5. Arco de Tito
6. Basílica de Maxêncio e Constantino
7. Templo de Vespasiano
8. A Via Sacra
9. Templo de Saturno
10. Templo de Antonino e Faustina

1 Arco de Sétimo Severo

Este arco triunfal, um dos mais preservados, comemora as vitórias do Império Romano no Oriente Médio. Foi erguido em 203 d.C. pelos filhos do imperador, Geta e Caracalla, que juntos governaram Roma.

2 Templo de Vesta e Casa das Virgens Vestais

O gracioso templo circular e o palácio que se vê ao lado abrigavam um dos cultos mais antigos de Roma. As sacerdotizas que portavam as tochas eram todas nobres e desfrutavam de grandes privilégios.

3 A Cúria

Do Senado do século III d.C. ainda se veem o piso com incrustações coloridas, a parte vertical dos degraus, onde deliberavam os 300 senadores, e a tribuna do orador. Há referências ao Fórum do século II nos mármores esculpidos com os feitos de Trajano.

Veja mais sobre antiguidades em Roma nas **pp. 40-1**

4 Templo de Castor e Pólux

Só restam três colunas coríntias deste templo dedicado aos *Dioscuri* – os irmãos gêmeos de Helena de Troia, filhos de Júpiter e Leda. O santuário fica no local em que eles se manifestaram para anunciar uma importante vitória romana em 499 a.C.

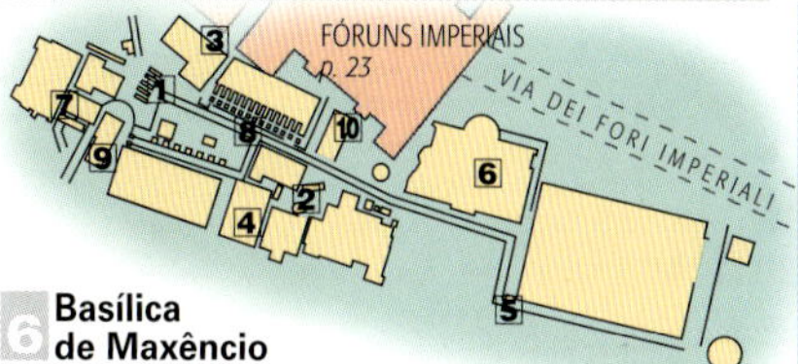

Planta Original do Fórum Romano

6 Basílica de Maxêncio e Constantino

As três abóbadas cilíndricas alveoladas constituem a maior estrutura do Fórum e foram construídas em 315 d.C. Funcionavam como o centro financeiro e jurídico do Império.

7 Templo de Vespasiano

No século XVIII, quando foram iniciadas as escavações, foram encontradas as colunas de cantaria (79 d.C.) do templo do imperador, que estavam enterradas sob detritos acumulados.

9 Templo de Saturno

Oito colunas jônicas cinza e vermelhas são o que restou deste templo (também o tesouro de Estado) dedicado ao deus da agricultura e à mítica idade de ouro. A Saturnália, festa celebrada em dezembro, se parece muito com o nosso Natal.

10 Templo de Antonino e Faustina

Em 41 d.C., Antonino Piu dedicou este templo a sua divina esposa Faustina e hoje é um dos mais preservados. Num estilo barroco rebuscado, é também um dos mais antigos. Observe os grifos esculpidos ao longo do friso lateral.

5 Arco de Tito

O arco mais antigo de Roma foi construído em 81 d.C. pelo imperador Domiciano em homenagem a seu irmão, Tito, e a seu pai, Vespasiano, que debelaram a revolta dos judeus. Os relevos mostram soldados saqueando o templo de Jerusalém e levando objetos sagrados, como o menorá de ouro.

8 A Via Sacra

Pavimentada com grandes pedras de basalto preto, a via mais antiga de Roma começa no Arco de Tito, atravessa o Fórum e sobe o monte Capitolino. Onde antes os heróis republicanos faziam suas paradas triunfais, hoje é ponto de desocupados, ladrões e batedores de carteira.

Guia do Fórum

Você pode chegar ao Fórum pela Via Dei Fori Imperiali. Mas, para ter uma boa visão de todo o sítio, entre por um dos pontos altos em cada uma das extremidades. Pelo lado noroeste, comece pelo Capitolino (à direita e atrás do grandioso e branco Monumento a Vittorio Emanuelle) e desça a escadaria que começa no Largo Rômulo e Remo. Pelo lado sudeste, saia do Coliseu *(p. 22)* e suba a colina a noroeste. Passe sob o Arco de Tito, que também está próximo do principal portão de entrada do Palatino.

Jardins Farnese; Relevo em estuque, Cryptoporticus; Domus Flavia

TOP 10 Detalhes do Monte Palatino

1 Domus Flavia

Embora hoje seja identificada basicamente por duas fontes em ruínas, esta construção imponente era a ala oficial de um grande palácio imperial construído por Domiciano em 81 d.C.

2 Casa de Lívia

Os alicerces do século I a.C. que hoje estão expostos fazem parte da residência palaciana de Augusto e sua segunda esposa. Há também fragmentos de mosaicos e de pinturas murais.

3 Museu e Antiquário Palatino

Este antigo convento abriga artefatos escavados no local, como cerâmicas, estátuas, grafites antigos e mosaicos. Tem uma maquete da Idade do Ferro Palatina.

4 Cabanas de Rômulo da Idade do Ferro

Vestígios de três pequenas cabanas do século IX a.C. foram encontrados aqui nos anos 1940. Diz a lenda que era uma pequena aldeia fundada por Rômulo, que deu nome a Roma *(p. 38)*.

5 Estadium

Talvez uma pista de corrida, ou um jardim, neste retângulo rebaixado ficava a residência palaciana de Domiciano, no século I.

6 Domus Augustana

Só o que resta da ala privativa da residência imperial de Domiciano são as abóbadas estruturais.

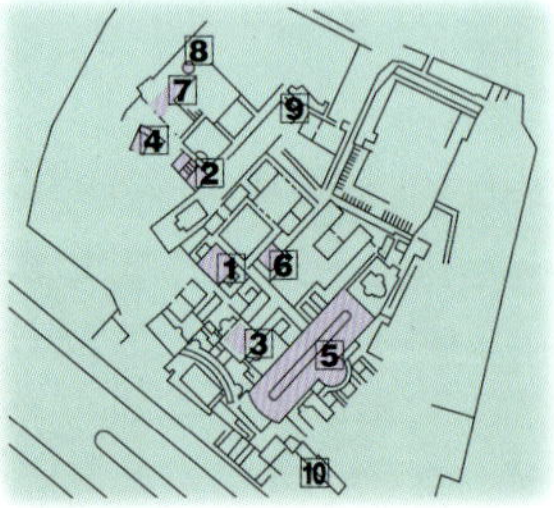

Planta do Monte Palatino

7 Templo de Cibele

O culto orgiástico à Grande Mãe foi a primeira das religiões orientais que chegaram a Roma, em 191 a.C. Hoje só existe uma estátua decapitada da deusa. Os sacerdotes de Cibele praticavam autocastrações rituais.

8 Jardins Farnese

Muitas plantas e pavilhões elegantes enfeitam parte do que já foi um extenso jardim paradisíaco desenhado por Vignola e construído no século XVI sobre as ruínas do palácio de Tibério.

9 Cryptoporticus

São várias galerias subterrâneas abobadadas e ornamentadas com estuque, que se estendem por 130m. Elas ligam o Palatino à Casa Dourada de Nero *(p. 41)*.

10 Domus Septimius Severus

Da ampliação feita pelo imperador na Domus Augustana no século II d.C., restam apenas grandes arcos e fragmentos de parede.

Antigas Crenças Romanas

1. Religião Oficial dos Deuses Greco-Romanos (especialmente a Tríade do Capitólio, Júpiter, Juno e Minerva)
2. Residência dos Deuses: Ancestrais e Guardiões
3. Culto a Cibele, a Grande Mãe
4. Divinização de Imperadores, Imperatrizes e Protegidos
5. Cultos Orgiásticos à Fertilidade
6. Mitraísmo
7. Culto a Attis
8. Culto a Ísis
9. Culto a Serapis
10. Cristianismo Judaico

Casas de Banho Romanas

A vida social romana acontecia nestes banhos luxuosos, como as Termas de Caracalla *(p. 119)*.

Um Dia no Cotidiano da Roma Antiga

Os romanos viviam em insulae*, ou prédios com seis andares em média, onde os mais pobres ocupavam os andares inferiores e mais baratos. Um cidadão romano médio levantava-se antes do amanhecer, vestia a toga e bebia um copo d'água em jejum. Depois, saía andando pelas vielas, parava numa latrina pública, e lá conversava com os vizinhos. Então visitava seu patrão, que lhe pagava o salário diário. No almoço, comia um pedaço de pão e bebia vinho. O banho era tomado no fim da tarde, quando reencontrava os amigos em uma terma pública. Ali ele relaxava, conversava, exercitava-se, lia e apreciava obras de arte, até a hora do jantar. À noite, deitava-se sobre almofadas para a principal refeição do dia, servida por seu escravo. Depois ia dormir. As matronas romanas, fora seus momentos nas termas, passavam o dia em casa, nos afazeres domésticos.*

Toga romana

TOP 10 Galleria Borghese

A Galeria Borghese é um museu pequeno, mas um dos mais importantes do mundo. Algumas das melhores esculturas de Bernini e telas de Caravaggio dividem as salas com obras clássicas, renascentistas e neoclássicas. A galeria ocupa um palacete com pinturas murais do século XVII cercado pelo parque da Villa Borghese. O acervo pertencia a um colecionador de arte do início do Barroco, o cardeal Scipione Borghese. Scipione patrocinava os jovens Bernini e Caravaggio, e assim conseguiu reunir uma das coleções privadas mais preciosas de Roma.

Galleria Borghese

Apesar de o café no subsolo do museu não ser ruim, o Caffè delle Arti (06 3265 1236), dentro da Galleria Nazionale d'Arte Moderna, é bem melhor e tem vista para um parque.

Para visitar a galeria é preciso reservar com boa antecedência. Agende a sua entrada com hora marcada. Os ingressos esgotam rapidamente, sobretudo quando há exposições.

• Villa Borghese, perto da Via Pinciana • Mapa E1 • 06 32810 • www.galleriaborghese.beniculturali.it • www.ticketeria.it (reservas) • Aberta 9h-19h ter-dom. Fechada 1º jan, 24, 25 e 31 dez. • Entr. €11; €6,50 estudantes 18-25; €2 cidadãos europeus menores de 18, acima de 65 e jornalistas • Preços podem mudar durante as exposições • Tempo da visita: no máx. 2 horas

Destaques

1. Apolo e Dafne, de Bernini
2. Rapto de Prosérpina, de Bernini
3. Davi, de Bernini
4. Madona com a Serpente, de Caravaggio
5. Pauline Bonaparte, de Canova
6. Baco, Autorretrato, de Caravaggio
7. Deposição, de Rafael
8. Eneias e Anquise, de Bernini
9. Amor Sagrado e Amor Profano, de Ticiano
10. Danae, de Correggio

1 Apolo e Dafne, de Bernini

Um momento decisivo congelado no mármore (1622-5): Apolo está a um passo de alcançar Dafne, quando os deuses, compadecidos, a transformam em um ramo de louros.

2 Rapto de Prosérpina, de Bernini

Bernini esculpiu esta obra-prima aos 23 anos, em 1621-2. Um Plutão musculoso atira a cabeça para trás numa gargalhada e enterra seus dedos poderosos no corpo da donzela, que luta para se livrar de suas garras.

3 Davi, de Bernini

O *Davi* do jovem Bernini (1623-4) foi a resposta barroca à versão renascentista de Michelangelo. A expressão severa é um autorretrato.

4 Madona com a Serpente, de Caravaggio

A simplicidade deste retábulo de 1605 foi criticada pelos mais ortodoxos. Ele ficou algumas semanas no altar da São Pedro até ir para outra igreja e, por fim, para a Borghese.

Veja mais sobre obras-primas em Roma nas **pp. 48-9**

5 Pauline Bonaparte, de Canova

A irmã de Napoleão causou escândalo ao deixar-se retratar seminua em 1805-8, repousando como uma deusa clássica na almofada de mármore.

6 Baco, Autorretrato, de Caravaggio

Este minucioso autorretrato como deus do vinho, de 1593, teria sido pintado durante uma doença do artista. As pinceladas são mais precisas do que em obras posteriores.

7 Deposição, de Rafael

É a pintura mais famosa da Borghese (1507), embora não seja a melhor obra da galeria ou mesmo de Rafael. A matriarca da Perugia, Atalanta Baglioni, encomendou este trabalho em homenagem ao seu filho assassinado (talvez o jovem de camisa vermelha).

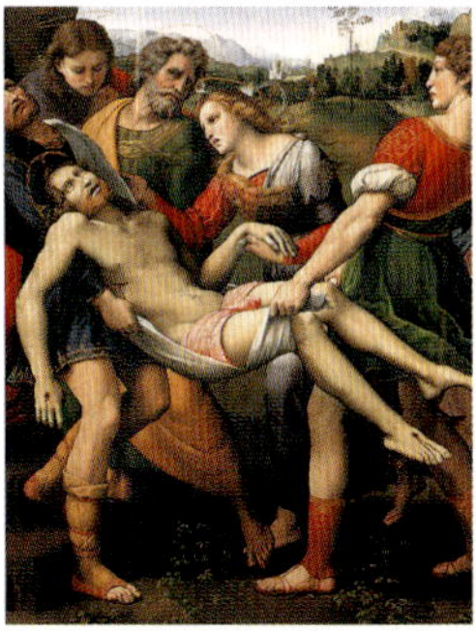

8 Eneias e Anquise, de Bernini

Pietro Bernini ainda orientava seu filho de 15 anos neste trabalho de 1613. Os entalhes são mais tímidos e estáticos que em trabalhos posteriores, mas o gênio já está presente.

10 Danae, de Correggio

Uma obra-prima sensual (1531) inspirada nas *Metamorfoses* de Ovídio. Cupido afasta os lençóis que cobrem Danae, e Júpiter despeja seu amor sobre ela, como chuva dourada.

9 Amor Sagrado e Amor Profano, de Ticiano

Nesta cena de 1514, pintada para um casamento, a jovem noiva é convencida de que o amor terreno faz parte do divino e que o sexo é uma extensão do sagrado matrimônio.

Os Colecionadores Borghese

Scipione utilizou este palacete do século XVII para expor a estupenda coleção de antiguidades que herdou de seu tio, o papa Paulo V, à qual ele acrescentou as esculturas do jovem Bernini. Quando Camillo Borghese se casou-se com Pauline Bonaparte, doou grande parte da coleção de esculturas clássicas ao seu cunhado Napoleão, em 1809. Hoje, essas esculturas constituem o cerne da ala de antiguidades do Louvre, em Paris.

TOP 10 Coliseu e Fóruns Imperiais

Este rico sítio arqueológico, rudemente cortado pela Via dei Fori Imperiali de Mussolini, concentra as mais grandiosas e notáveis ruínas da Roma Antiga. Predomina na área a fantástica concha do Coliseu, construída entre 72-80 d.C. sob os imperadores Flavianos e originalmente chamada Anfiteatro Flaviano. Também estão reunidas aqui outras maravilhas imperiais, como o Arco de Constantino, os fóruns gigantescos de vários imperadores, mais notadamente o de Trajano, e a extravagante Casa Dourada de Nero, do século I d.C., que hoje nos revela os subterrâneos de uma casa romana. A Comune di Roma está constantemente escavando a área, e a cada ano há novas descobertas. O tráfego é fechado na Via dei Fori Imperiali aos domingos para que os visitantes possam circular pelo sítio histórico.

Loggia, Casa dos Cavaleiros de Rodes

Um dos locais mais simpáticos para uma refeição rápida é o Caffè Valorani, no Largo Corrado Ricci 30.

No Coliseu, use um dos guias estudantes – eles trabalham em troca de gorjetas e dão vida a este local.

• 06 3996 7700 (reservas para todos os sítios arqueológicos) • Coliseu: Piazza del Colosseo, Mapa R6, Aberto 8h30-1h antes do anoitecer diariam, 1º jan e 25 dez: 9h30-15h30 (entr. grátis). Entr. €12 (inclui o palatino e o Fórum Romano) • Mercados de Trajano: Via IV Novembre, Mapa P4, 060608. Aberto 9h-19h ter-dom. Entr. €9,50 (€7,50 para estudantes da UE. Grátis para cidadãos da UE abaixo de 18 e acima de 65) • Prisão Mamertina: Clivo Argentario 1, Mapa P5, 06 698 961 (para reservas), Aberto diariam: 9h-19h (verão), 9h-17h (inverno), Entr. €10.

Destaques

1. Coliseu
2. Mercados de Trajano
3. Domus Aurea de Nero
4. Fórum e Coluna de Trajano
5. Arco de Constantino
6. Prisão Mamertina
7. Casa dos Cavaleiros de Rodes
8. Fórum de Nerva
9. Fórum de Júlio César
10. Fórum de Augusto

1 Coliseu

A paixão imperial por espetáculos sangrentos não tinha limites. Quando o imperador Tito inaugurou o anfiteatro, em 80 d.C., foram declarados cem dias de espetáculos, que envolveram o massacre de 5 mil animais selvagens. Essas chacinas "esportivas" foram praticadas até 523 d.C. *(p. 40).*

2 Mercados de Trajano

O visionário arquiteto do imperador Trajano, Apolodoro de Damasco, idealizou este bonito e até mesmo moderno conjunto de lojas e salas já no início do século II d.C. São ao todo 150 espaços, os do último andar ocupados por assistentes sociais e os dos demais andares por lojas variadas.

Veja mais sobre Roma Antiga nas **pp. 118-21**

3 Domus Aurea de Nero (Casa Dourada)

Os delírios do imperador resultaram no maior e mais suntuoso palácio que Roma já viu, mas que só servia para a sua diversão. Ocupava uma área muito grande e possuía até uma floresta particular. Hoje está fechada para restauração *(p. 41)*.

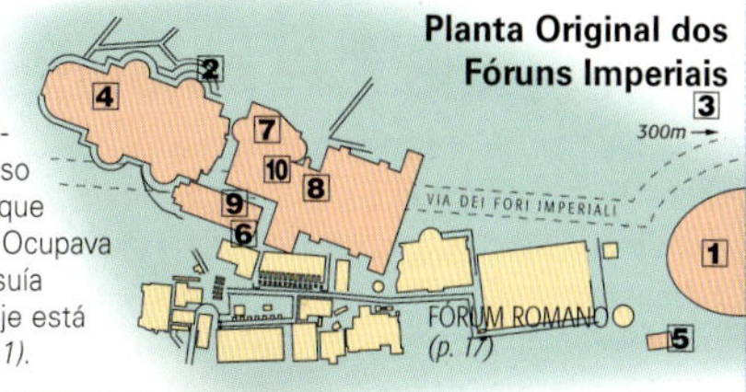

Planta Original dos Fóruns Imperiais

4 Fórum e Coluna de Trajano

Não havia quem não se encantasse diante da imponência do Fórum de Trajano. Hoje, atravessado por largas avenidas, só restou dele a magnífica coluna *(à direita)*, onde se vê nos detalhes a comemoração das vitórias do imperador na Dácia (Romênia). O acesso a uma parte do Fórum se dá pelo Mercado de Trajano.

6 Prisão Mamertina

Diz a lenda que São Pedro foi preso nesta masmorra. Os prisioneiros eram jogados nos porões por um orifício no piso e de lá só saíam mortos, depois de passarem fome *(p. 52)*.

8 Fórum de Nerva

Se o papa Paulo V não o tivesse dilapidado para construir a fonte Acqua Paola no século XVII, a principal atração local seria o Templo de Minerva. Ainda permanecem duas colunas coríntias e um friso sobre elas representando o mito de Aracne.

9 Fórum de Júlio César

Este é o primeiro Fórum da Roma imperial. Os antepassados de César, os Julianos, consideravam-se descendentes da própria Vênus, daí ele ter construído o Templo de Vênus Genetrix (46 a.C.) com três estátuas dele próprio e a de Cleópatra, seu grande amor.

10 Fórum de Augusto

O Fórum do sucessor de Júlio César *(p. 38)* tinha como centro o Templo de Marte, o Vingador; é identificado pela suntuosa escadaria e pelas quatro colunas coríntias.

5 Arco de Constantino

O arco ao lado celebra a vitória do primeiro imperador cristão sobre o imperador Maxêncio *(p. 38)*. É, em sua maior parte, uma colagem de elementos pagãos extraídos de vários monumentos antigos. Os escudos com cenas de caça vêm de um templo dedicado a Antinuous, amante do imperador Adriano.

7 Casa dos Cavaleiros de Rodes

Este priorado do século XII pertencia à ordem cruzada dos Cavaleiros de Rodes. Em seu interior permanece um pórtico original, três lojas e a Capela de São João.

Guia da Área

Reserve por volta de três horas para ver tudo. Provavelmente haverá filas para o Coliseu e para a Casa Dourada de Nero, que atualmente está fechada ao público. Use a entrada pela Via IV Novembre para visitar os Mercados de Trajano. Os Fóruns de Augusto e Nerva podem ser visitados partindo-se da Via dei Fori Imperiali.

Museus Capitolinos

O monte Capitolino e seus museus magníficos eram o centro religioso da Roma Antiga. A escada que leva ao alto da colina, a Cordonata, reserva uma experiência inesquecível, idealizada por Michelangelo no século XVI. Lá no topo, o imperador Marco Aurélio montado em seu cavalo estende a mão sobre Roma num gesto de paz. As laterais da praça em forma de estrela são limitadas por dois palácios, que abrigam os mais preciosos tesouros de Roma: as coleções do Palazzo Nuovo, aqui detalhadas, e as do Palazzo dei Conservatori (pp. 26-7), inauguradas em 1471 com os bronzes doados pelo papa Sisto IV e que desde então vêm ganhando importantes acréscimos.

Fachada do Palazzo dei Conservatori

Do terraço do Caffè Capitolino, que fica atrás do Palazzo dei Conservatori, tem-se uma vista espetacular da cidade.

Parte do corredor subterrâneo entre os dois museus é o Tabularium, a Sala dos Registros da antiga Roma, de onde se tem uma vista inigualável do Fórum.

- *Piazza del Campidoglio*
- *Mapa N5*
- *06 0608*
- *Aberto 9h-20h ter-dom. Fechado 1º jan, 1º mai, 25 dez*
- *Entr. €8,50 (grátis para cidadãos da UE abaixo de 18 anos e acima de 65), €12 durante exposições maiores*
- *O Cartão Capitolini custa €14 e é válido por 7 dias. O cartão também dá direito a entrar no Centro de Arte Montemartini (p. 152)*

Destaques

1. Sala dos Imperadores
2. Gálata à Morte
3. Vênus Capitolina
4. Mosaico das Pombas
5. Marforio
6. Sátiro em Repouso
7. Sala dos Filósofos
8. Cupido e Psiquê
9. Mosaico das Máscaras
10. A Velha Embriagada

Legenda

Primeiro andar

Térreo

1 Sala dos Imperadores

Nesta sala há vários retratos de imperadores e imperatrizes da Era Imperial, com destaque para o busto do cruel imperador Caracalla, que reinou no século III d.C.

2 Gálata à Morte

A peça mais famosa da coleção desperta compaixão. É, provavelmente, uma cópia romana do século I d.C. de um bronze helenístico do século III a.C.

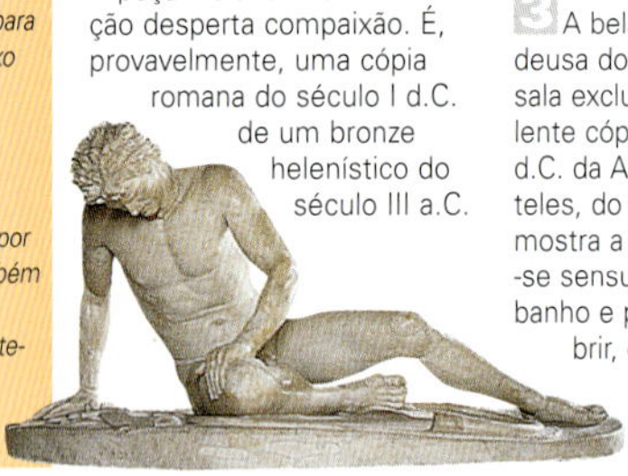

3 Vênus Capitolina

A bela estátua da deusa do amor ocupa uma sala exclusiva. Esta excelente cópia do século I d.C. da Afrodite de Praxiteles, do século IV a.C., mostra a deusa erguendo-se sensualmente de seu banho e procurando se cobrir, como se reagisse à chegada inesperada de alguém.

4 Mosaico dos Pombos

Originalmente era o motivo central de um piso da residência de Adriano *(p. 154)*. A composição usa cacos de mármore e de vidro *(tesserae)* para chegar à textura e ao volume desejados.

5 Marforio

O gigante reclinado que se vê abaixo era em versão original um deus dos rios que provavelmente estava no Fórum de Augusto *(p. 23)*. Um escultor do Renascimento acrescentou-lhe os atributos do deus Oceano e o trouxe para cá, vigiando a fonte de um pátio.

8 Cupido e Psiquê

Quando o deus do amor abraça a personificação da alma, os amantes se unem para sempre. Esta cópia romana de um original helênico inspirou muitas outras variações do famoso encontro.

9 Mosaico das Máscaras

O piso decorado com duas máscaras teatrais é provavelmente do século II d.C. Pequenas pastilhas de mármore colorido criam efeitos dramáticos, com excelente domínio da perspectiva e de luz e sombra.

6 Sátiro em Repouso

A criatura mitológica que antes adornava um bosque ou uma fonte é cópia da original do século IV a.C., de Praxiteles. As orelhas em ponta, o manto de pele de pantera e a flauta são atributos de Pã, o deus dos bosques e rebanhos. A estátua inspirou *O fauno de mármore*, de Nathaniel Hawthorne *(p. 56)*.

10 A Velha Embriagada

A cópia de um original helênico do século III a.C. faz parte de uma série de esculturas que representa os males causados pelo vício.

Guia do Museu

Do lado esquerdo da praça fica o Palazzo Nuovo, que concentra a maioria das esculturas antigas restauradas. As peças mais delicadas ficam no piso superior. Descendo as escadas, atravesse a passagem que o levará ao Palazzo dei Conservatori *(pp. 26-7)*. No pátio você verá fragmentos de mármores antigos. No andar de cima estão os ornamentos dos séculos XVI e XVII e estátuas clássicas, e no último andar ficam as pinturas do Renascimento e do Barroco.

7 Sala dos Filósofos

Nesta sala estão expostas primorosas cópias romanas de bustos gregos idealizados de grandes poetas e pensadores helênicos, entre eles Homero, o poeta épico, que era cego.

Lo Spinario; A loba de bronze

TOP 10 Palazzo dei Conservatori

1 Fragmentos da Colossal Estátua de Constantino

Encontrada entre as ruínas da Basílica de Maxêncio e Constantino, estas partes de um corpo despido (c. 313-24 d.C.) são fragmentos de uma gigantesca estátua sentada do primeiro imperador cristão, reconhecido pelos olhos saltados. O resto da estátua era esculpida em madeira e revestida com camadas de bronze.

2 Lo Spinario

Esta escultura do século I a.C. é um dos preciosos bronzes que integravam a doação que Sisto IV fez ao povo de Roma. Helenística quanto à temática do cotidiano, a cabeça remete a modelos mais arcaicos. A pose graciosa e única do jovem tirando um espinho do pé inspirou muitas outras obras do Renascimento.

3 São João Batista, de Caravaggio

Chocante pela sensualidade, a pose erótica do jovem abraçado a um carneiro provocou uma revolução iconográfica quando foi mostrada em 1600. O magnífico *chiaroscuro* aproxima a imagem sagrada do plano terreno.

4 A Loba de Bronze

O mais antigo símbolo de Roma de que se tem notícia é um artesanato etrusco ou grego do século V a.C. A loba, que cuida e protege os gêmeos Rômulo e Remo *(p. 38)*, também os alimenta com seu leite. Esta estátua é

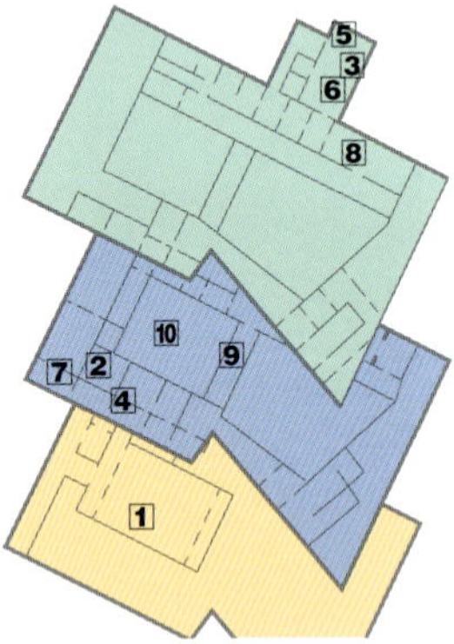

Legenda do Palazzo dei Conservatori

- Segundo andar
- Primeiro andar
- Térreo

mais uma das muitas doações do papa Sisto IV para o povo romano em 1471.

5 Enterro e Glória de Santa Petronilla, de Guercino

É evidente a influência de Caravaggio neste imenso retábulo, executado para a Basílica de São Pedro entre 1621 e 1623. Os poderosos efeitos de luz e sombra destacam a pronunciada musculatura, e a individualidade das figuras aproxima a obra do mundo físico do observador.

6 A Cigana, de Caravaggio

Uma das primeiras obras de Caravaggio, é tão revolucionária quanto o seu *São João Batista*. O tema é tirado do cotidiano das ruas de

A cigana, de Caravaggio

Roma no final do século XVI, que o pintor conhecia intimamente. Observe a cigana tirando disfarçadamente o anel do dedo do jovem despreocupado.

7 Busto de L. Junius Brutus

Criado em algum momento entre os séculos IV e V a.C, este busto de bronze é, provavelmente, o objeto mais raro do museu. A identificação como o primeiro cônsul romano é duvidosa porque se parece com modelos gregos de poetas e filósofos. É impressionante a intensidade dos olhos de vidro incrustados.

8 Rapto das Sabinas, de Pietro da Cortona

Este trabalho (c. 1630) é considerado o marco inicial da pintura barroca, em que a simetria dá lugar aos movimentos sinuosos e dinâmicos. A cena é um episódio da história de Roma: a nova cidade acaba de ser fundada, mas estão faltando mullheres em sua população. Elas são raptadas na tribo vizinha das Sabinas *(p. 38)*.

9 Busto de Cômodo como Hércules

O imperador do século II, cujo grande prazer era derrotar os animais selvagens no Coliseu, fez questão de ser representado como o semideus Hércules, na tentativa de promover a própria divindade. A clava na mão direita, a pele de leão como manto e a maçã de ouro das Hespérides na mão esquerda são símbolos dos míticos trabalhos de Hércules.

Estátua equestre de Marco Aurélio

10 Estátua Equestre de Marco Aurélio

Uma cópia desta magnífica escultura de bronze do século II foi colocada exatamente no centro da estrela Capitolina; a estátua original pode ser vista no primeiro andar do Palazzo dei Conservatori.

TOP 10 Museo Nazionale Romano

A excelente coleção de clássicos do Museu Nacional de Roma ficou grande demais para o espaço que ocupava nas Termas de Diocleciano, fechadas em 1981. Em 1998, o acervo foi dividido em várias sedes e transformado em um museu moderno no século XXI. As coleções Ludovisi, Mattei e Altemps de esculturas ganharam espaço no bonito Palazzo Altemps, do século XVI, perto da Piazza Navona (pp. 30-1). *O Palazzo Massimo alle Terme, do século XIX, antigo Colégio Jesuíta perto de Termini, recebeu esculturas individuais, bem como mosaicos antigos e pinturas murais, algumas apresentadas pela primeira vez. O antigo Aula Ottagona herdou as enormes esculturas da casa de banhos; as Termas de Diocleciano abrigam uma importante coleção epigráfica e um espaço para exposições* (p. 133).

Fachada do Palazzo Massimo alle Terme

Ao sair do Palazzo Altemps, na Piazza Navona, tome um refresco na Tre Scalini ***(p. 88).***

Ligue antes para a bilheteria do Palazzo Massimo, porque para ver os afrescos e mosaicos do último andar só com hora marcada.

- *Palazzo Massimo alle Terme: Largo di Villa Peretti 1, mapa F3, 06 3996 7700; aberto 9h-19h45 ter-dom*
- *Palazzo Altemps: Piazza Sant'Apollinare 46, mMapa L2, 06 3996 7700; aberto 9h-19h45 ter-dom; fechado 1º jan e 25 dez*
- *O ingresso de €7 (válido por 7 dias) dá direito a todos os anexos do Museo Nazionale Romano; o Archeo Pass (7 dias) custa €23 e dá direito aos anteriores e a outros sítios arqueológicos; grátis para cidadãos da UE menores de 18 e maiores de 65*

Destaques

1. Estátua de Augusto
2. Afrescos do Triclinium
3. Mosaico dos Quatro Cocheiros
4. Nióbida Ferida
5. Leucótea Cuida de Dionísio
6. Bronze de Dionísio
7. Atirador de Disco
8. Ostia Altar
9. Cenas da Basílica de Giunio Basso
10. Coleção Numismática

1 Estátua de Augusto

A estátua abaixo do primeiro imperador de Roma ficava na Via Labicana. Nela, Augusto cobre a cabeça com sua toga drapeada, uma indicação de que, em 12 d.C., ele acrescentou o título *Pontifex Maximus* (sumo pontífice) aos demais que ele próprio se concedia.

2 Afrescos do Triclinium

Estes afrescos (20-10 a.C.) que estavam no palácio de Lívia, mulher de Augusto, decoravam o *triclinium*, a sala de jantar formal, cujo piso era rebaixado para mantê-la fresca no verão.

3 Mosaico dos Quatro Cocheiros

A família imperial Severi devia ser apaixonada por esportes para decorar um dos quartos de seu palacete do século III d.C. com a imagem do cocheiro que se vê acima. Os quatro cocheiros estão vestidos com as cores tradicionais das quatro facções do circo romano.

Veja mais sobre outros museus de Roma nas **pp. 42-3**

4 Nióbida Ferida

Esta bela imagem de uma Nióbida (filha da rainha Níobe), tentando alcançar a seta fatal que tirou a vida dela e de suas irmãs, foi esculpida por volta de 440 a.C. para ornamentar um templo grego. Mais tarde passou a pertencer a Júlio César.

5 Leucótea Cuida de Dionísio

Numa casa com belas pinturas murais encontrada em 1879, um dos quartos exibia esta cena da ninfa cuidando do deus do vinho e outras cenas no interior de nichos.

6 Bronze de Dionísio

Poucos bronzes clássicos sobreviveram e por isso este do século II é tão especial, além de sua graça e de seu estado de preservação. Ainda se veem os olhos amarelos, os lábios vermelhos e um pente de cabelo enfeitado com cachos de uva.

7 Atirador de Disco

Esta cópia em mármore do século II d.C. da famosa estátua grega criada por Myron em 450 a.C. é tão fiel à original ao ponto de repetir as dimensões imperfeitas da peça moldada em bronze.

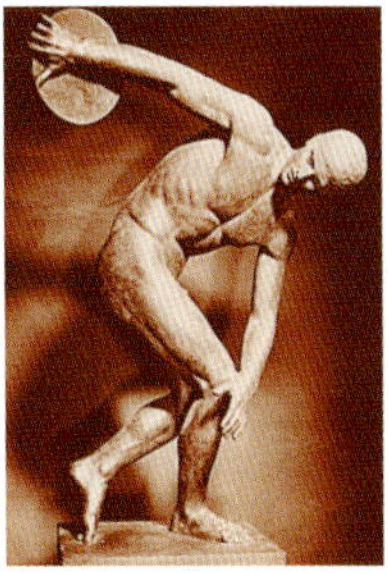

8 Ostia Altar

Este altar da Era Trajano vincula a fundação de Roma aos divinos consortes Marte e Vênus. Marte é mostrado aqui como o pai de Rômulo, o lendário fundador de Roma *(p. 38)*; e Vênus segura nos braços o herói Enéas, que fugiu de Troia para Roma e consequentemente fundou a dinastia Julia (o próprio Júlio César criou a árvore genealógica).

9 Cenas da Basílica de Giunio Basso

As incrustações no mármore representam os momentos finais do paganismo entre as famílias romanas importantes. O Império se converteu ao cristianismo por volta de 331 d.C., quando o cônsul Giunio Basso (aqui como um cocheiro) encomendou estas cenas que decoram a sua sala de reuniões.

10 Coleção Numismática

Aqui estão expostas todas as moedas cunhadas na Itália, desde moedas da República e do Império Romano, passando pelos principados da Idade Média e do Renascimento, até a lira e o euro.

Guia da Galeria

O Palazzo Massimo exibe toda a sua estatuária referente à República e ao início da Roma imperial (até Augusto) no piso térreo, ao lado de algumas outras peças gregas mais antigas. O primeiro andar exibe detalhes artísticos nas esferas política, cultural e econômica, da Roma imperial até o século IV. O segundo andar, onde as visitas ocorrem só com hora marcada, concentra os mosaicos e os afrescos antigos. A coleção numismática está no subsolo, ao lado de algumas joias de ouro e de uma múmia de uma menina com 8 anos de idade.

Sarcófago "Grande Ludovisi"; Relevo do Trono Ludovisi

TOP 10 Coleção do Palazzo Altemps

1 Loggia Jardim das Delícias
As pinturas murais da *loggia* (c. 1595) representam as frutas, as plantas e os animais exóticos que chegavam do Novo Mundo.

2 Athena Parthenos
O escultor grego Antíoco, do século I a.C., esculpiu esta estátua equiparando-a à escultura mais famosa da Antiguidade, a Atena do Pártenon de Atenas, há muito tempo desaparecida.

3 Sarcófago "Grande Ludovisi"
As esculturas deste bem preservado sarcófago do século III d.C. relatam a vitória dos romanos sobre os exércitos bárbaros ostrogodos.

4 Orestes e Electra
A estátua de Menelau, criada no século I d.C., baseava-se em outra do grande artista grego Praxiteles. Ao lado, há fragmentos de pinturas murais do século XV com os presentes de casamento recebidos por Girolamo Riario e Caterina Sforza.

5 Trono Ludovisi
O conjunto de relevos do século V a.C., que representa o nascimento de Afrodite, foi trazido de uma colônia grega na Calábria e encontrado no século XIX.

6 Dionísio e Sátiro
A Roma imperial era apaixonada pela escultura grega e produzia cópias como esta que reúne Dionísio, o sátiro e a pantera.

7 Apolo Tocando Flauta
Os dois Apolos do século I d.C. que estão no museu foram restaurados no século XVII.

8 Gálata Suicida
A imagem do suicida segurando o braço da esposa morta é parte de um trio que inclui a *Gálata à morte*, que está no Capitolino *(p. 24)*, encomendado por Júlio César para celebrar suas vitórias na Gália.

Cabeça Colossal de Hera Ludovisi

9 Estátuas Egípcias
As coleções egípcias estão divididas em três sessões que relacionam as influências egípcias sobre Roma: política, teológica, crenças e locais de adoração populares. A peça principal é o impressionante granito *Touro Api*, ou *Touro de Brancaccio* (século II a.C).

10 Cabeça Colossal de Hera Ludovisi
O escritor alemão Goethe disse que este foi seu "primeiro amor em Roma". Acredita-se ser um retrato de Antônia, mãe de Cláudio.

Coleções de Arte Antiga

1. Museo Nazionale Romano *(pp. 28-31)*
2. Museus do Vaticano *(pp. 8-9)*
3. Museus Capitolinos *(pp. 24-7)*
4. Montemartini *(p. 152)*
5. Ara Pacis *(p. 91)*
6. Villa Giulia *(p. 112)*
7. Coluna de Trajano *(p. 23)*
8. Coluna de Marco Aurélio *(p. 92)*
9. Antiquário Palatino *(p. 18)*
10. Museo Barracco *(p. 104)*

Arte na Roma Antiga

A arte romana era tão conservadora quanto a sua cultura. A escultura, a mais durável das formas de arte, também não era original. De meados da República e por toda a fase imperial, os romanos preferiam cópias de obras gregas famosas aos trabalhos originais. Os césares traziam navios carregados de estátuas da fase áurea da Grécia e de suas colônias ao sul da Itália. Os ateliês romanos eram depósitos de bustos de toga sem cabeça sobre os quais era fixada a cabeça de qualquer pessoa. E foi na arte de retratar bustos que eles se destacaram, sobretudo até o início da fase imperial, quando o naturalismo ainda estava em voga. A pintura romana divide-se em estilos baseados nos modelos de Pompeia. O Primeiro Estilo imitava os painéis de mármore; o Segundo Estilo imitava a arquitetura, em geral incluída em pequenas cenas que se tornaram típicas do Terceiro Estilo. O Quarto Estilo é a técnica trompe-l'oeil *muito usada na decoração. Os mosaicos eram ou apenas em preto e branco ou minuciosas cenas em paredes que usavam pequenas pastilhas de mármore para criar sombra e contorno. O* opus sectile *(mármore com incrustações) foi um estilo importado do Oriente.*

Deusa Romana
O mármore esculpido, como esta imagem de uma deusa sentada, foi a forma de arte romana mais popular e duradoura. A leveza do manto é impressionante.

Mosaico de Virgílio e as Musas

Top 10 Santa Maria del Popolo

Poucas igrejas são cartilhas tão perfeitas sobre arte e arquitetura romanas como esta. Mestres do início do Renascimento (Pinturicchio, Bramante), do auge do Renascimento (Rafael) e do Barroco (Caravaggio, Bernini) exercitaram aqui sua genialidade na arte da pintura, escultura, arquitetura e decoração. Esta é também uma das igrejas cujas capelas preservam obras de arte que, juntas, contam histórias inteiras (a maioria das capelas italianas foi desmontada e suas pinturas levadas para museus). Na Capela Cerasi, Caravaggio e Carracci trabalharam lado a lado com pintores de afrescos para criar a representação de Pedro, Paulo e Maria, e na abóbada, a relação deles com o Paraíso. Bernini alterou a Capela Chigi de Rafael de modo que a interação artística no pequeno espaço fosse evidente.

Fachada de Santa Maria del Popolo

Os cafés Canova e Rosati ***(p. 116)*** **ficam na Piazza del Popolo.**

Alguns dos tesouros da igreja ficam atrás do altar-mor, no coro e na abside. Quando não há missa, você tem permissão de entrar atrás da cortina que fica à esquerda do altar e acender as luzes na caixa de fusíveis para vê-los.

- *Piazza del Popolo 12*
- *Mapa D2*
- *Aberta 8h-12h, 16h-19h seg-sáb; 7h30h-13h30, 16h30-19h30 dom e feriados*
- *Grátis*

Destaques

1. Crucifição de São Pedro
2. Conversão de São Paulo
3. Capela Chigi, de Rafael
4. Capela Chigi, de Bernini
5. Adoração, de Pinturicchio
6. Túmulos Sansovino
7. Vitral de Marcillat
8. Abside de Bramante
9. Capela Cybo
10. Nascimento da Virgem, de Sebastiano del Piombo

1 Crucificação de São Pedro

Caravaggio evitou o melodrama sangrento de obras anteriores e carregou no drama neste *chiaroscuro* de 1601. Figuras realistas cumprem em silêncio o que lhes compete fazer: os homens exaustos se esforçam para arrastar a cruz, e Pedro revela toda a sua dor no olhar.

2 Conversão de São Paulo

Caravaggio abandona o drama pelos efeitos de luz e representa Paulo paralisado pela luz que o cega (1601).

3 Capela Chigi, de Rafael

Rafael desenhou esta capela para o banqueiro papal Agostini Chigi, com pinturas murais e estátuas em nichos (1519-23).

Veja mais sobre igrejas romanas nas **pp. 44-5**

4 Capela Chigi, de Bernini

O cardeal Fabio Chigi contratou Bernini para terminar o trabalho começado por Rafael 130 anos antes. O artista só acrescentou duas estátuas bíblicas ao projeto original.

5 Adoração, de Pinturicchio

Contemporâneo de Rafael, Pinturicchio conservou o limpo estilo umbriano de seu mestre Perugino neste trabalho de 1490 da Capela della Rovere. Aqui também estão o túmulo do cardeal Cristóforo esculpido por Francesco da Sangallo (1478), e o túmulo de Domenico (1477) com a *Madona e o Menino* de Mino da Fiesole.

6 Túmulos Sansovino

O toscano Andrea Sansovino deu um toque renascentista/etrusco, deixando os caixões à vista (1505-7) nestes túmulos com arcos triunfais. Nas efígies, o cardeal Girolamo Basso della Rovere e o cardeal Asciano Sforza parecem adormecidos, em seus colchões.

7 Vitral de Marcillat

O único trabalho em Roma de Guillaume de Marcillat (1509), o incontestável mestre francês dos vitrais, representa a infância de Cristo e a vida da Virgem *(abaixo)*.

8 Abside de Bramante

O primeiro trabalho do arquiteto do Renascimento em Roma foi encomendado por Júlio II em 1500: um coro banhado de luz e a abside em concha.

Planta da Santa Maria del Popolo

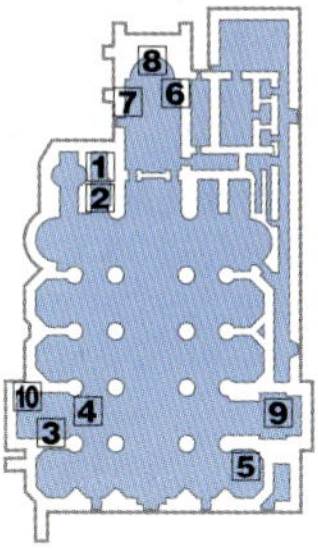

9 Capela Cybo

Carlo Fontana concebeu sua obra barroca em mármores coloridos em 1682-7 de modo que seu trabalho se adequasse perfeitamente ao retábulo *Imaculada Conceição*, de Carlo Maratta.

10 Nascimento da Virgem, de Sebastiano del Piombo

O retábulo da Capela Chigi (1530-4) contrasta com o tema neopagão da cúpula, na qual o Pai Eterno abençoa um horóscopo de Chigi, representando deuses pagãos.

A Igreja do Povo

O fantasma de Nero, enterrado na cripta da família Domitia, no Pincio *(p. 62)*, aterrorizava a vizinhança na forma de corvos endemoniados que viviam numa árvore amaldiçoada. Para tranquilizar os moradores, o papa Pascal II mandou derrubar a árvore em 1099 e construir uma capela paga pelo povo *(il popolo)*. Ela foi ampliada em 1227 e reformulada em estilo lombardo em 1472-7. Andrea Bregno acrescentou a fachada renascentista e Bernini, detalhes barrocos em seu interior.

San Clemente

Não há nada em Roma que dê uma ideia mais clara das camadas e dos milênios de riquezas acumulados sob a cidade do que esta igreja maravilhosa. A camada inferior, que ainda não foi totalmente explorada, data da República romana, provavelmente do século II a.C. Em escavações mais profundas foram encontradas construções do século I d.C., como uma antiga casa cristã de orações dedicada ao rei persa Mitras. Acima dela há uma basílica do século IV d.C. parcialmente intacta. Quando este edifício foi queimado pelos normandos, em 1084, uma nova igreja foi construída por cima, com alguns elementos arquitetônicos originais. Em 1857, o prior dominicano irlandês padre Mullooly encontrou a igreja que havia embaixo por acaso e iniciou um longo processo de remoção de entulho.

Fachada da San Clemente

Há vários cafés e restaurantes. No Cannavota ***(p. 131)*****, você pode experimentar uma tradicional refeição romana.**

Traga uma pequena lanterna para iluminar os ornamentos antigos do sombrio Mithraeum. Mas tirar fotos e filmar é terminantemente proibido!

- *Via di S Giovanni in Laterano 108*
- *Mapa F4*
- *06 774 0021*
- *Aberto 9h-12h30, 15h-18h diariam (a partir das 12h aos dom)*
- *Entr. €5 para os níveis inferiores*

Destaques

1. Mosaico da Abside
2. Lenda dos Afrescos de Sisinius
3. Mithraeum
4. Capela de Santa Catarina
5. Milagre de São Clemente
6. Schola Cantorum
7. Domus do século I a.C.
8. Piso Cosmatesco
9. Castiçal Pascal
10. Pátio e Fachada

1 Mosaico da Abside

Poucas imagens são mais alegres que esta variação da árvore da vida do século XII, na Igreja de Cima. Cupidos gorduchos, animais simpáticos e muita folhagem remetem ao Paraíso recém-encontrado. As pastilhas de pedra e vidro pertenciam a um mosaico de uma igreja do século IV que havia embaixo.

2 Lenda dos Afrescos de Sisinius

Estas pinturas murais da Igreja de Baixo ilustram o rico pagão Sisinius, que acabou surdo e cego por suspeitar que sua esposa cristã lhe fosse infiel. São Clemente cura o homem, mas atrai sobre si sua ira. As ordens furiosas dadas por Sisinius foram as primeiras inscrições conhecidas em italiano.

3 Mithraeum

O triclínio e as plataformas laterais eram usados em banquetes rituais, só para homens, que representavam a última refeição dos deuses antes de ascenderem de volta ao céu. A pintura no altar representa Mitras derrotando o Touro Cósmico em favor da Criação.

4 Capela de Santa Catarina

As pinturas murais da Igreja de Cima que foram restaurados por Masolino, artista florentino do século XV, mostram cenas vibrantes da vida de Santa Catarina de Alexandria. Esta é uma das raras oportunidades de apreciar em Roma uma pintura mural do início do renascimento florentino.

5 Milagre de São Clemente

Nos afrescos da Igreja de Baixo está representada uma cena em que São Clemente salva um jovem do afogamento.

6 Schola Cantorum

O recinto para o coro na Igreja de Cima, presente do papa João II (535-55 a.C.), foi preservado quando o novo coro foi construído. Ele é todo revestido de mármore branco, com incrustações de mosaicos coloridos e antigos símbolos cristãos esculpidos.

7 Domus do século I a.C.

Esta mansão pertencia a um homem chamado Clemens, provável parente de um mártir cristão e de São Clemente, ou talvez um judeu liberto. A igreja do século IV foi construída sobre as ruínas da do século I.

8 Piso Cosmatesco

O detalhe abaixo mostra a técnica desenvolvida pela família Cosmati no século XII, que usava fragmentos de pedras extraídas de ruínas romanas para formar intricados padrões geométricos.

9 Castiçal Pascal

Esta peça espiralada do século XII, decorada com listras de mosaicos de vidro antigo, é mais um exemplo dos magníficos trabalhos realizados pelos artesãos Cosmati na Igreja de Cima.

10 Pátio e Fachada

A entrada original era pelo *quadro-porticus*, um pátio frontal quadrado cercado por colunas, do período medieval. A fonte e a fachada com volutas ornamentais foram acrescentadas no início do século XVIII.

Guia da Igreja

Você pode entrar tanto pelo portão da frente, com sacada em cima, ou pela porta lateral da pequena praça da Via di San Giovanni in Laterano. A entrada para a Igreja de Baixo e as áreas arqueológicas é pelo vestíbulo da sacristia, onde também encontram-se livros, slides e bonitos cartões-postais das duas igrejas e das obras de arte do Templo Mitraico. Os corredores subterrâneos do século I não são aconselháveis a claustrofóbicos, mas o murmúrio refrescante da nascente subterrânea pode poporcionar um certo alívio.

TOP 10 Ostia Antica

*Há cerca de 2 mil anos, Ostia era uma importante cidade portuária da Roma Antiga, situada ao mesmo tempo no litoral e na foz do rio Tibre (*Ostium *significa "boca do rio"). No último milênio, o mar recuou alguns quilômetros e o curso do rio mudou drasticamente. Ostia foi fundada no século IV a.C., primeiro como forte, mas, à medida que Roma se desenvolvia, tornou-se um importante centro de distribuição dos produtos que chegavam das regiões do Mediterrâneo. Os grãos eram o componente mais importante da alimentação de 1 milhão de romanos e para estocá-los foram construídos imensos armazéns (*horrea*). Tudo isso chegava a Roma pelo rio transportado em barcaças. Ostia entrou em declínio no século IV d.C., e há quase mil anos deixou de ser uma área habitada.*

Fórum

Há um bar atrás do museu que é ótimo lugar para comer algo e matar a sede nos dias ensolarados.

Para não confundir as paredes que parecem iguais, alugue um audioguia no mesmo lugar que você comprar a sua entrada.

- *Viale dei Romagnoli 717*
- *Metrô B, bondes 3 e 30 ou ônibus 23, 75, 95, 280 para Pirâmide, depois tome um trem local para Ostia Antica na Estação Porta San Paolo*
- *06 5635 8003*
- *Aberto nov-fev: 8h30-17h diariam; mar: 8h30-18h diariam; abr-out: 8h30-19h30 diariam (última entrada 1h antes de fechar)*
- *Fechado 1º jan, 1º mai, 25 dez*
- *Entr. €6,50 (reduzida €3,25)*
- *A área da porta (Porta de Trajano) pode ser visitada ligando para 06 6501 0089*

Destaques

1. Decumanus Maximus
2. Teatro
3. Casa di Diana e Thermopolium
4. Museu
5. Fórum
6. Capitólio
7. Terme dei Sette Sapienti
8. Casa de Cupido e Psiquê
9. Terme di Nettuno
10. Mithraeum das Serpentes

1 Decumanus Maximus

Entra-se no parque pela antiga Via Ostiensis. A deusa de mármore branco à esquerda marca o início da rua principal da cidade, a Decumanus Maximus, que se vê acima.

2 Teatro

O teatro original era duas vezes maior que o que se vê hoje *(foto central)*. Atrás do palco havia um templo de Ceres (deusa da agricultura) ou de Dionísio (deus do teatro). Os mosaicos da praça mostram os artigos importados: grãos, animais selvagens, marfim e embarcações.

3 Casa di Diana e Thermopolium

É possível subir ao topo da *insula* (bloco de apartamentos) para admirar a vista. Na frente está o Thermopolium, uma taverna cujo cardápio ainda está pintado na parede.

Veja mais sobre atrações da Roma Antiga nas **pp. 40-1**

4 Museu

As exposições bem montadas incluem esculturas, sarcófagos e mosaicos encontrados nas ruínas. Um dos destaques é a estátua de mármore do deus Mitras sacrificando o Touro Cósmico.

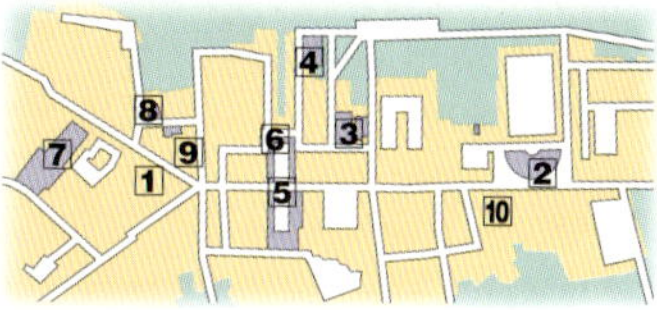

Ostia Antica

5 Fórum

Originalmente, o retângulo central do oficialato era cercado por colunas. No meio ficava o santuário dos Lares Imperiais (os deuses da casa).

6 Capitólio

No ponto mais alto da cidade existia um templo da Tríade Capitolina: Júpiter, Juno e Minerva. No final da escadaria que se vê acima há uma soleira feita com a rara pedra de mármore luculano.

7 Terme dei Sette Sapienti

Neste elaborado complexo de banhos há uma pintura de Vênus e pisos de mosaico com cenas marinhas, animais e atletas despidos.

8 Casa de Cupido e Psiquê

Neste *domus* do século III d.C. viviam os afortunados. Aqui ainda são vistas as colunas dóricas, os mármores com incrustações e um *nymphaeum*, o monumento com fonte dedicado às ninfas.

9 Terme di Nettuno

Construídos no século II, estes banhos foram decorados com bonitos mosaicos de deuses e monstros marinhos, que ainda podem ser vistos em um pequeno terraço. Desça pelo lado esquerdo para examinar de perto o engenhoso sistema de aquecimento de água.

10 Mithraeum das Serpentes

Ostia tem dezoito templos de Mitras, e este é um deles. O culto era muito popular entre os soldados romanos e foi rapidamente aceito na cidade portuária. As pinturas murais com serpentes invocam a fertilidade da terra, e os degraus serviam para recostar-se durante os banquetes místicos.

Guia do Parque

É muito fácil chegar aqui de trem: o trajeto demora 20 minutos, saindo da estação Porta San Paolo, perto da parada subterrânea da Pirâmide. O bilhete custa o mesmo que uma viagem normal de ônibus. Saindo da estação de trem de Ostia Antica, atravesse a passarela para pedestres por cima da rodovia. Siga em frente, passe pelo restaurante, até chegar à bilheteria. O parque é grande e a visita deve durar em torno de três horas. Use sapatos cômodos e, nos dias mais quentes, reforce o filtro solar e beba muita água.

Roma incendiada; Mussolini e facistas marcham em Roma, 1922

TOP 10 Momentos Históricos

1 Rômulo e Remo

Calcula-se que a fundação de Roma tenha ocorrido em 753 a.C. Os gêmeos Rômulo e Remo, filhos de Marte e de uma Virgem Vestal, foram abandonados por um tio malvado e alimentados por uma loba. Na Era do Bronze, eles fundaram aldeias rivais no Palatino. Quando Rômulo matou Remo em uma discussão, a sua "Roma" ganhou força e poder.

2 O Rapto das Sabinas

Para aumentar a população feminina da cidade nos anos 750 a.C., o exército de Rômulo raptou as mulheres sabinas do reino vizinho. Com a expansão de Roma, os dois reinos se uniram. Mais tarde, Roma foi conquistada pela dinastia etrusca dos Tarquinos e, em 510 a.C., tornou-se uma República, que por mais de 450 anos foi governada por patrícios.

3 O Assassinato de César

As vitórias militares que anexaram a Gália (França) a Roma deram grande popularidade ao general Júlio César. Ele voltou com seu exército para Roma, e declarou-se Ditador Vitalício, mas no dia 15 de março de 44 a.C. foi assassinado. Otaviano, seu filho adotivo, tornou-se imperador em 27 a.C. e passou a se chamar Augusto.

4 Roma Incendiada

Em 64 d.C. um incêndio destruiu grande parte de Roma. O imperador Nero reconstruiu muitos prédios públicos, mas apropriou-se de grandes extensões de terra para construir a sua Casa Dourada. Expulso do trono, cometeu suicídio em 68 d.C. *(p. 41)*.

5 Batalha da Ponte Mílvio

Em 312, o imperador Constantino, cuja mãe cristã teve uma visão da sua vitória sob o símbolo da Cruz, derrotou o imperador Maxêncio na Ponte Mílvio. Em seguida, declarou o cristianismo a religião oficial de Roma.

6 A Queda do Império

No fim do século IV, Roma entrou em declínio. Os bárbaros que viviam nas margens do Reno e do Danúbio conquistaram províncias próximas e o último imperador foi deposto em 476. O Império ruiu.

7 O Papado em Avignon

Quando o papado se transferiu para a França, em 1309, Roma passou a ser governada por príncipes que retiraram os mármores dos templos para construir os próprios palácios. Em 1377 o papado retorna a Roma e a cidade renasce.

Busto de Júlio César

Palácio papal em Avignon

8 Saque de Roma

Em 1527, Roma sofreu a sua primeira derrota em mais de um milênio. As tropas germânicas do imperador Carlos V ocuparam a cidade por sete meses até a rendição do papa Clemente VII sob a promessa de que respeitaria o novo movimento protestante.

9 Unificação da Itália

O rei piemontês Vittorio Emanuele II e seu general Garibaldi unificaram os reinos e principados que ficavam espalhados pela península e formaram um novo país, a Itália. Em 1870, Garibaldi atravessou as muralhas aurelianas, ocupou a antiga capital e completou a unificação italiana.

10 Mussolini Toma o Poder

Benito Mussolini, líder do Partido Facista nacionalista conhecido como "Il Duce", entrou com seu exército em Roma em 1922 e tornou-se primeiro-ministro. Seus delírios imperiais resultaram na escavação de muitas ruínas que vemos hoje. Colaborador de Hitler na Segunda Guerra Mundial, foi deposto quando a Itália juntou-se aos aliados. A República atual foi instituída em 1946.

Papas Mais Influentes

1 São Pedro

Foi o apóstolo (42-67 d.C.) chamado por Jesus para chefiar a igreja. Por ter sido martirizado em Roma, a cidade tornou-se o centro do cristianismo.

2 São Leão, o Grande

Bispo de Roma (440-61), se autonomeou *pontifex maximus* da Igreja Católica.

3 São Gregório, o Grande

Confirmou o papado como líder secular no Ocidente e converteu a Inglaterra ao cristianismo (590-604).

4 Inocêncio III

Papa medieval (1198-1216) que nomeou imperadores e criou ordens religiosas.

5 Bonifácio VIII

Imperioso, pragmático e sedento de poder, Bonifácio (1294-1303) criou o primeiro jubileu para angariar dinheiro.

6 Alexandre VI

O implacável papa Bórgia (1492-1503) aproveitou-se do pontificado para destruir famílias rivais.

7 Júlio II

Guerreiro e patrono das artes (1513-21), contratou Michelangelo para pintar a Capela Sistina e Rafael para decorar seus aposentos *(p. 8)*.

8 Paulo III

Estudioso e membro do clero secular, mas contra as reformas protestantes, Paulo III (1534-49) fundou a Ordem dos Jesuítas e instituiu a Inquisição.

9 Sisto V

Livrou os Estados Papais da corrupção (1585-90) e idealizou a reforma barroca de Roma.

10 João Paulo II

O primeiro papa não italiano em 400 anos, João Paulo II (1920-2005) ganhou fama por viajar pelo mundo.

Fórum Romano e Coliseu; Afresco palatino; Domus Augustana no monte Palatino

TOP 10 Atrações Antigas

1 Fórum Romano
No centro do Fórum existe uma estrutura arruinada sobre a qual todos os anos são colocadas flores. Trata-se de um alicerce do Templo de Júlio César, construído por Augusto no século I a.C. As flores são colocadas no lugar exato em que César foi cremado *(pp. 16-7)*.

2 Pantheon
Originalmente, os adoradores precisavam escalar uma longa escadaria para entrar neste templo dedicado a todos os deuses, mas desde o século II o nível da rua subiu. O templo atual foi construído por Adriano depois que o templo do século I a.C. foi incendiado *(pp. 14-5)*.

3 Fóruns Imperiais
O maior templo e um dos mais imponentes desta área era o Templo de Vênus e Roma, do século II, com suas colunas esguias erguendo-se no alto da montanha entre o Fórum e o Coliseu. O projeto voltado para todas as direções foi criado por Adriano, que ao ser criticado pelo grande arquiteto Apollodorus, condenou-o à morte *(pp. 22-3)*.

Coliseu

4 Coliseu
O trabalho insano para construir o maior de todos os anfiteatros coube aos escravos judeus, que foram trazidos a Roma depois que a rebelião deles na Judeia foi debelada. Sua estrutura serve de arquétipo para todos os estádios esportivos que surgiram desde então *(p. 22)*.

5 Monte Palatino
A palavra "palácio", presente na maioria dos idiomas ocidentais, deriva do nome deste monte, cujo papel é fundamental na história da antiga Roma: primeiro como seu local de nascimento, depois por ter sido escolhido pelos líderes afortunados para construir suas casas. Hoje, é um belo cenário bucólico, ideal para passeios românticos *(pp. 18-9)*.

6 Termas de Diocleciano
Grande parte deste complexo construído no século III d.C. está sendo usada por um excelente museu arqueológico que abriga, entre outras preciosidades, uma escultura de mármore de Mitras, ainda folheada e pintada em ouro. O amplo claustro assinado por Michelangelo é todo ornamentado com estátuas antigas *(p. 133)*.

7 Coluna de Marco Aurélio
Para comemorar as conquistas no Danúbio no século II, foi erguido este colosso com 30m de altura, formado por 28 tambores de mármore. Os vinte relevos em

Veja mais sobre Roma Antiga nas **pp. 118-21**

espiral relatam cenas das duas guerras. A estátua do imperador e sua esposa foi substituída pela de São Paulo em 1589 *(p. 92)*.

8 Termas de Caracalla

Os banhos mais populares da Roma Antiga, as Termas de Caracalla tinham áreas de exercício, piscinas quente e fria, salas de estar, centros de arte, bordéis e bibliotecas. Por incrível que pareça, a entrada era grátis. Hoje, o complexo arqueológico abriga um importante festival de ópera *(pp. 119-20)*.

9 Largo di Torre Argentina

Encontrados nos anos 1920, são quatro templos republicanos e as colunas de um dos pórticos no lado norte. Atrás de um dos templo há calhas de drenagem de uma latrina pública imperial; e atrás dos outros, uma plataforma da Cúria do Teatro de Pompeu. César foi morto aqui em 15 de março de 44 a.C. *(p. 99)*.

Largo di Torre Argentina

10 Teatro di Marcello

O teatro foi inaugurado por Augusto em 23 a.C. e dedicado a seu sobrinho e genro Marcellus, que morreu aos 19 anos. Pouca coisa resta da grande estrutura capaz de abrigar mais de 20 mil pessoas. Em épocas passadas, o que sobrou foi usado como suporte para fortalezas e palácios medievais e do Renascimento *(p. 101)*.

Grandes Imperadores

1 Augusto
O primeiro imperador e o mais brilhante (31 a.C.-14 d.C.) trouxe paz ao reino após dezessete anos de guerra civil.

2 Nero
Famoso por seus excessos, Nero achava-se um ótimo cantor e showman. Acabou se suicidando (54-68).

3 Vespasiano
Pôs fim à guerra civil e à revolta dos judeus, e iniciou a construção do Coliseu (69-79).

4 Trajano
Governante justo e general bem-sucedido, Trajano conduziu o Império na fase de maior prosperidade (98-117).

5 Adriano
Construtor e viajante, Adriano retomou os ideais gregos, como a moda de usar barba longa (117-138).

6 Marco Aurélio
Foi o mais perto que Roma chegou de ter o rei-filósofo dos ideais platônicos (161-180).

7 Sétimo Severo
Trouxe ordem depois da guerra civil, promoveu a cultura e deixou um importante legado arquitetônico (193-211).

8 Diocleciano
Fundou um sistema de governo com múltiplos imperadores e foi um dos mais violentos perseguidores cristãos (284-305).

9 Constantino
Estabeleceu o cristianismo como religião oficial e transferiu a capital para Constantinopla (306-337).

10 Rômulo Augústulo
O último dos imperadores foi deposto pelo guerreiro germânico Odoacer (475-476).

Sala dei Misteri, Museus do Vaticano; Palazzo dei Conservatori, Museus Capitolinos

TOP 10 Museus e Galerias

1 Museus do Vaticano

As galerias que se distribuem pelos palácios papais construídos a partir do século XIII abrigam antiguidades greco-romanas, o Museu Etrusco, quatro Salas de Rafael, a coleção de Arte Religiosa Moderna, a Capela Sistina e a Pinacoteca *(pp. 8-11).*

2 Museo Nazionale Romano

As obras deste museu fundado em 1889 são peças arqueológicas e antiguidades escavadas desde 1870, além de coleções de arte antiga. Elas estão organizadas em cinco setores independentes: as Termas de Diocleciano, a Aula Ottagona, que faz parte dos banhos e está próxima do Palazzo Massimo, o Palazzo Altemps e a Cripta Balbi *(pp. 28-31).*

3 Galleria Borghese

Um tributo ao poder desmesurado dos sobrinhos preferidos do papa no século XV, este palácio do prazer, suas preciosas coleções de arte e os jardins bem cuidados são uma das mais belas atrações de Roma *(pp. 20-1).*

4 Museus Capitolinos

A gloriosa quadra projetada por ninguém menos que Michelangelo abriga uma coleção de arte bem menor que a do Vaticano, mas que em nada deve em termos de qualidade *(pp. 24-7).*

5 Galleria Nazionale d'Arte Antica

A coleção de arte do Estado está exposta em duas residêcias nobres: o Palazzo Barberini *(p. 133)* e o Palazzo Corsini *(p. 142).* No primeiro encontra-se o Gran Salone e seu teto deslumbrante de Pietro da Cortona, além de trabalhos de Filippo Lippi, El Greco, Holbein e Caravaggio. No segundo, além de um tríptico de Fra Angelico, há pinturas de Rubens, Van Dyck e Caravaggio.

6 Villa Giulia

O edifício foi idealizado por Vignola para ser a casa de campo do papa Júlio III, no século XVI. Desde 1889, ele abriga uma coleção do Estado de arte pré-romana, com artefatos etruscos e relíquias de tribos latinas, entre outras. A principal atração estrusca é o Sarcófago Marido e Esposa do século VI a.C., uma grande terracota na qual o casal sorri serenamente, repousando sobre almofadas *(p. 112).*

Fauno helênico, Galleria Borghese

7 Galleria Doria Pamphilj

Este palácio pertencente a uma família aristocrática abriga um verdadeiro tesouro artístico, com obras de ninguém menos que Rafael, Ticiano e Velázquez, cujo retrato do papa Pamphilj é famoso pela sua profundidade psicológica. Esta exposição conta com um excelente audioguia narrado pelo atual príncipe Jonathan Doria Pamphilj (em inglês), e traz importantes informações sobre a história da coleção *(p. 91)*.

Villa Giulia

8 Palazzo e Galleria Spada

Este suntuoso palácio do século XVI abriga uma galeria que foi especialmente construída no século XVII para expor a coleção particular do cardeal de obras antigas, renascentistas e barrocas, entre elas pinturas de Rubens e Jan Brueghel, o Velho. Um dos pontos altos é o magnífico trabalho em trompe-l'oeil da galeria, cuja perspectiva ilusória a torna quatro vezes maior do que realmente é *(p. 104)*.

9 Galleria Nazionale d'Arte Moderna

Esta casa da Belle Époque abriga esculturas de Canova e uma grande coleção de telas italianas e europeias do século XIX. Aqui também se encontra uma eclética seleção de obras de arte modernas de nomes como Rodin, Cézanne, Modigliani, Van Gogh, Monet, Klimt e Jackson Pollock *(p. 112)*.

10 Palazzo delle Esposizioni

Embora seja um tanto espalhafatoso, este palácio desenhado pelo arquiteto Pio Piacentini foi aberto em 1883 como parte de um plano que visava devolver à cidade o status de capital. Atualmente, ele abriga uma galeria e centro de exposições com exposições variadas, desde coleções de arte contemporânea a retrospectivas de renomados diretores cinematográficos. *Via Nazionale 194 • Mapa E3 • 06 3996 7500 • Aberto 10h-20h ter-qui, 10h-10h30 sex e sáb, 10h-20h dom • Entrada paga*

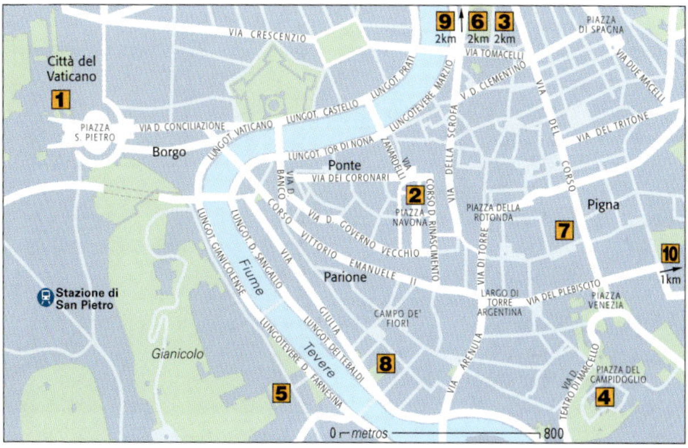

Sarcófago, San Clemente; Santa Maria Maggiore; Santa Maria sopra Minerva

TOP 10 Igrejas

1 Basílica de São Pedro

Se puder, não deixe de entrar na escura basílica quando as luzes estiverem acesas. Só assim você conseguirá apreciar plenamente este gigantesco baú de joias raras *(pp. 12-3)*.

2 Santa Maria del Popolo

Diz a lenda que Nero foi queimado e enterrado exatamente aqui, sob um imponente carvalho. O lugar tornou-se amaldiçoado, mas a Virgem apareceu para o papa Pascal II em 1099, mandou derrubar a árvore, desenterrar os ossos do imperador e construir uma capela no local *(pp. 32-3)*.

3 San Clemente

Igreja modesta, porém muito bonita, uma verdadeira aula de história romana *(pp. 34-5)*.

4 Santa Maria Maggiore

Uma das grandes basílicas de Roma, esta igreja ricamente ornamentada data do século V, bem como seus esplendorosos mosaicos bizantinos. Os mármores raros da Capela Sistina, do século XVI, eram "extraídos", uma prática comum entre os papas que, para tirá-los, destruíam maravilhas antigas como a Septizonium do Palatino, a torre que Sétimo Severo ergueu no ano 203 *(p. 127)*.

5 Santa Maria sopra Minerva

Erguida sobre um antigo templo da sabedoria, é a única igreja gótica florentina de Roma, construída por volta de 1280. Durante o século XVI foi o quartel-general da Inquisição em Roma. Entre as inúmeras obras de arte que aqui estão destaca-se o *Cristo ressuscitado* de Michelangelo, que originalmente era nu, mas hoje está coberto por uma tanga de bronze. O corpo de Santa Catarina de Siena, que convenceu o papado a deixar a França e voltar para a Itália em 1377, está sob o altar *(p. 91)*.

6 San Giovanni in Laterano

A catedral episcopal de Roma, conhecida como a "Mãe de Todas as Igrejas", foi fundada por Constantino no século IV. Foi a residência papal oficial até 1309 e os papas eram coroados aqui até o século XIX. A última grande reforma foi realizada em 1650, o que explica a forte imponência barroca que se vê hoje e as enormes imagens de santos. Os claustros são em estilo cosmatesco do século XIII *(p. 127)*.

San Giovanni in Laterano

7 Santa Maria in Trastevere

Provavelmente é a igreja mais antiga de Roma e uma das mais intimistas e charmosas. Construída no reinado do papa Calisto I (217-222 d.C.), era um antigo centro de devoção Mariana e a única igreja medieval em Roma que não sofreu transformações nem por envelhecimento nem pelos exageros cometidos por reformadores barrocos. Diz a lenda que ela foi erguida no local em que foi espalhado azeite de oliva no dia do nascimento de Cristo *(p. 139)*.

Estátua de San Luigi dei Francesi

8 San Luigi dei Francesi

A principal atração da igreja nacional francesa na Itália é o famoso tríptico de Caravaggio: as telas imensas que estão expostas na Capela de São Mateus *(p. 49)*. Foram as suas primeiras obras religiosas de grande porte. O óleo sobre tela central, *São Mateus e o anjo*, é uma segunda versão. A primeira foi recusada pela Igreja porque o santo tinha os pés sujos. E, dizem alguns, também porque a relação do santo com o jovem anjo sugeria uma intimidade imprópria *(p. 83)*.

9 San Paolo fuori le Mura

Apesar da insensível reforma a que foi submetida no século XIX, após sofrer um incêndio, esta imponente basílica do século IV ainda consegue impressionar. Aqui sobrevivem alguns mosaicos restaurados dos séculos V, XII e XIII, além da porta de bronze original do século XI e um grande castiçal pascal. Felizmente, o claustro com colunas duplas e incrustações (1214), considerado o mais belo de Roma, foi poupado pelas chamas *(p. 151)*.

10 Sant'Andrea della Valle

Sant'Andrea della Valle

Muitos visitantes procuram esta igreja porque aqui se passa o primeiro ato da ópera *Tosca*, de Puccini, mas esta gigante da Contrarreforma é importante pelos próprios méritos. Tem a segunda maior cúpula da cidade, uma rebuscada fachada barroca e alguns belos afrescos de Domenichino *(p. 99)*.

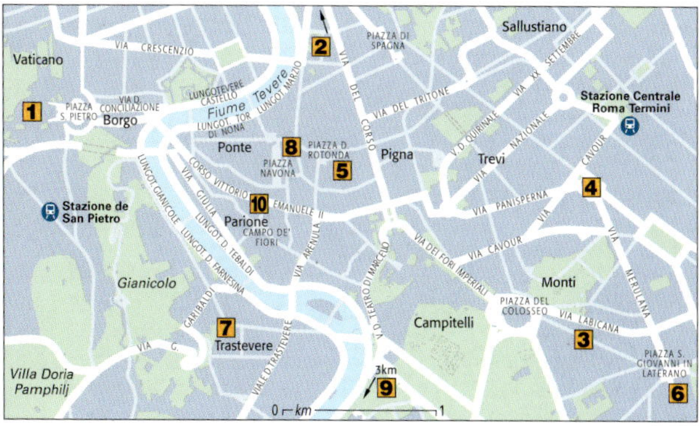

Fontana delle Tartarughe; Piazza San Pietro

TOP 10 Praças e Fontes

1 Piazza Navona

A configuração oval alongada da mais bela praça de Roma sugere que ela está sobre o antigo estádio de Domiciano *(p. 86)*. É o paraíso dos pedestres, com seus inúmeros cafés, artistas de rua, milhares de turistas, crianças brincando e fontes maravilhosas. Bernini desenhou a Fonte dos Quatro Rios que ocupa o centro da praça e acrescentou a estátua do Mouro na outra fonte mais ao sul. Tanto uma quanto a outra sofreram muitas alterações nos séculos XVI e XIX *(p. 83)*.

Fontana di Trevi

2 Fontana di Trevi

Segundo a tradição, quem atira moedas na fonte construída em 1732 por Nicola Salvi um dia retornará a Roma. Embutida nas paredes de um palazzo (até os peitoris das janelas são convertidos em pedras brutas), Trevi é a parte final do aqueduto Acqua Vergine, construído por Agripa em 19 a.C., que começa em uma nascente encontrada milagrosamente por uma virgem *(p. 109)*.

3 Campo de Fiori

O "campo das flores" explode em cores no mercado matinal e também quando anoitece, quando seus bares e cafés vibram na cena da noite romana. A estátua sorumbática que a tudo observa é uma homenagem a Giordano Bruno, o teólogo morto na fogueira da Inquisição por suas ideias revolucionárias consideradas heréticas em 1600 *(p. 99)*.

4 Piazza del Popolo

Em 1811-23, o arquiteto Giuseppe Valadier transformou o local de celebrações e execuções públicas nesta elegante praça acrescentando as fontes dos leões egípcios na base de um dos mais antigos obeliscos de Roma. O monólito de Ramsés II foi transportado para o Circo Máximo por Augusto em 1200 a.C., e trazido para cá pelo papa Sisto V *(p. 110)*.

5 Piazza San Pietro

As magníficas colunatas de Bernini, com 196m de um extremo ao outro, parecem querer abraçar os milhares de fiéis e turistas que visitam esta praça. A elipse perfeita cria a ilusão de que as colunas desaparecem quando estamos em um de seus pontos centrais – ou os círculos de mármore entre o obelisco central do século I a.C., esculpido com caracteres egípcios por um prefeito romano, ou as duas fontes que o ladeiam: a da esquerda é de Bernini, e a da direita, de Domenico Fontana *(p. 12)*. *Mapa B3*

6 Fontana delle Tartarughe

Giacomo della Porta projetou esta graciosa fonte entre 1581 e 1584. As tartarugas *(tartarughe)* que se esforçam para subir à borda foram acrescentadas em 1658, talvez por Bernini *(p. 101)*.

7 Piazza Barberini

Praça movimentada em cujo centro está a Fontana del Tritone de Bernini (1642-3), onde um tritão despeja água de uma concha. Foi encomendada pelo papa Urbano VIII e tem na base o símbolo da família, que são as abelhas *(pag. 133)*.

Piazza del Popolo

8 Piazza Venezia

Este é, de fato, o centro de Roma e o ponto de convergência do tráfego local, controlado nas horas de maior movimento por um policial de luvas brancas. A praça é ladeada pelo Palazzo Venezia, de cuja sacada Mussolini convencia a população sobre as "maravilhas" do facismo *(p. 104)*.

9 Fontana delle Naiadi

A água que jorra do Tritão de Bernini é insignificante se comparada às golfadas lançadas pelo Glaucus desta grande fonte no centro de uma rotatória. A fonte é circundada por ninfas e cavalos criados em 1888 por Mario Rutelli, avô de Francesco Rutelli, que foi prefeito de Roma entre 1993 e 2001. *Piazza della Repubblica • Mapa C3*

10 Piazza Santa Maria in Trastevere

Uma autêntica praça de bairro: cafés, lojas, um bom restaurante e um palácio do século XVII ao lado de uma igreja medieval cheia de mosaicos, à noite iluminados por holofotes. A fonte decorada com conchas de Carlo Fontana (1682) coroa um pedestal em cujos degraus se sentam os jovens para tocar violão, e os turistas para tomar sorvete *(p. 139)*.

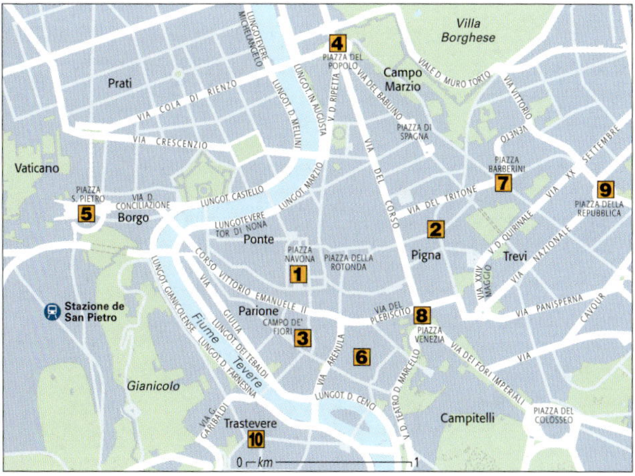

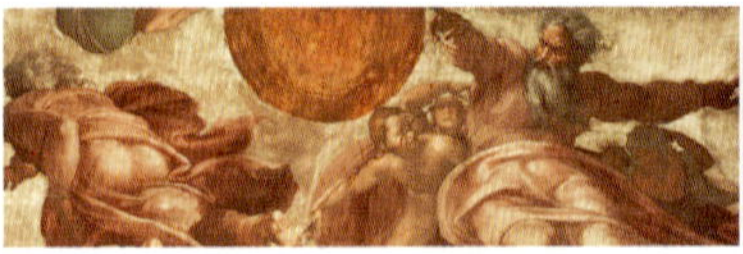

Teto da Capela Sistina; *Pietà* de Michelangelo

TOP 10 Obras-primas

1 Deposição, de Caravaggio

Caravaggio quis superar a de Michelangelo ao fazer esta Maria idosa e cansada. Em vez do Cristo magro nos braços da mãe, seu musculoso Jesus é tão pesado (graças à composição diagonal) que Nicodemus tem dificuldade com as pernas e a força das mãos de João reabre uma ferida.

2 Transfiguração, de Rafael

Esta obra de Rafael, seu último trabalho, estava quase concluída em seu estúdio, quando ele morreu. É o auge de seu talento para a síntese, reunindo a clareza de Perugino, a paleta de cores e os personagens distorcidos de Michelangelo e a composição de Leonardo.

3 Pietà, de Michelangelo

O Renascimento é caracterizado pelo naturalismo, mas Michelangelo o deturpou em nome do efeito artístico. Aqui, uma jovem Maria olha para o filho morto, magro e pequeno, deitado em seu vultoso colo. Ao saber que sua obra era atribuída a escultores mais conhecidos, o artista invadiu a capela numa noite e gravou seu nome na faixa que atravessa o peito da Virgem.

4 A Escola de Atenas, de Rafael

Quando Rafael pintou os artistas de sua época como pensadores clássicos num ambiente imaginário, faltava um deles. Ao ver o teto da Sistina que Michelangelo pintava, rapidamente acrescentou o gênio problemático, como um Heráclito zangado, sentado na escada.

5 Capela Sistina, de Michelangelo

Embora o próprio Michelangelo se considerasse antes um escultor, ele conseguiu transformar um teto plano em uma grande abóbada povoada por profetas do Velho Testamento (e homens nus). Ele fez tudo praticamente sozinho, dispensando todos os assistentes, com excessão de um deles, que o ajudou a preparar os pigmentos.

A Escola de Atenas, de Rafael

6 Apolo e Dafne, de Bernini

Raramente o mármore conseguiu captar movimentos tão fluidos e graciosos, quase líquidos, quanto os que são vistos nesta obra. Bernini congela o momento em que a ninfa, com os cabelos e o manto soltos ao vento, é envolta em galhos e folhas, e transformada em uma coroa de louros por seu pai e deus dos rios.

Invocação de São Mateus, de Caravaggio

7 Invocação de São Mateus, de Caravaggio

Nesta obra, Caravaggio carrega nas técnicas. Quando um raio de luz naturalista emana de Cristo sobre Mateus, o artista capta o momento exato em que o coletor de impostos se converte no evangelista preferido.

8 São Jerônimo, de Leonardo da Vinci

Quase um esboço, mas perfeito quanto à precisão anatômica e à experimentação compositiva. A obra é uma espiral que começa nas montanhas, atravessa a boca da caverna e a curva do leão, sobe pelo braço estendido do santo, envolve o braço esquerdo e a mão para terminar no centro.

9 Moisés, de Michelangelo

Este monumento é apenas uma pálida sombra do elaborado túmulo imaginado por Michelangelo para Júlio II e para o qual a imagem foi criada. Alguns afirmam que o artista reproduziu a própria barba, e o que parece ser um par de chifres, pode ter sido uma tentativa de criar raios de luz.

10 O Êxtase de Santa Teresa, de Bernini

Aqui, a teatral santa de Bernini é trespassada pela lança do amor divino por um anjo sorridente. Ele compõe o êxtase religioso sobre um palco ladeado por camarotes, de onde os membros da família que o encomendou, os Cornaro, assistem à cena.

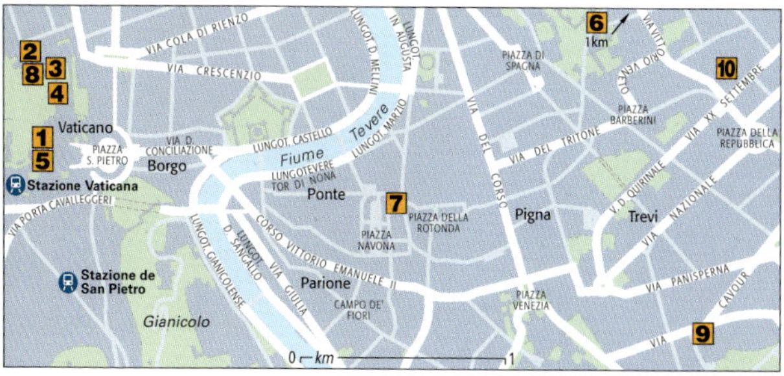

Palazzo Venezia; Afresco na Villa Farnesina

TOP 10 Villas e Palácios

1 Villa Farnesina
Esta pequena joia reúne criações de alguns dos maiores artistas do Renascimento, entre eles Rafael. As *loggias* ficam hoje atrás de vidros para proteção das preciosas pinturas murais, mas originalmente eram abertas de modo a incorporar o ideal de continuidade entre os espaços interno e externo, conceito herdado dos antigos arquitetos romanos *(p. 139)*.

2 Palazzo del Campidoglio
Quando o imperador Carlos V visitou Roma em 1536, o papa Paulo III ficou tão envergonhado com o estado em que se encontrava o capitólio que recorreu à ajuda de Michelangelo. Os trabalhos começaram dez anos depois e o artista morreu muito antes de concluí-los. Fazem parte do projeto original os dois lances de escada do Palazzo Senatorio, o Palazzo Nuovo, as belas fachadas e a posição das esculturas antigas *(p. 99)*.

3 Palazzo Borghese
Também chamado de "o cravo" pelo formato incomum, este palácio do século XVII concentrava toda a diversão da alta sociedade papal de Roma. O pátio maneirista, em particular, foi palco de inúmeros affairs. É possível espiar no lado de dentro as grandes estátuas, as colunas que sustentam as *loggias* duplas e a fonte "Banho de Vênus" *(p. 94)*.

4 Palazzo Massimo alle Colonne
Foi preciso superar inúmeros problemas técnicos para que o arquiteto Peruzzi construísse esta maravilha no século XVI. Primeiro, teve de acompanhar a curva dos alicerces do antigo Teatro de Domiciano. A colunata do pórtico foi uma solução elegante ao longo da rua; a outra fachada é decorada com afrescos monocromáticos, conhecidos como *grisaille (p. 85)*.

5 Palazzo Farnese
Considerado o palácio renascentista por excelência, reflete a genialidade tanto de Antonio da Sangallo, o Jovem, quanto de Michelangelo. Foi encomendado em 1517 por Alessandro Farnese, futuro papa Paulo III, como residência de uma das famílias mais inescrupulosas de Roma *(p. 104)*.

Pátio da Villa Farnesina

6 Villa Giulia

O refúgio ideal para que o papa Júlio III se entregasse aos prazeres hedonísticos na companhia de jovens rapazes e estátuas clássicas. Desenhado por Vignola, Ammannati e Vasari, esta joia do século XVI é uma profusão de *loggias*, fontes e jardins *(p. 112)*.

Palazzo Farnese

7 Palazzo Barberini

Quando Maffeo Barberini tornou-se o papa Urbano VIII em 1623, mandou construir o palácio da família nos (então) limites da cidade. O arquiteto Carlo Maderno projetou a casa de campo com três níveis de arcadas, Bernini acrescentou a escada quadrada à esquerda e Borromini, a escada em espiral à direita *(p. 133)*.

8 Palazzo della Cancelleria

Um dos mais belos palácios do início do Renascimento (fim do século XV), a fachada e o pátio são de uma pureza sem paralelos. Foram desmanchados vários monumentos antigos para usar os mármores e as 44 colunas do pórtico interno *(p. 104)*.

9 Palazzo Spada

Construído em torno de 1550 para um rico cardeal por um arquiteto desconhecido, este palácio exibe uma das fachadas renascentistas mais belas de Roma, com relevos que remetem ao passado glorioso da cidade. Mas a verdadeira obra-prima é o pátio, decorado com imagens em estuque de doze deuses e deusas olímpicos *(p. 104)*.

10 Palazzo Venezia

O primeiro palácio renascentista de Roma (1455-64) foi construído para o cardeal veneziano Pietro Barbo. É atribuído a um dos dois arquitetos florentinos, Alberti ou Maiano. Do café do museu vê-se o belo pátio com palmeiras e uma fonte do século XVIII.

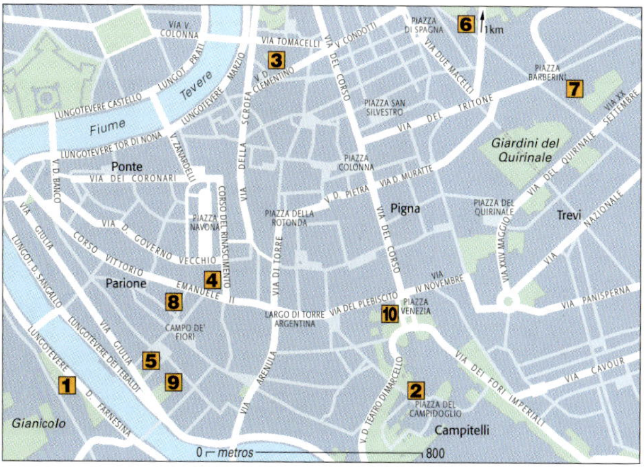

Catacumbas de San Sebastiano, Via Ápia; Teto de San Clemente; Cripta Balbi

TOP 10 Atrações Subterrâneas

1 San Clemente

As muitas camadas subterrâneas desta igreja fascinante revelam os ideais de Roma em épocas diferentes *(pp. 34-5)*.

2 Catacumbas de Domitilla

Este é o maior complexo de catacumbas de Roma. Muitas de suas câmaras dos séculos I e II não têm nenhuma ligação com o cristianismo, pois várias religiões praticavam sepultamentos semelhantes. No interior das câmaras há pinturas murais com cenas clássicas e cristãs, entre elas uma que é considerada a mais antiga imagem de Cristo como o Bom Pastor *(p. 65)*. *Via delle Sette Chiese 282 • Ônibus 118, 218, 660, 760 • Abertas fev-dez: 9h-12h, 14h-17h qua-dom (até 17h30 no verão) • Entrada paga*

3 Grutas do Vaticano

A famosa Parede Vermelha, atrás da qual Pedro estaria enterrado, foi encontrada nos subterrâneos do Vaticano nos anos 1940 *(p. 13)*.

4 Catacumbas na Via Appia

Os cemitérios subterrâneos fora das muralhas da cidade foram criados pelas leis da época, e não para mantê-los à distância (por algumas crendices). Os restos mortais de São Pedro e São Paulo teriam sido trazidos para cá em alguma época de perseguições. No cemitério há vários mausoléus do século IV. *Via Appia Antica 136 (Catacumbas de San Sebastiano) e Via Appia Antica 110 (Catacumbas de San Callisto) • Ônibus 118, 218 • San Sebastiano: aberto 10h-17h seg-sáb • San Callisto: aberto 9h-12h e 15h-17h ter-qui • Entrada paga*

5 Prisão Mamertina

Construída entre os séculos VII e VI a.C., esta era a prisão central de Roma. Recebeu detentos famosos como Vercigetorix, chefe celta rebelde que foi trazido acorrentado para Roma, e São Pedro, que deixou marcas de seu rosto em uma parede da escadaria onde, supostamente, foi espancado pelos guardas. *Via S Pietro in Carcere/Via Tulliano • Mapa P5 • Aberto 9h-17h diariam (até 19h no verão) • Entrada paga*

6 Cripta Balbi

Várias escavações feitas em épocas diferentes incluem um pedaço de uma *crypta* (um pátio

Fonte subterrânea de San Clemente

com pórtico) do século XIII a.C. que era ligada a um teatro. Os painéis informativos do museu explicam as camadas de Roma; e os afrescos medievais são muito interessantes. ✆ *Via delle Botteghe Oscure 31 • Mapa M4 • Aberto 9h-7h45 ter-dom • Entrada paga*

7 Casas Romanas sob a Basílica de San Giovanni e San Paolo

A casa no subsolo desta igreja pertencia a dois oficiais de Constantino martirizados em 362 d.C. São várias construções, como um *nymphaeum* com afrescos criado possivelmente entre os séculos I ao IV. ✆ *Clivo di Scauro/Piazza SS Giovanni e Paolo • Mapa E5 • 06 7045 4544 • Aberto 10h-13h, 15h-18h qui-dom • Entrada paga • AD*

8 Museo Barracco

Os alicerces deste museu datam do século IV d.C. Ainda se veem as paredes, o piso, pedaços da coluna, um fragmento da cornija com relevos, uma pia de mármore e um pilão manual *(p. 55)*.

9 Teatro de Pompeia

As ruínas ainda são evidentes entre as construções medievais do Largo del Pollaro. A estrutura (61-55 a.C.) pode ser vista nas fundações, onde estão as salas do restaurante da Pancrazio nos antigos corredores de travertino. ✆ *Piazza del Biscione 92 • Mapa L4 • Aberto 12h30-14h, 17h30-23h qui-ter • Grátis*

10 Mithraeum sob a Santa Prisca

Santuário do século III dedicado ao mitraísmo e frequentado por soldados e pelo povo depois que o cristianismo caiu no gosto dos patrícios *(p. 128)*. ✆ *Via di Santa Prisca 13 • Mapa D5 • 06 3996 7700 • Aberto 2º e 4º dom do mês, 16h. Somente com reservas • Entrada paga*

As Melhores Vistas

1 O Fórum Romano de Campidoglio

Contornando o Palazzo Senatorio pelo lado direito, você terá uma vista desse cartão-postal iluminado à noite. ✆ *Mapa P5*

2 Il Vittoriano

Suba os degraus do "Bolo de Casamento" (ou vá de elevador) para uma vista especial dos Fóruns Imperiais *(p. 104)*.

3 Gianicolo

Tenha a Cidade Eterna aos seus pés do alto da viela dos enamorados às margens do Tibre *(p. 141)*.

4 Scalinata di Spagna

Do alto da escadaria, a vista da praça lotada de turistas é espetacular *(p. 109)*.

5 Café dos Museus Capitolinos

Em pleno centro de Roma, você vai se sentir como um pássaro voando sobre o parque arqueológico *(p. 24)*.

6 Domo de São Pedro

Do alto do Domo da Basílica avista-se a Praça de São Pedro e o Castelo de Sant'Angelo *(p. 12)*.

7 A Fechadura dos Cavaleiros de Malta

No portão deste jardim, pelo buraco da fechadura avista-se o Domo de São Pedro *(p. 120)*.

8 Muralhas do Castelo de Sant'Angelo

Do alto das muralhas avista-se o rio Tibre e a ponte de Sant'Angelo *(p. 140)*.

9 Pincio

Valadier pintou o que via de seu jardim: da Piazza del Popolo até a Basílica de São Pedro *(p. 111)*.

10 Villa Mellini

A vista da Piazzale Clodio, perto do observatório de Roma, inclui a cidade e as montanhas a noroeste. ✆ *Mapa B1*

Museo delle Anime del Purgatorio; Santuário dos Gatos do Largo Argentina

TOP 10 Roma Oculta

1 Cripta e Museu dos Capuchinhos

Se você gosta de lugares sombrios, esta deve ser a sua primeira visita. Milhares de ossos de monges foram usados para revestir as paredes, formando desenhos assustadores. Os esqueletos inteiros vestem hábito com capuz e ficam pendurados nas paredes *(p. 134)*.

2 Museo della Casina delle Civette

Mussolini morou em um dos prédios restaurados da Villa Torlonia quando foi primeiro-ministro. Este chalé art nouveau exibe cerâmicas e vitrais decorativos, muitos com motivos de corujas, que lhe dão nome: "Casinha das Corujas." O terreno é hoje um parque público. *Via Nomentana 70 • Mapa G1 • Aberto 9h-19h ter-dom • Entrada paga*

Fachada do Museo della Casina delle Civette

3 Museo Criminologico

Instrumentos de tortura, cartas escritas em celas e armas usadas pela máfia são apenas alguns dos itens expostos neste museu, que conta a história do crime na Itália. Os diferentes setores abordam temas como pena capital, antropologia e psicologia criminal e modernos sistemas prisionais. *Via del Gonfalone 29 • Mapa J3 • Aberto 9h-13h ter-sáb; 14h30-18h30 ter e qui • Entrada paga*

4 Museo delle Anime del Purgatorio

A igreja gótica Sacro Cuore del Suffragio, no rio Tibre, abriga uma exposição, no mínimo, bizarra. Em uma caixa de vidro são preservados vários tipos de "provas" físicas (a maioria impressões digitais "gravadas" em superfícies) de pessoas mortas que aguardam no purgatório o momento de subir ao céu. *Lungotevere Prati 12 • Mapa L1 • Aberto 7h-11h, 16h30-19h30 diariam • Grátis*

5 Pirâmide de Caius Cestius

Assim como os egípcios, os anciãos romanos construíam seus túmulos em forma de pirâmide, embora esta seja a única que ainda existe. A intenção era criar uma muralha defensiva em torno da cidade *(p. 121)*.

6 Santuário dos Gatos do Largo Argentina

A dra. Silvia Viviani é a principal inspiradora deste empreendimento, mas o que garante o seu funcionamento é o entusiasmo dos voluntários. Os turistas que visitam a clínica veterinária são convidados a adotar um gato. ⓢ *Largo di Torre Argentina (na esquina da praça) • Mapa M4 • Aberto 12h-18h diariam • Aceita doações*

Porta do Palazzo Zuccari

7 Palazzo Zuccari (ou Casa dos Monstros)

Famoso pelos batentes de portas e janelas que parecem bocas abertas de ogros grotescos, esta pequena fantasia maneirista do século XVI era o ateliê dos pintores Taddeo e Federico Zuccari. ⓢ *Via Gregoriana 28 • Mapa D2 • Fechado ao público*

8 Museo Barracco

Esta coleção especial rastreia o desenvolvimento da arte escultural no mundo antigo. Os trabalhos assírios e egípcios se destacam ao lado da arte etrusca, romana e paleocristã. As esculturas gregas originais só perdem para as que estão no Vaticano *(p. 104)*.

9 Museo della Civiltà Romana

O Templo de Karnak é construído em estilo facista art déco e abriga um museu bastante interessante. A principal atração é uma maquete em escala de 1:250 de uma provável Roma no século IV. Além disso, há também réplicas interessantes de mobiliário antigo e de instrumentos musicais, entre outros. ⓢ *Piazza Giovanni Agnelli 10 • Metrô EUR Fermi • Aberto 9h-14h ter-dom • Entrada paga • AD*

10 Museo delle Mura

A Porta San Sebastiano é uma das muitas entradas da antiga Muralha Aureliana *(p. 152)*, mas a única que sobrevive até hoje. Atualmente existe aqui um museu de gravuras e interessantes maquetes ilustrativas que contam a história da muralha. ⓢ *Via di Porta San Sebastiano 18 • Ônibus 118, 218 • Aberto 9h-14h ter-dom. • Entrada paga*

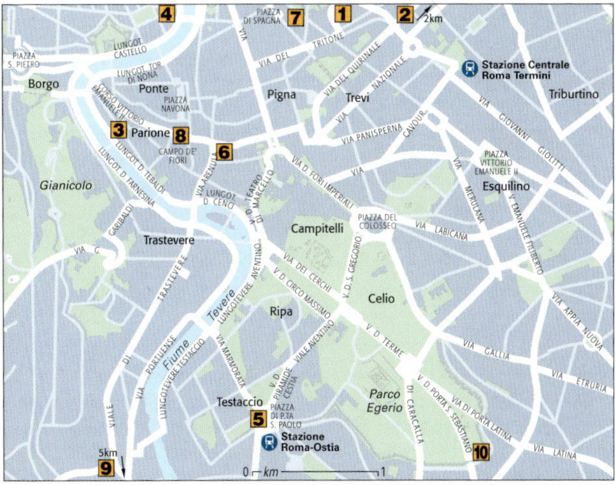

Lord Byron; Mark Twain

TOP 10 Escritores em Roma

1 Wolfgang Goethe

Primeiro turista importante, o autor alemão Goethe (1749-1832) viveu em quartos alugados no Corso entre 1786 e 1788, onde hoje funciona um museu *(p. 112)*. Seu livro *Viagem italiana* abre caminho para outros visitantes que vieram conhecer a história da Itália e completar sua formação.

Wolfgang Goethe

2 John Keats

Poeta romântico inglês (1795-1821), Keats esteve em Roma em 1820 em busca de antiguidades e de uma vida mais saudável, o que, infelizmente, não encontrou. O autor morreu de tuberculose aos 25 anos em um apartamento na Scalinata di Spagna *(p. 109)*.

3 Henry James

O autor nova-iorquino (1843-1916) passou metade de sua vida na Europa. Roma aparece em *Daisy Miller*, *Retrato de uma senhora* e nos relatos de viagem *Horas italianas*. Em carta escrita em 1869, ele exulta: "Pela primeira vez, sinto-me vivo! Nada é melhor do que isto: tudo o que aprendi sobre Roma não serve mais".

4 Nathaniel Hawthorne

Durante o tempo que passou na Itália, de 1857 a 1859, o escritor americano (1804-64) visitou tantas vezes as esculturas antigas dos Museus Capitolinos que, inspirado nelas, escreveu seu último romance: *O fauno de mármore*.

5 Alberto Moravia

O grande autor moderno italiano (1907-90) escreveu sobre Roma em *Racconti Romani*, *La Romana*, *La Ciociara*, *Gli Indifferenti* e *La Noia*, traduzidos em vários idiomas.

6 Lord Byron

Inigualável poeta romântico (1788-1824) que, de várias maneiras, viveu a vida cavalheiresca descrita em sua obra. Ele morou na Itália em companhia dos Shelley e outros amigos, e baseou grande parte de *A peregrinação de Childe Harold* e *Don Juan* nas suas experiências.

7 Edward Gibbon

Quando o parlamentar britânico Gibbon (1737-94) esteve no Fórum pela primeira vez, em 1764, constatou que "...os lugares em que Rômulo pisou, onde Túlio falou e César caiu estavam todos diante de meus olhos". E por volta de 1788 escreveu a sua obra seminal, *Declínio e queda do Império Romano.*

8 Gore Vidal
O prolífico escritor americano (1925-2012) morou muito tempo em Roma e em Ravello, ao sul de Nápoles. A Itália inspirou *O julgamento de Páris* e *Juliano,* além de suas memórias, *Palimpsesto.*

9 Mark Twain
O escritor americano (1835-1910) passou pouco tempo na Cidade Eterna durante o seu grand tour, mas suas impressões satíricas nos relatos de viagem *The Innocents Abroad* são, até hoje, as mais citadas e mencionadas por qualquer visitante.

10 Percy Bysshe Shelley
O poeta inglês (1792-1822) morou na Itália com sua esposa, Mary, desde 1818 até morrer por afogamento nas proximidades de Pisa. Ele ia muito a Roma, onde escreveu *Os Cenci,* que relatam os escândalos da cidadã romana Beatrice Cenci.

Percy Bysshe Shelley

Escritores Clássicos Romanos

1 Plauto
Shakespeare adotou a fórmula das comédias dos erros de Plauto (250-184 a.C.).

2 César
General, ditador e escritor (100-44 a.C.). Seu *De Bello Gallico* descreve as campanhas na Gália, e *A guerra civil* narra os combates em Pompeia.

3 Cícero
Orador e republicano fanático (106-43 a.C.). Seus discursos dão uma boa noção da política romana.

4 Virgílio
Poeta e propagandista (70-19 a.C.). Seu épico *Eneida* liga a fundação de Roma à Guerra de Troia.

5 Ovídio
O maior poeta clássico (43 a.C.- 17 d.C.). Seu *Metamorfoses* codificou mitos romanos e *Ars Amatoria* ensina a conquistar as mulheres.

6 Tácito
Escreveu *Anais e histórias da Roma imperial. A vida de Agrícola* é uma homenagem ao seu sogro, que governava a Bretanha. Viveu entre 55 e 117 d.C.

7 Juvenal
Os romanos inventaram a sátira; Juvenal (60-130) aperfeiçoou-a em seus poemas.

8 Plínio, o Jovem
As *Epistulae*, ou cartas que Plínio (61-113) escrevia a pessoas importantes, dão uma ideia da sociedade imperial.

9 Suetônio
Este historiador (70-125) escreveu sobre a vida dos césares.

10 Petrônio
Parodiou (70-130) a vida dos romanos em *Satiricon.*

Ben Hur, La Dolce Vita

TOP 10 Estúdios da Cinecittà

1 La Dolce Vita
Neste clássico de Fellini dos anos 1960 sobre "a boa vida" dos romanos na década de 1950, os *glitterati* internacionais se reuniam na Cidade Eterna. Marcello Mastroianni interpreta um repórter mergulhado nesse estilo de vida decadente; o personagem Paparazzo, que fotografa os famosos nos cafés da Via Veneto, deu nome à profissão.

2 Roma de Fellini
Um tributo do diretor à cidade que ele adotou. Mostra a herança romana se modernizando e os desatinos do Vaticano em um assustador e divertido desfile de modas clerical. Fellini construiu uma avenida nos estúdios para filmar o trânsito caótico da cidade sem interferir no tráfego real.

3 Ben Hur
Neste épico de gladiadores com orçamento milionário (50 milhões de dólares, em dinheiro de hoje), filmado em 1959, William Wyler dirigiu Charlton Heston como o príncipe judeu traído e escravizado. Ele recupera a liberdade e participa de uma corrida de bigas que serviu de modelo a todas as demais corridas cinematográficas. O filme conquistou onze Oscar.

4 Ladrões de Bicicleta
O mais importante filme neorrealista de Vittorio de Sica, de 1948, é um relato documental sobre Roma no final dos anos 1940. Um pai de família que luta pela sobrevivência no pós-guerra entra em desespero quando sua bicicleta é roubada. A partir daí, ele faz tudo para recuperá-la.

A princesa e o plebeu

5 Cleópatra
Com cenários e figurinos milionários e um elenco liderado por Elizabeth Taylor e Richard Burton, o épico de 1963 de Joseph Mankiewicz foi o primeiro grande fracasso de bilheteria da história de Hollywood.

6 Roma, Cidade Aberta
Drama de 1946 sobre a resistência romana na Segunda Guerra Mundial. Roberto Rossellini deu um tom de documentário ao filme, que se passa apenas alguns meses após o término da guerra e mostra soldados e fatos reais. O jovem Fellini participou do roteiro.

7 A Princesa e o Plebeu
Comédia romântica de 1953 que deu à estreante Audrey Hepburn o Oscar pelo papel da princesa rebelde que circula pela cidade com um jornalista pobretão interpretado por Gregory Peck.

8 Querido Diário
Este filme autoral (1994) começa com o diretor, Nanni Moretti, guiando sua scooter pelos subúrbios de Roma.

9 A Vida é Bela
Mistura de comédia e fábula que se passa na Itália ocupada pelos nazistas. O autor e diretor Roberto Begnini está no papel de um livreiro judeu que faz o possível e o impossível para proteger o filho dos horrores de um campo de concentração, transformando toda a tragédia em uma grande brincadeira. O filme ganhou três Oscar.

10 Gangues de Nova York
O diretor de Hollywood Martin Scorsese gastou 100 milhões de dólares para recriar na Cinecittà a Nova York dos anos 1840. Ganhou o Oscar de melhor filme em 2002.

Diretores Italianos

1 Federico Fellini
Vencedor de cinco Oscar, (1920-93) incorporou estilos que vão do Neorrealismo ao Realismo Mágico.

2 Roberto Rossellini
Mestre do Neorrealismo italiano (1906-77), fez *Roma, cidade aberta* e *Paisà*.

3 Vittorio De Sica
De Sica (1901-74) inaugurou o Neorrealismo com filmes como *Vítimas da tormenta* e *Ontem, hoje e amanhã*.

4 Luchino Visconti
A fama de Visconti (1906-76) deve-se a *O leopardo* e *Morte em Veneza*.

5 Pier Paolo Pasolini
Poeta, comunista e cineasta (1922-75). Realizou versões históricas de *Édipo Rei* e *Decamerão*.

6 Sergio Leone
Leone (1929-89) levou o faroeste para a Itália e transformou Clint Eastwood em astro de *spaghetti westerns*, como o filme *Por um punhado de dólares*.

7 Michelangelo Antonioni
Antonioni (1912-2007) esteve à frente da Nouvelle Vague *(Deserto vermelho)* e fez sucesso em Hollywood com *Blow Up*.

8 Nanni Moretti
Autor e diretor autobiográfico (n. 1953) que costuma ser comparado a Woody Allen.

9 Bernardo Bertolucci
Poeta e cineasta (n. 1941). Fez muito sucesso fora da Itália e voltou para casa para fazer *Beleza roubada*.

10 Roberto Benigni
Autor-diretor-escritor (n. 1952), geralmente de comédias, alcançou sucesso mundial como vencedor de Oscar por *A vida é bela*.

Villa Borghese; Casina Valadier, no Pincio; Igreja na Via Appia Antica

TOP 10 Locais Românticos

1 Gianicolo

Ao lado da pessoa amada, caminhe de braços dados neste parque elegante, assista ao tradicional espetáculo de marionetes, compre um ou dois bonecos e brinque no carrossel. Sobretudo, admire a vista, uma das mais belas da cidade de Roma. Se ainda estiverem por aqui ao meio-dia, não se assustem com os tiros de canhões: é uma rotina diária *(p. 141)*.

2 Jardins do Pincio

Outro passeio romântico em Roma é por estes jardins que são frequentados por escritores românticos desde o século XIX, quando Giuseppe Valadier redesenhou seus canteiros. Se o exclusivo café e restaurante Casina Valadier estiver aberto durante o dia, não há lugar mais romântico para um drinque ou uma refeição *(p. 111)*.

3 Jardins das Rosas e das Laranjeiras e Parco Savello

Faça um passeio agradável por este gracioso espaço público que é o Jardim das Rosas. Depois, suba a colina para andar pelo Jardim das Laranjeiras, onde você pode relaxar à sombra de pinheiros e laranjeiras e avistar o rio Trastevere e a Basílica de São Pedro. Por fim, comece a descer pelo Clivo di Rocca Savella. *Mapa A3*

4 Villa Borghese

Um grande parque com muitas fontes, bancos, alamedas arborizadas, nichos e clareiras. Mas a melhor atividade, e de longe a mais agradável, é remar pelo lago e dar a volta na ilha para ver seu templo clássico *(p. 110)*.

5 Antico Arco

Este restaurante histórico localizado no alto do morro Gianicolo em um belo palacete, cria pratos baseados em receitas tradicionais. Vários sommeliers podem ajudar a escolher o vinho perfeito para cada um deles. As paredes de pedra e tijolos dão um toque especial ao ambiente, em que as mesas no piso superior são as mais aconchegantes. Encerre o jantar com a especialidade da casa, o famoso suflê de chocolate derretido *(p. 149)*.

Campidoglio à noite

Veja mais sobre categorias de preço na **p. 89**

6 Arco Degli Acetari

Uma caminhada pelas ruelas de Campo dei Fiori não seria completa sem uma visita ao Arco Degli Acetari. O tempo parece congelado neste pátio medieval escondido, cujo único acesso é um arco de passagem já bastante gasto na Via del Pellegrino. *Via del Pellegrino • Mapa K4*

7 Campidoglio à Noite

Embora sejam discretamente iluminados, à noite os três palácios no alto da colina ganham uma beleza mágica *(pp. 24-7)*. Suba uma suave ladeira, dê uma ou duas voltas na praça antes de atravessá-la e siga em frente para ter uma visão geral do Fórum Romano e do Coliseu, que também estará iluminado.

8 Fontana di Trevi

Mesmo estando sempre lotada de turistas, esta obra-prima é de uma beleza e uma força avassaladoras, durante o dia ou à noite. Não perca a chance de fazer seus pedidos secretos; quanto mais românticos melhor. E não deixe de atirar na água algumas moedas, sempre de costas, para garantir o seu retorno a Roma *(p. 109)*.

9 Via Appia aos Domingos

Um dia por semana, uma parte da Via Appia Antica é fechada ao tráfego em geral, menos para ônibus de turistas. Esse é o momento ideal para um bucólico passeio de bicicleta ou uma longa caminhada em toda a sua extensão. Os romanos antigos costumavam enterrar seus mortos à sombra de pinheiros e ciprestes. Ainda restam alguns túmulos originais ao longo da via *(p. 151)*.

Fontana di Trevi

10 Gelato ai Tre Scalini

Uma bomba com três tipos de chocolate cobertos com creme batido e uma cereja no alto compõem o tradicional tartufo que é preparado neste café. Ele custará menos se vocês comprarem e saírem caminhando, mas é muito mais romântico sentar-se lá dentro e dividi-lo com a pessoa amada – desde que vocês não briguem pela cereja *(p. 88)*.

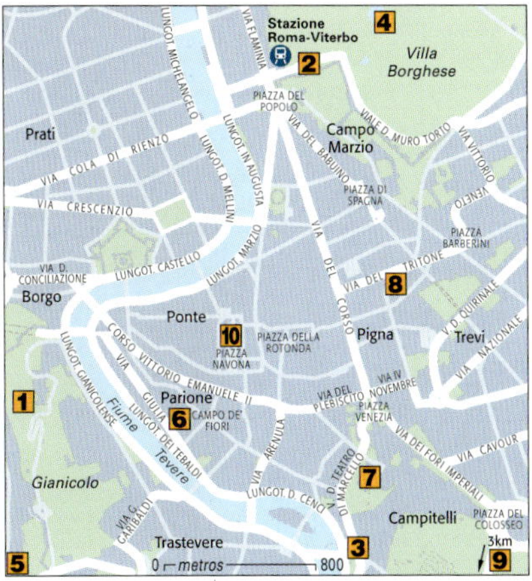

Villa Doria Pamphilj; Orto Botanico

TOP 10 Áreas Verdes

1 Villa Borghese

Extenso, elegante, com muitas clareiras sombreadas e belas fontes, é um excelente parque para caminhar, fazer um piquenique ou se exercitar. Tem também um lago artificial com barcos, bicicletas para alugar e patins *(p. 110)*.

2 Jardins de Pincio

A melhor hora para admirar o mais famoso panorama de Roma é tradicionalmente a do pôr do sol. Há outras atrações aqui, como o relógio de água, o busto de vários notáveis e um obelisco como os egípcios erguido pelo imperador Adriano sobre o túmulo de seu bem-amado Antinous *(p. 111)*.

3 Villa Celimontana

Desde 1552, é tradição fazer piqueniques aqui, quando São Filippo Neri instituiu a Visita às Sete Igrejas e a família Mattei ofereceu um simples repasto aos romeiros. No verão há maravilhosos concertos noturnos. *Piazza della Navicella 12 • Mapa E5 • Aberto amanhecer-anoitecer • AD*

4 Villa Doria Pamphilj

A maior área verde de Roma vai de Gianicolo e segue ao longo de toda a antiga Via Aurelia. É um excelente local para correr, com vários aparelhos de exercício. Suas colinas com palacetes, fontes, lagos e estufas são ideais para um passeio ou um piquenique à sombra dos pinheiros *(p. 142)*.

5 Orto Botanico

Os jardins botânicos e a área do Palazzo Corsini são hoje locais adoráveis para um passeio de uma ou duas horas, respirando um ar perfumado entre mais de 7 mil espécies de plantas espalhadas por todo canto. Os jardins que hoje pertencem à Universidade de Roma têm espécies exóticas e nativas agrupadas em adoráveis ecossistemas *(p. 142)*.

6 Villa Sciarra

Embora pequeno, este parque é repleto de fontes, gazebos, poços, *loggias* e estátuas. Tem caminhos arborizados para passear e gramados para relaxar. É um bom

Villa Borghese

Veja mais sobre praças e fontes nas **pp. 46-7**

lugar também para as crianças e aproveitar um piquenique. ✎ *Via Calandrelli • Mapa C5 • Aberto amanhecer-anoitecer • AD*

7 Villa Ada

Este grande parque público era originalmente a reserva de caça do rei Vittorio Emanuele III. Abriga vastos gramados, lagos serenos e bosques. É um ótimo lugar para se afastar da poluição e do ruído da cidade. Nas noites de verão, às margens do lago há bancas de comida e concertos. ✎ *Via Salaria 265 • Mapa E1 • Aberto amanhecer-anoitecer • AD*

8 Parco Della Caffarella

Uma combinação de área cultivada e mata selvagem com muitos animais, os campos e campinas de Parco Della Caffarella são pontilhados com ruínas de templos romanos. Há também um grande parque de diversões para crianças. ✎ *Via della Caffarella • www.caffarella.it*

Relógio de água, Pincio

9 Colle Oppio

Depois de muito caminhar pelo Fórum e Coliseu em pleno verão, estas colinas verdes são um verdadeiro refresco para os olhos. A maior parte do parque Colle Oppio é hoje o telhado da Casa Dourada de Nero *(p. 23)*: dá para ver as claraboias dos quartos. Mas se você achar que ainda não viu o suficiente, pode também examinar as grandes ruínas das Termas de Trajano espalhadas pelo local. ✎ *Via Labicana, Parco Oppio • Mapa E4 • AD*

10 Parco della Resistenza dell'8 Settembre

Esta era uma região sujeita a tempestades de areia que foi transformada em uma agradável área verde, onde os moradores trazem seus filhos para brincar e encontrar os amigos. Como é um dos poucos parques sem grades ou portões, é ideal para uma caminhada ao luar depois de um jantar romântico. ✎ *Viale della Piramide Cestia, Viale M Gelsomini • Mapa D5 • AD*

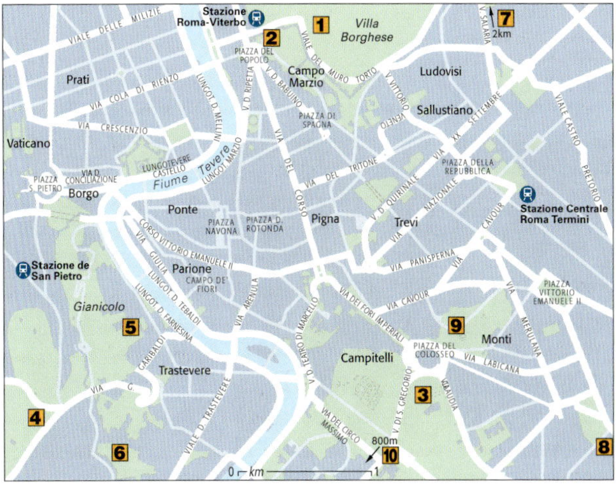

Parque Villa Borghese; Parque de diversões da Villa Borghese

TOP 10 Atrações para Crianças

1 Villa Borghese

O parque renascentista de Scipione Borghese e, ao lado, os Jardins do Pincio, do século XIX, com estátuas e fontes, são perfeitos para explorar de bicicleta, que pode ser alugada no próprio local. Também é possível alugar um barco para remar pelo lago, e há um pequeno parque de diversões para as crianças *(pp. 111-2)*.

2 Explora

Neste museu os jovens podem interagir com dioramas e maquetes em tamanho natural o que proporciona à criança uma visão do mundo. Também faz muito sucesso o popular "crie seu programa de TV". *Via Flaminia 82 • Mapa C1 • 06 361 3776 • Crianças só acompanhadas de adultos • Visitas de 1h45 às 10h (menos ago), 12h, 15h, 17h ter-dom • Reserve • Entrada paga*

3 Cripta e Museu dos Capuchinos

Capelas assustadoras decoradas com ossos de monges mortos e alguns esqueletos inteiros pendurados em nichos também feitos de ossos. É tão impressionante que para alguns adultos e adolescentes é o ponto alto da viagem. As crianças pequenas costumam se assustar com o que veem *(p. 134)*.

4 Bioparco (Zoo)

O zoológico de Roma, antes um deprimente aglomerado de cubículos cimentados e malcheirosos, passou por uma grande reforma e se transformou em um bonito "jardim biológico" no parque da Villa Borghese. *Piazzale del Giardino Zoologico 1 • Mapa E1 • Aberto 9h30-18h seg-sex, 9h30-19h sáb e dom (até 17h nov-mar) • Entrada paga*

5 Technotown

Ocupando uma casa do século XX nos exuberantes jardins de Villa Torlonia, Technotown é uma casa de diversões multimídia com exposições educativas e interativas que incluem robótica e fotos tridimensionais. *Via Lazzaro Spallanzani 1ª • Mapa F2 • 060608 • Aberto 9h-19h ter-dom; jul e ago: 10h-23h ter-dom • Fecha segunda quinzena de ago • www.technotown.it*

Marionetes

6 Teatro de Marionetes no Gianicolo

Não é preciso entender italiano para gostar de Punch e Judy (personagens típicos do teatro de marionetes britânico). Este

Para informações sobre passeios de barco pelo rio, acesse www.battellidiroma.it ou ligue para 06 9774 5498

é o último dos antigos teatros de bonecos que existiam nos parques públicos de Roma e ofereciam uma forma de arte em extinção. ⊗ *Teatro di Pulcinella, Gianicolo • Mapa B4 • Horários variados, ter-dom • Grátis • AD*

7 Casina Di Raffaello

Uma casa de boneca administrada pela prefeitura para crianças de 3 a10 anos, com brinquedos e jogos educacionais, biblioteca e miniteatro. Organiza eventos e oficinas semanais. A entrada é grátis. ⊗ *Via della Casina di Raffaello (Villa Borghese) • Mapa D2 • 060608 • Aberto 9h-18h ter-sex, 10h-19h sáb-dom • www.casinadiraffaello.it • Entrada paga • AD*

8 Castel Sant'Angelo

Crianças sempre gostam de visitar o Castelo Sant'Angelo, andando por suas passagens sinuosas, por locais secretos de vigia, pelos calabouços e pelo fosso. Ao longo dos anos, o castelo já serviu também como mausoléu e prisão. A coleção de armas e arte do museu ilustra sua história milenar, o que interessa também os adultos.

Passeios com pôneis

9 Passeios com Pôneis

Cavalgue em um pônei nos parques de Roma – há passeios de curta duração na maioria dos parques, como os de Villa Borghese, Villa Celimontana e Villa Lazzaroni.

10 Elevador do Tempo

Os filmes panorâmicos exibidos aqui contam com um sistema de som de 360 graus, simulador de voo e tecnologia 5D. Não é recomendado para quem enjoa. ⊗ *Via dei Santi Apostoli 20 • Mapa D3-4 • 06 6992 1823 • Aberto 10h30-20h15 (última sessão 19h30) diariam • www.timeelevator.it • Entrada paga • AD*

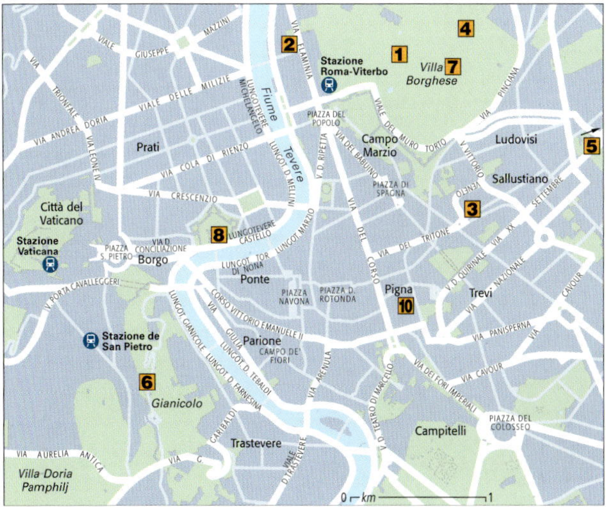

Recital de piano, Festival RomaEuropa; Celebração da Páscoa na Praça de São Pedro

Top 10 Festivais Culturais

1 Festival RomaEuropa

Um festival que vem crescendo a cada ano, com ponunciada ênfase na provocação, acontece durante o outono em vários locais exclusivos como a Academia Francesa, o Palazzo Farnese e a Academia Espanhola. Música, dança e teatro de todos os gêneros são apresentados por artistas internacionais. *Fim de set-início de dez*

2 Testaccio Village

Evento bem organizado que acontece durante o verão em uma área construída especialmente para o evento. Todos os dias tem música ao vivo até meia-noite; depois, as danceterias abrem suas portas e oferecem muita música e comida diferentes. A cada ano a festa tem um tema específico, sempre muito elaborado. *Via Monte Testaccio 16 • Mapa D6 • Jun-set: de 21h às 2h ter-dom • Entrada paga*

¡Fiesta!

3 Festa dell'Unità

A festa do antigo Partido Comunista oferece eventos noturnos de música, cinema, dança, jogos e muito mais. O local muda anualmente, bem como as datas, mas costuma ser em parques centrais e no mês de julho.

4 Aniversário de Roma

No dia 21 abril acontece uma cerimônia cívica na Piazza del Campidoglio para celebrar a fundação de Roma, em 753 a.C. *(p. 38)*. Além de apresentações musicais, há fogos de artifício e um discurso do prefeito. As portas dos Museus Capitolinos *(pp. 24-7)* ficam abertas até 22h e o ingresso não é cobrado.

5 Festivais de Ópera no Verão

Não apenas a Companhia de Ópera de Roma inaugura suas apresentações de verão nas Termas de Caracalla *(p. 119)* como por toda a cidade você pode assistir a concertos de ópera de cantores líricos de renome.

6 ¡Fiesta! e Rock in Roma

O hipódromo de Capannelle sedia dois festivais de verão: ¡Fiesta! enfoca diversas manifestações da cultura latino-americana, ao passo que o palco ao ar livre do Rock in Roma recebe astros de rock de renome mundial. *Ippodromo delle Capannelle, Via Appia Nuova 1245 • Metrô Colli Albani e ônibus • www.fiesta.it, www.rockinroma.com • Meados jun-meados ago*

7 **Luglio Suona Bene**
O concerto "Julho é uma delícia" reúne grupos de jazz, de música pop e folclórica na arena aberta do Auditorium Parco della Musica. *Viale Pietro de Coubertin 30 • 06 802 41281 • www.auditorium.com*

8 **International Horse Show**
É um evento anual de criadores de cavalo na Villa Borghese, com apresentação internacional de saltos em área ajardinada. Grande parte do parque é fechada para o evento e para as festas. *Piazza di Siena, Villa Borghese • Mapa E1 • Última semana de maio*

International Horse Show

9 **Isola Tiberina**
Junte-se à festa local em bares e restaurantes que funcionam só na alta temporada. Todo verão, um mercado, eventos com música ao vivo e um festival de filmes ao ar livre (inclusive com sessões em inglês) animam a ilha. *Isola Tiberina, Lungotevere de' Cenci*

10 **Concerto do Dia do Trabalho**
A praça da Basilica de San Giovanni in Laterano *(p. 127)* é palco deste gigantesco evento gratuito, em que se apresentam popstars italianos e alguns astros internacionais. Quando o "Dia do Trabalho" da Itália socialista é celebrado, nada mais funciona na cidade. *Piazza S Giovanni • Mapa F5 • 1º mai*

Festas Religiosas

1 **Pentecostes**
Pétalas de rosas são jogadas pelo óculo do Pantheon *(p. 14)*, seguidas de grande pompa. *Mapa M3 • Domingo de Pentecostes*

2 **Feira de Natal**
Vende doces, imagens natalinas e toda a parafernália ligada à data. *Piazza Navona • Mapa L3 • 1º dez-6 jan*

3 **Epifania**
Bruxas do bem aterrissam na Piazza Navona para distribuir doces às crianças. *6 jan*

4 **Semana da Páscoa**
Os eventos incluem a Procissão da Cruz da Sexta-Feira Santa no Coliseu e a bênção papal da sacada de São Pedro no Domingo de Páscoa.

5 **Madonna della Neve**
Comemora a visão papal de uma nevasca em pleno mês de agosto no século IV. Pétalas brancas caem do teto de Santa Maria Maggiore. *5 ago.*

6 **Missa do Galo**
Todas as igrejas celebram o nascimento do Salvador na véspera de Natal, mas na Basílica de São Pedro o ingresso é cobrado.

7 **"Urbi et Orbi"**
O papa dá a bênção no Dia de Natal da sacada da Basílica.

8 **Carnaval**
Muita gente fantasiada e brincadeiras. *Fim jan-fev • www.carnevale.roma.it*

9 **Dia de Todos os Santos**
Os romanos visitam os túmulos dos parentes. *1º nov*

10 **Festa de Pedro e Paulo**
Fogos e festejos celebram os fundadores da Igreja Católica. *Piazza S Paolo e Via Ostiense • Mapa D6 • 28-29 jun*

Dolce e Gabbana; Via dei Condotti

TOP 10 Compras

1 Via dei Condotti

É aqui que as lojas mais finas e os grandes nomes da *haute couture* se instalaram: Gucci, Bulgari, Prada, Hermès, Ferragamo, Armani, Trussardi, Valentino e muitos mais. De onde se conclui que a pechincha está fora de questão, embora você seja atendido como se pertencesse à família real *(p. 111)*.

2 Via del Corso

Dos dois lados desta rua que atravessa o centro de Roma, mais conhecida como o Corso, você encontra de tudo para comprar, embora predominem as lojas de música e de moda jovem. Há também boas lojas de sapatos.
Mapa N1-3

3 Via Cola di Rienzo

Esta é a melhor rua de Roma para comprar roupas mais em conta. Há também algumas lojas de sapatos e uma de departamentos. Os produtos culinários, tradicionais ou internacionais, difíceis de ser encontrados, estão no Castroni, a melhor mercearia da cidade; e os melhores queijos estão no Franchi *(p. 143)*.

4 Via Borgognona

A segunda rua mais importante de grifes de moda é paralela à Via dei Condotti. Grifes como Dolce e Gabbana, Fendi, Ferrè, Givenchy e Versace têm loja aqui. Dê um passeio também pela Piazza di Spagna, onde estão as lojas Fendi, Missoni e Krizia *(p. 114)*.

5 Via dei Coronari

Coronari eram os fabricantes e comerciantes de rosários que ficavam nas calçadas vendendo seus produtos aos romeiros que seguiam para a Basílica de São Pedro. Hoje a rua é mais conhecida pelos antiquários. Mas a fama é merecida apenas em parte, porque tudo é muito caro e muitas peças são importadas *(pp. 86-7)*.

6 Via del Babuino

Uma das ruas mais elegantes de Roma concentra moda (Armani, Chanel, Tiffany & Co.) e antiguidades. Não deixe de passar por aqui, ao menos pelas vitrines dos excelentes antiquários abarrotados de móveis barrocos, pinturas e peças antigas *(p. 13)*.

7 Via Margutta

Nesta ruazinha há uma fantástica combinação de bazares, antiquários e lojas de arte. Nos nºs 45 e 86, são vendidas peças antigas de excelente qualida-

Peças de vidro na Via del Babuino

Veja mais sobre dicas de compras na **p. 164**

Antiquários, Via Margutta

de, e o nº 109 especializou-se em cópias muito mais baratas dessas mesmas antiguidades *(p. 113)*.

8 Via Appia Nuova

Uma popular rua de comércio no bairro de San Giovanni. Há várias butiques sofisticadas, assim como lojas de pechinchas, de departamentos e pequenos varejistas de moda, incluindo Leam, Teichner e a Barrita Boutique *(p. 130)*.

9 Via Nazionale

Uma sólida experiência de consumo da classe média, esta rua oferece roupas, calçados, tapetes orientais, livros internacionais e uma boa loja de malas e valises. A Frette, com sua elegante linha de roupas de cama, também tem loja aqui. ✆ *Mapa R2*

10 Via dei Giubbonari

Esta rua que leva o nome das tradicionais jaquetas *giubbotti*, cujos fabricantes e vendedores outrora se concentravam aqui, ainda hoje é bastante famosa por oferecer roupas elegantes e bem feitas a preços razoáveis. Há grande variedade de roupa esportiva, sapatos de modelos clássicos e modernos para homens e mulheres, entre outras *(p. 105)*.

Mercados

1 Porta Portese

O maior mercado de pulgas de Roma vende antiguidades falsas e genuínas, roupas, plantas etc. Domingo de manhã. ✆ *Via Ippolito Nievo • Mapa C5*

2 Campo dei Fiori

Famoso mercado ao ar livre de frutas, hortaliças e peixes em uma autêntica praça medieval. ✆ *Mapa L4*

3 Via Mamiani

O maior mercado de carnes e peixes frescos, além de roupas e utensílios domésticos. De segunda a sábado *(p. 130)*.

4 Via Sannio

Cópias de roupas antigas e de designers. Durante a semana e aos sábados *(p. 130)*.

5 Mercado de Gravuras Antigas

Gravuras antigas e reproduções. De segunda a sábado de manhã. ✆ *Largo della Fontanella di Borghese • Mapa M1*

6 Mercado do Testaccio

Mercado com bancas de produtos naturais. Segunda a sábado de manhã. ✆ *Mapa D6*

7 Mercado de Flores da Via Trionfale

Flores naturais e plantas variadas e muito baratas. Terça de manhã. ✆ *Mapa B2*

8 Borghetto Flaminio

Mercado de pulgas em uma antiga garagem de ônibus. Aos domingos, set-jul. ✆ *Piazza della Marina 32 • Mapa D1*

9 Piazza San Cosimato

Animado mercado de frutas e legumes em Trastevere. Segunda a sábado de manhã. ✆ *Mapa C5*

10 Quattro Coronati

Excelentes produtos frescos. Segunda a sábado de manhã. ✆ *Mapa E4*

Antico Caffè Greco; Caffè Rosati

TOP 10 Cafés e Sorveterias

1 Antico Caffè Greco
Esta é uma versão romana de 1760 dos famosos cafés literários de Paris. Aos pés da Scalinata di Spagna, na rua de compras mais exclusiva da cidade, era um elegante ponto de encontro, com mesas pequenas em salas discretas e decoradas com fotos, gravuras e lembranças da época da Grand Tour, no século XIX. A lista de A a Z de clientes importantes passa por Goethe, Byron, Casanova e Wagner *(p. 116)*.

2 Caffè Sant'Eustachio
O cappuccino mais famoso de Roma sai de uma máquina de café que fica escondida atrás de um escudo cromado, para evitar que alguém possa descobrir a fórmula secreta do proprietário. O que se sabe é que a água vem de um antigo aqueduto e que a bebida é pré-adoçada. O local está sempre cheio *(p. 96)*.

3 San Crispino
Ninguém chega a esta elegante e simples *gelateria* sem antes atravessar a verdadeira selva de sorveterias menores instaladas na região de Trevi. O carro-chefe da casa leva mel, mas há outros sabores cremosos feitos com frutas frescas e nozes, e outras delícias decoradas com licores. *Via della Panetteria 42 • Mapa P2*

4 Tre Scalini
A fama deste café se deve ao mais copiado sorvete de Roma, o famoso tartufo (trufas), que também é fornecido para outras lojas. Raspas de chocolate escuro revestem a camada externa do sorvete de chocolate que envolve o creme e as cerejas no meio *(p. 88)*.

5 Giolitti
Este café do século XIX tem a *gelateria* mais famosa de Roma. Turística, mas excelente *(p. 96)*.

Giolitti

6 Gran Caffè Doney
Ainda é o café mais elegante da famosa Via Veneto, mas nada se compara ao seu passado glorioso nos anos 1950 (juntamente com o Café de Paris, do outro lado da rua), quando as celebridades bebiam descontraídas nas mesas da calçada. Esse estilo de vida foi docu-

mentado no filme mais conhecido de Fellini, *La Dolce Vita (p. 58)*, cujo personagem Paparazzo dá nome aos atuais fotógrafos caçadores de celebridades *(p. 136)*.

7 Caffè Rosati

O café mais antigo e o mais à esquerda da Piazza del Popolo (seu grande rival é o Caffè Canova) foi fundado por dois dos irmãos Rosati (o terceiro segue administrando o café da família na Via Veneto). Exibe uma decoração art nouveau de 1922 e seus clientes estacionam na porta seus últimos modelos conversíveis Ferrari ou Lotus *(p. 116)*.

8 Gelarmony

Os ingredientes nesta sorveteria altamente popular vêm diretamente da Sicília. Há mais de 60 sabores disponíveis, e a apresentação é notável. O sorvete de pistache é especialmente delicioso. *Via Marcantonio Colonna 34 • Mapa C2*

9 Grom

Aqui o carro-chefe é o gelato orgânico, produzido artesanalmente com ingredientes locais de

La Tazza d'Oro

qualidade. A empresa tem uma fazenda para o cultivo das frutas utilizadas nos sorvetes. Espere filas longas *(p. 96)*.

10 La Tazza d'Oro

Somente grãos brasileiros da mais alta qualidade produzem o café que é servido aqui. Lugar simples, nada sofisticado, e sem nenhum tipo de isca para turistas (embora esteja localizado muito perto da praça do Pantheon). Tem apenas um balcão longo e curvo, onde os fregueses podem apreciar um *espresso* especial, que, por incrível que pareça, consegue ser um dos melhores e mais baratos de Roma *(p. 96)*.

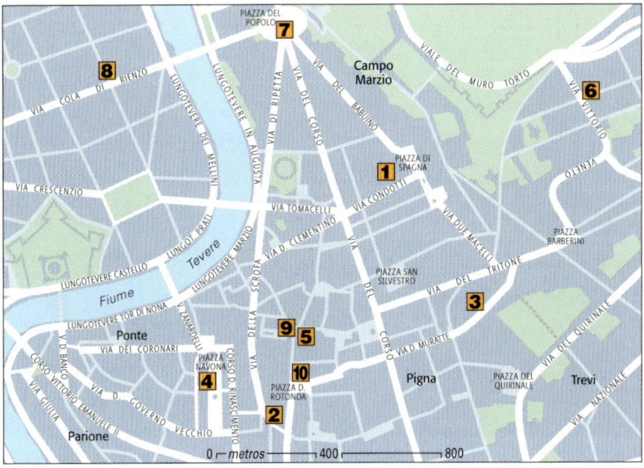

Pizzeria da Ricci; Pizzeria da Baffetto

TOP 10 Pizzarias

1 Pizzeria da Baffetto

Considerada a melhor pizzaria de Roma, só funciona à noite e, além de pizza, serve bruschetta e alguns poucos petiscos *(p. 162)*. A pizza de massa fina assada em forno a lenha pode ser *piccola* (pequena) ou *grande*. O atendimento oscila muito. *Via del Governo Vecchio 114 • Mapa K3 • 06 686 1617 • Fechada para almoço • €*

2 Pizzeria da Ivo

Apesar de esta famosa pizzaria de Trastevere já ter sido descoberta pelos turistas, os moradores não permitem que eles tomem conta do espaço. A pizza é ótima, mas o resto do cardápio nem tanto *(p. 148)*.

3 Pizzeria da Ricci

Esta antiga pizzaria, da família Ricci desde 1905, fica escondida em uma silenciosa travessa sem saída da Via Nazionale. As pizzas são pequenas (muitos pedem duas) e deliciosas. Para acompanhar, peça o vinho branco do norte do Lazio Est! Est!! Est!!!, nome pelo qual a casa também costuma ser chamada *(p. 77)*. *Via Genova 32 • Mapa R2 • 06 488 1107 • Fechada seg. • €*

4 Pizzeria dar Poeta

Há uma guerra saudável entre a fina pizza romana e a grossa pizza napolitana. A Dar Poeta tem um estilo próprio, deixando a massa crescer o dia inteiro (e não apenas uma hora) para que fique fina, leve e aerada, com os mais frescos e deliciosos recheios. A pizzaria fica em uma travessa discreta de Trastevere, tem mesas na calçada e um salão com ar-condicionado *(p. 148)*.

Pizzeria da Ivo

Veja mais sobre categorias de preço na **p. 89**

Pizzeria dar Poeta

5 Formula 1

Nesta pizzaria ruidosa e sempre lotada, é provável enfrentar fila para conseguir mesa – a pizza, tipicamente romana, é famosa na cidade. As flores fritas de abobrinha são deliciosas. *Via degli Equi 13 • Mapa G3 • 06 445 3866 • Aberta apenas no jantar, fechada dom • €*

6 Acchiappafantasmi

Esta pizza deliciosa tem um formato que lembra vagamente um fantasma com olhos de azeitonas (o nome da pizzaria significa "caça-fantasmas"). Oferece meia dúzia de tira-gostos de calabresa, mas o serviço é lento. *Via dei Cappellari 66 • Mapa K4 • 06 687 3462 • Fechado seg, ter-sex para almoço • €*

7 PizzaRé

É uma pequena rede de pizzarias que serve pizzas napolitanas de massa grossa. No almoço, o cardápio inclui couvert, bebida e pizza ou massa e carne assada. Os preços são razoáveis. *Via di Ripetta 14 • Mapa D2• 06 321 1468 • €*

8 Gaudì

Pizza de massa grossa napolitana servida em ambiente moderno e no terraço da cobertura. Serve também massas e sobremesas, e as lâmpadas vermelhas servem para chamar o garçom. Não faz reservas, por isso, chegue cedo. *Via R Giovannelli 8-12 • Mapa F1 • 06 884 5451 • Fechada sáb e dom para almoço • €*

9 Panattoni "L'Obitorio"

O nome desta instituição de Trastevere significa "necrotério" e refere-se ao efeito sombrio do mármore que reveste as paredes e os tampos das mesas. Mas a recepção é calorosa e a pizza romana é tão boa quanto os supplì al telefono (bolinhos de arroz fritos recheados com mussarela), que produzem um longo "fio de telefone" quando cortados ao meio. Aberta até tarde. *Viale Trastevere 53-59 • Mapa C5 • 06 580 0919 • Fechada qua, almoço • Não aceita cartões de crédito • €*

10 Pizzeria La Montecarlo

O fato de funcionar até tarde garante a presença constante de moradores e estudantes nesta pizzaria modesta *(p. 89)*.

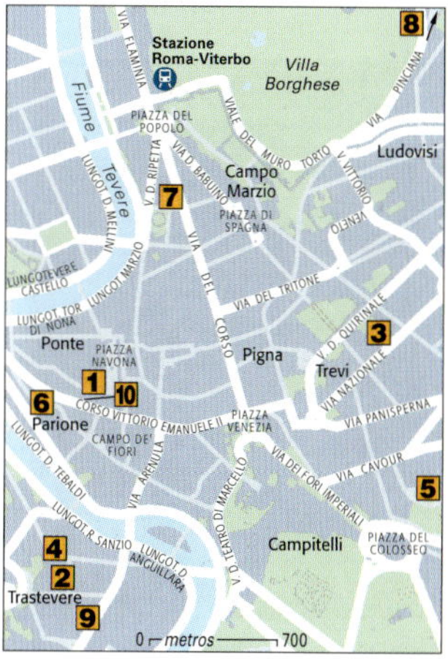

La Pergola; Sapori del Lord Byron

TOP 10 Restaurantes

1 La Pergola

As três estrelas do Michelin, uma vista formidável e um chef de renome internacional justificam as contas salgadas neste restaurante elegante. Considerado como a melhor experiência gastronômica em Roma, tem excelente adega de vinhos. Faça reserva com boa antecedência e vista-se bem *(p. 149)*.

2 Agata e Romeo

Perto de Santa Maria Maggiore, Romeo Caraccio comanda o salão deste templo em estilo 1900 onde se come a mais criativa culinária romana. Sua esposa, Agata Parisella, reina na cozinha, de onde saem pratos originais e deliciosos de carne, peixe e legumes frescos. As sobremesas são divinas: não perca a millefoglie – massa folhada com recheio de creme *(p. 131)*.

Logo do Agata e Romeo

3 La Gensola

Era nesta pequena trattoria que os pintores do século XIX costumavam se reunir. Hoje, La Gensola é um representante da culinária siciliana em Roma, com cardápio predominantemente baseado em peixes fescos e temperos mediterrâneos. Se tiver chance, garanta sua mesa no salão principal, na frente *(p. 149)*.

La Gensola

4 Sabatini

Sem dúvida, um dos restaurantes mais famosos de Roma. Era o favorito de Fellini até tornar-se famoso e concorrido demais. Sua localização na praça é sensacional, mas os preços são absurdos. No cardápio, culinária romana e frutos do mar *(p. 149)*.

5 Sapori del Lord Byron

A localização deste restaurante, no interior de um dos hotéis mais seletos de Roma, e a habilidade do chef de transformar pratos clássicos e novas criações em obras de arte, garantem a posição da casa na lista classe A. É também o lugar certo para ver celebridades. *Via G. de Notaris 5, Hotel Lord Byron • Mapa E1 • 06 322 0404 • Fechado dom-seg • €€€€€*

6 Da Cesaretto

Pouca coisa mudou nesta *osteria* inaugurada em 1886, que também é conhecida como Fiaschetteria Beltramme. Os preços são razoáveis e os pratos oferecidos são as tradicionais especialidades romanas *(pp. 76-7)*. Não divulga o telefone nem aceita reservas, portanto, chegue cedo. As mesas são comunitárias. *Via della Croce 39 • Mapa D2 • Fechada dom • Não aceita cartões de crédito • €*

7 Piperno

A boa culinária judaico-romana está no Gheto desde 1856 e é também muito cara. Cozinheiros famosos da TV aparecem aqui de vez em quando para tentar revelar os segredos do chef. O serviço não é dos mais eficientes, mas as alcachofras são imbatíveis *(p. 107)*.

8 Antica Pesa

Como se vê pelas fotos na entrada, muitas celebridades de Hollywood já jantaram aqui. Afrescos contemporâneos, um ambiente requintado e um jardim suntuoso formam o pano de fundo para a cozinha romana de alta qualidade. Peça os clássicos de praxe, como amatriciana. Carta de vinhos extensa e cara. *Via Garibaldi 18 • Mapa C4 • 06 580 9236 • Fechado dom • €€€€€*

9 Primo al Pigneto

Gambero Rosso, o principal guia gastronômico da Itália, incluiu o Primo al Pigneto entre os dez melhores restaurantes de alta-cozinha a preços razoáveis. Pigneto é um bairro artístico um tanto distante do centro da cidade, mas vale a pena vir a este

Piperno

restaurante. Todos os pratos têm bela apresentação, e o atendimento é cordial e eficiente. Por perto há também muitos bares e pubs nos quais se pode tomar um drinque antes do jantar *(p. 155)*.

10 Antica Birreria Peroni

Desde 1906 esta cervejaria recebe para almoços de negócios, sob o patrocínio da maior fabricante de cervejas da Itália. O farto bufê de entradas e pratos principais mistura influências germânica e romana e nos murais art déco, querubins disputam partidas esportivas e prometem: "Quem bebe cerveja vive até os 100 anos" *(p. 117)*.

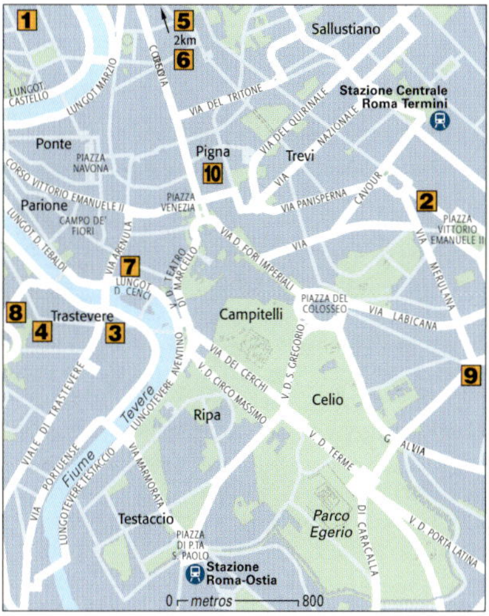

Veja mais sobre categorias de preço na **p. 89**

Gnocchi; Spaghetti alla carbonara

TOP 10 Destaques Culinários

1 Saltimbocca

Esta vitela é tão saborosa que se costuma dizer que "salta para dentro da boca". A fatia de carne coberta com folhas de sálvia e presunto é salteada em vinho branco.

Bucatini all'amatriciana

2 Bucatini all'Amatriciana

O nome vem de Amatrice, a cidade do Lazio ao norte, situada no alto das montanhas Abruzzi, onde a receita se originou. O molho é feito com tomates e bacon italiano – guanciale (bochechas do porco) ou pancetta (barriga do porco) –, pimenta vermelha e muito queijo romano Pecorino ralado. A massa usada tradicionalmente é o bucatini (espaguete grosso e oco). A versão original, amatriciana bianca (anterior à adoção do tomate, que é natural do Novo Mundo, pela culinária italiana), leva salsinha e manteiga.

3 Carciofi alla Romana

Macios corações de alcachofra, geralmente temperados com alho e hortelã, são refogados em azeite de oliva e água.

4 Abbacchio Scottadito

Cordeiro assado à moda romana, tão suculento que o próprio nome avisa que você "queimará a língua" na pressa de comê-lo. Quando o abbacchio (cordeiro) não é encontrado, porque a época do abate terminou, é usado o agnello (o carneiro jovem), que é menos tenro.

5 Spaghetti alla Carbonara

À massa ainda muito quente são acrescentados ovo cru, parmesão ralado e pimenta preta, de modo que a mistura cozinhe nos fios do próprio espaguete. Em seguida, jogam-se pedaços de pancetta (bacon). Há uma lenda que diz que a receita tem sua origem nas rações do exército dos EUA na Segunda Guerra (mistura de bacon e ovos em pó), mas até hoje ninguém provou ou descartou a teoria.

Carciofi alla giudia

6 Carciofi alla Giudia

Corações de alcachofra achatados e fritos. Este típico prato judaico-romano vem acompanhado de flores de abobrinha (zucchini) recheadas com queijo mussarela e anchovas.

Veja mais restaurantes romanos tradicionais na **p. 125**

7 Pajata
Por mais repugnante que pareça, é um prato delicioso: intestinos de bezerro cozidos com o leite materno ainda em seu interior. Os intestinos são picados, cobertos com molho de tomate e despejados sobre a massa.

8 Coda alla Vaccinara
Rabo de boi cozido em molho de tomate e alho-poró. Tal como o pajata, este prato é resultante do aproveitamento do *quinto quarto* (após a limpeza das carnes, o "quinto quarto" era o descarte), a parte que os trabalhadores do matadouro podiam levar para casa no século XIX. Checchino dal 1887, o restaurante que introduziu esta iguaria, é um dos mais finos de Roma *(p. 125)*.

Coda alla vaccinara

9 Gnocchi
Densa massa cozida de batata e farinha, os gnocchi se originaram no norte da Itália, mas se espalharam pela culinária regional. A versão romana é feita com semolina e/ou farinha de trigo, embebida em manteiga e parmesão, e assada no forno. O gnocchi original é muito mais comum. Prove com molho de tomate, queijo gorgonzola ou simplesmente com "burro e salvia", ou seja, manteiga e sálvia.

10 Cacio e Pepe
Às vezes, os pratos mais simples são os melhores. O espaguete al dente ("para morder") é servido quente com pimenta-do-reino preta moída grosseiramente e queijo pecorino ralado (um queijo envelhecido de leite de ovelha similar ao parmesão).

Vinhos e Licores

1 Frascati
Vinho do Lazio seco, frutado, nem sempre branco, feito nas montanhas ao sul de Roma.

2 Castelli Romani
Primo do Frascati, também é feito de uvas trebbiano das montanhas próximas.

3 Colli Albani
Outro vinho branco de uvas trebbiano, das encostas do vulcão adormecido do Lazio.

4 Orvieto Classico
Branco seco do sul da Úmbria. É tão bom que o artista do Renascimento Signorelli o aceitava como pagamento.

5 Est! Est!! Est!!!
Ao experimentar este vinho branco doce feito em uma aldeia ao norte do Lazio, o provador do bispo saiu gritando: "*Est! Est!! Est!!!*" (algo como "É isso!", em latim).

6 Torre Ercolana
Um dos tintos não valorizados do Lazio, feito de uvas cabernet e cesanese.

7 Chianti
Este vinho que há muito tempo cruzou as fronteiras da Toscana é um dos tintos mais fáceis de encontrar nos bares e restaurantes de Roma.

8 Lacrima Christi
"Lágrimas de Cristo" é o vinho branco das encostas do monte Vesúvio, perto de Pompeia *(p. 154)*.

9 Campari
Aperitivo vermelho e amargo, fica melhor quando diluído em soda ou limonada.

10 Grappa
É um *digestivo* (bebido após as refeições) ou licor de sabor forte e alto teor alcoólico.

Veja mais sugestões para beber e comer na **p.162**

Big Mama; Alexanderplatz; Roma à noite

Top 10 Bares e Casas Noturnas

1 Alexanderplatz Definitivamente, este é o templo do jazz em Roma. Com muita frequência é anunciada a presença de importantes talentos internacionais, bem como de músicos locais. Serve uma excelente comida. Mas não deixe de fazer a sua reserva com alguma antecedência *(p. 147)*.

2 Casa del Jazz Esta mansão com jardins verdejantes pertencia a um chefão da Máfia. Quando ele foi preso, a casa e o terreno foram confiscados e transformados no templo oficial do jazz em Roma, com shows, uma livraria especializada no tema, um café e um palco ao ar livre. Apresenta todos os tipos de música que têm alguma pegada jazzística. *Viale di Porta Ardeatina 55 • Mapa E6*

3 Bartaruga Candelabros, sofás confortáveis, paredes azuis e um piano dão um clima boêmio a este bar. No verão, a clientela numerosa, que adora mojitos, se espalha pela piazza e se senta ao redor da esplêndida Fonte das Tartarugas *(p. 106)*.

4 Big Mama Esta casa histórica de jazz, rock, blues e world music fica no bairro de Trastevere. A cada noite, há apresentações de diversos grupos, e a entrada é mediante filiação mensal ou anual. Lamentavelmente, os shows nas noites de sexta e sábado são exclusivos para os afiliados na modalidade anual *(p. 147)*.

Alexanderplatz

5 Fiddler's Elbow Os italianos adoram tudo o que vem da Irlanda. O mais antigo pub irlandês de Roma é também o mais frequentado por moradores e turistas. A casa vem abaixo quando acontece um improviso de violinistas. *Via dell'Olmata 43 • Mapa F4*

Fiddler's Elbow

6 Trinity College É como se o tempo parasse e você se visse na Irlanda. Os dois andares desta casa às vezes não são suficientes para abrigar tanta gente, mas é sempre uma festa. Cardápio eclético, simples e bem-feito, até 1h, e brunch aos domingos *(p. 96)*.

7 Vineria Reggio

Não é de hoje que este tradicional bar de vinhos é o favorito dos moradores. Enfumaçado e intimista no inverno, suas mesas se espalham pelo Campo dei Fiori no verão. O vinho e a cerveja são baratos, especialmente se você beber em pé no balcão do bar. Há também uma ótima seleção de pratos quentes *(p. 106)*.

Caffè della Pace

8 Caffè della Pace

Se você procura badalação, este é o lugar perfeito, especialmente nas noites de verão, quando alguém notará a sua presença em uma das mesas na calçada. No inverno, o lugar ganha um ambiente mais aconchegante e menos badalado, mas nem por isso menos caro que os bares próximos à Piazza Navona *(p. 88)*
Via della Pace 5 • Mapa L3

9 Micca Club

O DJ toca sucessos dos anos 1950 a 1970 nesta casa instalada em uma antiga adega de azeite. Tem shows burlescos todas as semanas, um mercado de pulgas vintage nas tardes de domingo e eventos especiais que atraem uma juventude diversificada. Chegue cedo porque a fila de espera é longa. *Via Piero Micca 7A • Mapa G4 • www.miccaclub.com*

10 Charity Café

No meio do bairro de Monti, este café acolhedor tem uma ótima programação de shows de jazz e blues. O lugar é ideal para ver novos talentos, assim como músicos mais famosos. A atmosfera alegre é embalada por uma boa seleção de vinhos e cervejas. Não cobra couvert. *Via Panisperna 68 • Mapa Q4 • 06 478 25881 • www.charitycafe.it*

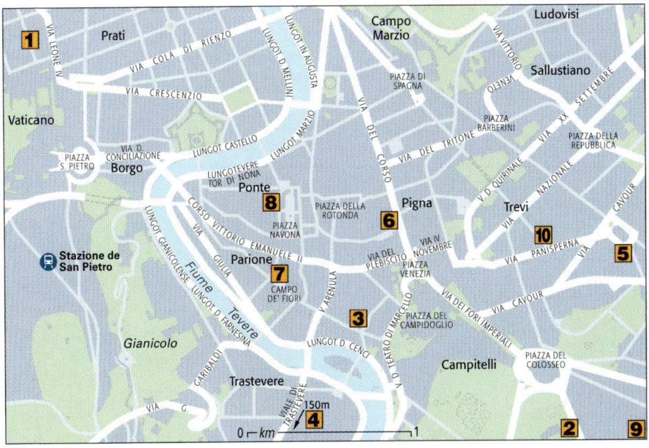

Nas páginas seguintes, **Trinità dei Monti e Scalinata di Spagna** *(pp. 109-10)*

ÁREA POR ÁREA

Piazza Navona; Cornija do Palazzo Madama

Piazza Navona

ESTA É A ROMA BARROCA EM TODA A SUA EXUBERÂNCIA, *uma coleção de arquitetura curvilínea e fontes elaboradas, obras dos maiores arquitetos da época – Bernini e Borromini – e igrejas repletas de pinturas de ninguém menos que Caravaggio e Rubens. Os papas ampliaram muitas vezes a rua plana entre os séculos XVI e XVIII para melhorar o fluxo do tráfego de São Pedro: um projeto do século XIX que previa a transformação da Piazza Navona em um bulevar desde Prati até o outro lado da ponte Umberto I foi engavetado quando alguém teve a feliz ideia de ampliar Corso del Rinascimento. Ainda assim, a Roma Antiga se faz presente na configuração da Piazza Navona e na curva do Palazzo Massimo alle Colonne. Aqui também estão artesãos, antiquários, restauradores e comerciantes que disputam espaço na Via dei Coronari* (p. 87)*. Mais recentemente, as vielas que circundam a Via della Pace se transformaram no centro da vida boêmia romana, com barzinhos, cafés e casas noturnas, para uma clientela animada nas noites de verão* (p. 88).

Ganges, Fonte dos Quatro Rios

TOP 10 Destaques

1. Piazza Navona
2. Fonte dos Quatro Rios
3. San Luigi dei Francesi
4. Sant'Ivo
5. Sant'Agostino
6. Santa Maria della Pace
7. Palazzo Altemps
8. Pasquino
9. Palazzo Massimo alle Colonne
10. Palazzo Madama

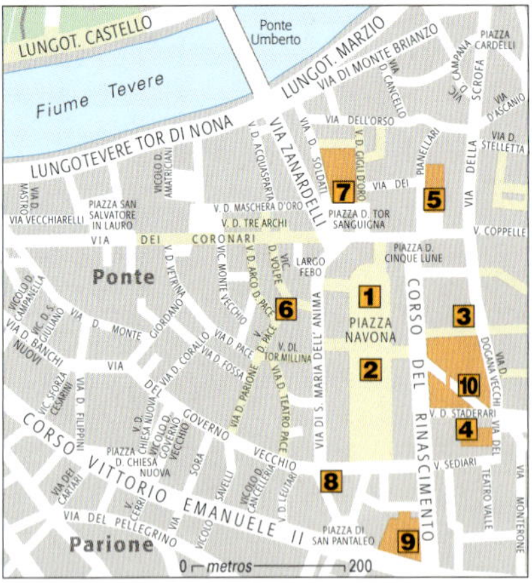

1 Piazza Navona

É uma das praças mais belas de Roma *(p. 46)*, marcada por fontes e contornada por palácios como o Pamphilj, a igreja de Sant'Agnese e cafés elegantes como o Tre Scalini *(p. 88)*.
Mapa L3

2 Fonte dos Quatro Rios

As estátuas que cercam a imponente peça central de Bernini, de 1651, são os quatro rios que representam os continentes: o Ganges (a Ásia, descontraído), o Danúbio (a Europa, tenta segurar o obelisco), rio de la Plata (as Américas, calvo e cambaleante), e o Nilo (a África, com a cabeça oculta, porque a nascente ainda era desconhecida). O obelisco, oscilando no vazio escultural, é a falsidade da era romana. Os hieróglifos esculpidos no granito egípcio trazem os nomes de Vespasiano, Tito e Domiciano. *Piazza Navona • Mapa L3*

3 San Luigi dei Francesi

Na segunda capela à direita da igreja nacional da França, em Roma, estão as pinturas murais danificadas de Domenichino (1616-7), mas a responsável pelas longas filas de visitantes é a última capela à esquerda, onde estão os três grandes trabalhos de Caravaggio. Sua visão plebeia e realista sempre entrou em choque com as preferências da Contrarreforma. Nos "primeiros estudos" de *São Mateus e o anjo*, o anjo puxava pela mão um santo representado por um rústico trabalhador; os patrocinadores exigiram que o artista o substituísse por um nobre *(p. 45)*. Os traçados por baixo do *Martírio de São Mateus* e da *Invocação de São Mateus* *(p. 47)* indicam que Caravaggio se afastou das composições simbólicas em prol de cenas mais realistas. *Piazza S Luigi dei Francesi 5 • Mapa L2 • Aberta 10h-12h30, 15h-19h (fechada qui à tarde) • Grátis*

Piazza Navona

4 Sant'Ivo

A fachada renascentista desenhada por Giacomo della Porta para o Palazzo della Sapienza, de 1303, então sede original da Universidade de Roma, esconde um dos pátios mais belos da cidade. Um dos lados da arcada dupla é limitado pela fachada da Igreja de Sant'Ivo, uma surpreendente combinação de superfícies côncavas e convexas de autoria de Borromini. A joia da coroa é a elipse espiralada da cúpula. O interior da igreja pouco oferece além do retábulo de Pietro da Cortona. Quando o pátio está fechado, a cúpula pode ser vista da Piazza Sant' Eustachio. *Corso del Rinascimento 40 • Mapa L3 • Igreja e pátio: 9h-12h dom (fechado jul-ago) • Grátis*

Espiral e lanterna, Sant'Ivo

As Estátuas que Falam

No Renascimento, a voz estridente contra os escândalos políticos e os excessos papais era das estátuas. As *statue parlanti* de Roma "falavam" através de placas penduradas no pescoço, colocadas por trocistas anônimos (embora Pasquino fosse um conhecido barbeiro local). As outras eram *Marforio (p. 24)*, *Babuino* na Via del Babuino e *Madama Lucrezia* na Piazza San Marco. Todas as quatro foram restauradas.

5 Sant'Agostino

Rafael pintou o profeta Isaías (1512) no terceiro pilar à direita, e Jacopo Sansovino é o autor da grávida e venerada *Madonna del Parto*. Mas a joia e o orgulho da Igreja de Santo Agostinho é a *Madonna del Loreto* (1603-6) de Caravaggio. O rigoroso realismo do mestre não fugiu à tradição de representar a Virgem na porta de sua casa milagrosamente conduzida a Loreto por uma revoada de anjos. A casa é apenas sugerida no batente de pedra travertina e na parede de estuque lascada, enquanto Maria, carregando no colo um Menino Jesus já bastante grande, é venerada por uma dupla de romeiros cujos pés estão sujos. ✆ *Piazza di Sant'Agostino 80 • Mapa L2 • Aberta 7h30-12h30h, 16h-18h30 diariam • Grátis*

6 Santa Maria della Pace

Baccio Pontelli reconstruiu esta igreja para o papa Sisto IV em 1480-4, mas a fachada surpreendentemente bela (1656-7), com um pórtico barroco espremido em uma pracinha, é uma obra-prima de Pietro da Cortona. À direita de quem entra

Relevo em pedra, Palazzo Madama

está a primeira capela de Rafael, cujos afrescos com as *Sibilas* (1514) foram influenciados pelo teto da Sistina, concluído havia pouco tempo *(pp. 10-1)*. Peruzzi decorou a capela-mor, e a primeira missão de Bramante em Roma foi desenhar um claustro que fosse inspirado em outros mais antigos. Hoje, a igreja apresenta concertos frequentes. ✆ *Arco della Pace 5 • Mapa L2 • Aberta 9h-12h seg, qua, sáb • Grátis*

7 Palazzo Altemps

Este palácio do século XV foi reconstruído em 1585 por Martino Longhi, que também seria o responsável pelo pátio em estuque e pedra travertina (antes atribuído a Antonio da Sangallo, o Jovem, ou a Peruzzi). Hoje é o espaço ideal para abrigar uma ala do Museo Nazionale Romano: suas salas com afrescos estão repletas de esculturas antigas *(pp. 28-31)*.

8 Pasquino

Tanto faz que esta estátua sem rosto e sem braços fizesse parte de *Menelau no corpo de Patroclus* (cópia romana de um grupo helênico). Desde que ela passou a ocupar este lugar, em 1501, tem sido a "Estátua Falante" mais eloquente de Roma *(box)*. ✆ *Piazza Pasquino • Mapa L3*

Pasquino, Piazza Pasquino

Os fundos do Palazzo Massimo alle Colonne

9 Palazzo Massimo alle Colonne

Esta obra-prima de Baldassare Peruzzi marca a transição da arquitetura romana do auge do Renascimento, de Bramante e Sangallo, para as experiências marcantes do Maneirismo, que acabariam evoluindo para o Barroco. A fachada curva se explica porque Peruzzi tinha tanto respeito pelos princípios neoclássicos que fez questão de preservar o arco do Odeon de Domiciano, o pequeno teatro incorporado no extremo sul do estádio do imperador *(p. 50)*. *Corso Vittorio Emanuele II 141 • Mapa L3 • Aberto 7h-13h somente 16 mar • Grátis*

10 Palazzo Madama

Tomando como base o palácio renascentista do século XVI do papa Leão X (da família Medici), a fachada barroca de tijolos arredondados e as molduras de mármore bruto das janelas deste palácio foram acrescentadas no século XVII. Abriga o Senado da Itália desde 1870, por isso a entrada do público é controlada. *Piazza Madama 11 • Mapa L3 • Aberto para visitas guiadas 10h-18h 1º sábado do mês (fechado ago) • Grátis*

Uma Manhã na Piazza Navona

Comece pelo pátio da Sapienza, emocionando-se diante da notável fachada de **Sant'Ivo** *(p. 83)*. Dê a volta pelo lado esquerdo da igreja e saia pela porta de trás na Via della Dogana Vecchia. Se sentir necessidade de um estimulante matinal, dobre à esquerda e entre à direita na Piazza Sant'Eustachio (se a igreja homônima estiver aberta, dê uma espiada no interior do século XVIII). Na continuação da praça à esquerda, quando se vê a cúpula de Sant'Ivo, há dois ótimos cafés para escolher: Camillo e Sant'Eustachio.

Volte para a Via della Dogana Vecchia e entre à sua direita para ver os trabalhos de Caravaggio na igreja **San Luigi dei Francesi** *(p. 83)*. Continue nesta rua até a Via delle Coppelle e à sua esquerda entre para ver mais Caravaggio em **Sant'Agostino**. Na Piazza delle Cinque Lune, ande alguns metros pela Corso del Rinascimento *(p. 83)* à esquerda, para chegar ao **Ai Monasteri** *(p. 87)*; aqui, veja os excelentes licores e os produtos de beleza antigos, tudo feito pelos monges.

Dobrando a esquina está o **Palazzo Altemps**, abarrotado de estátuas clássicas. Reserve uma hora para vê-las. Depois, descanse das visitas matinais circulando entre os artistas de rua e refrescando-se nas fontes da **Piazza Navona** *(p. 83)*. Prove o sorvete tartufo ou faça uma refeição completa no **Tre Scalini** *(p. 88)*, para encerrar a sua manhã admirando as vitrinas de antiguidades da **Via dei Coronari** *(p. 86)*.

Palazzo Pamphilj; Estátua de Santa Agnes, Sant'Agnese in Agone

TOP 10 Outras Atrações

1 Sant'Agnese in Agone

Esta igreja foi construída em homenagem à garota cujo cabelo cresceu milagrosamente para cobrir seu corpo depois que ela foi despida à força em um prostíbulo. A fachada de Borromini combina formas côncavas e convexas. *Piazza Navona • Mapa L3 • Aberta 9h30-12h30, 15h30-19h ter-sáb, 10h-13h, 16h-19h dom e fer • Grátis*

2 Estádio de Domiciano

Os contornos deste estádio de 86 d.C. reverberam na Piazza Navona, construído sobre suas ruínas. *Piazza di Tor Sanguigna 13 • Mapa L3 • 06 0608 • Aberta em ocasiões especiais e a pedidos • Entrada paga*

3 Via dei Coronari

Com vários antiquários, esta rua fica melhor ainda em maio e outubro com os mercados de antiguidades *(p. 68)*. *Mapa K2*

4 Palazzo Pamphilj

Este palácio do século XVII nos reserva um maravilhoso afresco de Pietro da Cortona no andar superior. *Piazza Navona 14 • Mapa L3 • Aberta ter a partir das 15h30 com hora marcada • Grátis*

5 Chiesa Nuova

Igreja de 1575 com cúpula e abside pintadas por Pietro da Cortona e telas de Rubens. *Piazza della Chiesa Nuova/Via del Governo Vecchio 134 • Mapa K3 • Aberta 7h30- 12h30; 16h30- 19h30 diariam • Grátis*

6 Palazzo Braschi

O último palácio papal da família, construído em 1791-1811. Cosimo Morelli usou um projeto do Renascimento e adaptou a praça. Interiormente há um museu dedicado à história romana. *Piazza San Pantaleo 10 • Mapa L3 • Aberto 10h-20h ter-dom • Entrada paga*

7 Sant'Antonio dei Portoghesi

Esta igreja é uma joia barroca. Na frente está a Torre della Scimmia, um raro remanescente da Roma medieval. *Via dei Portoghesi 2 • Mapa L2 • 8h30-13h, 15h-18h seg-sex, 8h30-12h, 15h-18h sáb, 9h-12h dom • Grátis*

8 Santa Maria dell'Anima

Destaque para o retábulo de Giulio Romano e o túmulo de Adriano VI de Peruzzi (1523). *Via di Santa Maria dell' Anima 66 • Mapa L2 • Aberta 9h-12h45, 15h-19h diariam • Grátis*

9 Museo Napoleonico

Toda a coleção de pinturas, móveis e *objets d'art* pertencia à família Bonaparte. *Piazza di Ponte Umberto I • Mapa L2 • Aberto 9h-18h ter-dom • Entrada paga*

10 San Salvatore in Lauro

Nesta igreja está a *Adoração dos pastores* (1630) de Cortona. *Piazza S. Salvatore in Lauro 15 • Mapa K2 • Aberta 16h30-19h seg-sáb, 8h-13h, 16h30-19h dom • Grátis*

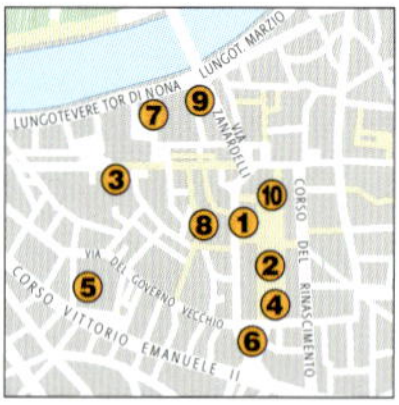

Brinquedos na Al Sogno; Ai Monasteri

TOP 10 Lojas

1 Antica Cappelleria Troncarelli
Não se deixe enganar por uma loja aparentemente tão pequena. Fundada em 1857, ainda hoje é considerada uma das melhores chapelarias de Roma. *Via della Cuccagna 15 • Mapa L2*

2 Ai Monasteri
Os mosteiros de todo o país fornecem para esta loja mel, licores, produtos de higiene, elixires etc., tudo feito artesanalmente. *Corso del Rinascimento 72 • Mapa L2*

3 Maga Morgana
Nos anos 1970, a Via del Governo Vecchio era um polo de brechós. A Maga Morgana tem duas lojas nesta rua; a do nº 27 ainda vende valiosas peças de época. *Via del Governo Vecchio 27 • Mapa K3*

4 Al Sogno
Passe momentos nostálgicos em Al Sogno vendo as preciosas bonecas, casas de boneca, ursos de pelúcia enormes e todos os tipos de brinquedos de madeira. *Piazza Navona 53 • Mapa L2*

5 Massimo Maria Melis
Esta exclusiva oficina de joias costuma banhar a ouro 21 quilates moedas, vidros e pedras preservadas de períodos etruscos, antigos e medievais. *Via dell'Orso 57 • Mapa L2*

6 D Cube
Esta pequena loja charmosa reúne os mais finos e interessantes objetos de design para casa e jardim, além do que eles chamam de "presentes para pessoas que já têm tudo". *Via della Pace 38 • Mapa K3*

7 Dott. Sergio de Sanctis
Antiguidades exclusivamente italianas, a maioria móveis elegantes do século XVIII e começo do século XX, e espelhos com molduras douradas. *Via dei Coronari 218-19 • Mapa 2*

8 Too Much
Colorida e com dois andares, esta loja vende objetos divertidos para casa, assim como itens de design e suvenires bem originais. *Via Santa Maria dell'Anima 29 • Mapa L3*

9 Calzoleria Petrocchi
Bruno Ridolfi deu continuidade aos tradicionais sapatos de qualidade, feitos sob medida por seu tio Tito Petrocchi, que calçou regularmente as glamourosas divas do palco e do cinema nos anos 1950 e 1960, quando só se falava em "*dolce vita*". *Via dell'Orso 25 • Mapa L2*

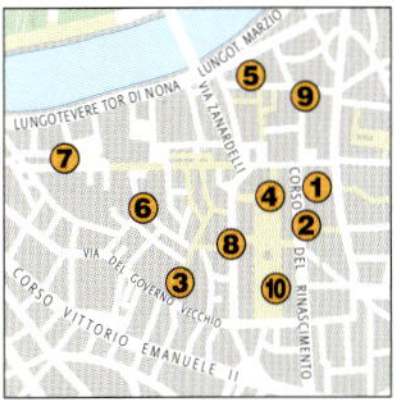

10 Nardecchia
Aqui são vendidas gravuras, fotografias antigas e aquarelas, trabalhos originais de Piranesi e outros do século XX. *Piazza Navona 25 • Mapa L3*

Tre Scalini; Abbey Theatre Irish Pub

TOP 10 Cafés e Bares Badalados

1 Tre Scalini
A fama deste café histórico da Piazza Navona se deve principalmente ao tartufo, o delicioso sorvete de chocolate *(p. 70)*. *Piazza Navona 28 • Mapa L3*

2 Dart Chiostro del Bramante
Moderno café de museu, tem mesas agradáveis ao ar livre com vista para o claustro barroco. No interior, as paredes exibem arte contemporânea. Pare para tomar um café ou um chocolate quente, ou peça uma das saladas reforçadas. *Arco della Pace • Mapa K3*

3 Abbey Theatre Irish Pub
Cerveja Guinness em um pub aconchegante que se mudou para longe da agitação que tomou conta de toda a rua. Serve entradas básicas e tem terminal de internet. *Via del Governo Vecchio 51-53 • Mapa K3*

4 Caffè della Pace
Com elegantes mesas de madeira e paredes cobertas de hera na área externa, este café é perfeito para uma pausa relaxante a qualquer hora do dia *(p. 79)*. *Via della Pace 5 • Mapa K3*

5 Bull Dog Inn
Este american bar tem noites animadas por jovens estudantes italianos e estrangeiros. *Corso Vittorio Emanuele II 107 • Mapa L4*

6 Bloom
A antiga casa noturna Clochard foi reaberta em 2001 como este bar moderno para quem aprecia jazz. É frequentado por celebridades e por jogadores de futebol. *Via del Teatro Pace 30 • Mapa L3*

7 Bramante
Elegante café-bar que se destaca de tantos outros. Serve pratos leves a uma clientela jovem, porém exigente. *Via della Pace 25 • Mapa K3*

8 Societé Lutèce
Os romanos adoram este pequeno bar onde podem tomar cerveja e vinho e servir-se à vontade em um bufê de cuscuz, saladas e legumes, sem gastar mais de €5. *Piazza Montevecchio 17 • Mapa K3*

9 La Botticella
Birreria (cervejaria) pequena e sempre lotada, com algumas mesas externas no coração de onde tudo acontece à noite. As cervejas Devil's Kiss e Castlemaine XXXX são de barril. *Via di Tor Millina 32 • Mapa L2*

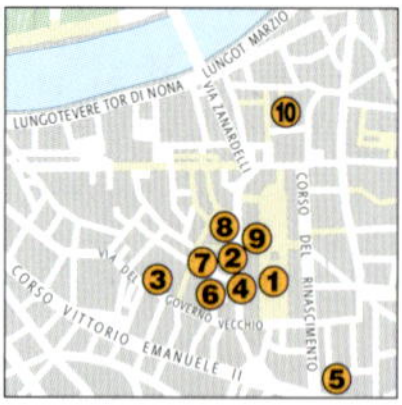

10 Old Bear
A comida eclética e deliciosa servida nesta casa vem acompanhada de várias marcas de cervejas. No subsolo ouve-se música ao vivo. *Via dei Gigli d'Oro 3 • Mapa L2*

Il Convivio Troiani

Categorias de Preço

Refeição para uma pessoa com três pratos, uma taça de vinho ou cerveja, impostos e serviço.		
	€	até €30
	€€	€30-40
	€€€	€40-50
	€€€€	€50-60
	€€€€€	acima de €60

TOP 10 Onde Comer

1 Da Francesco

O farto bufê de entradas oferece prosciutto fatiado, saladas de frutos do mar e muitas opções vegetarianas. *Piazza del Fico 29 • Mapa K2-3 • 06 686 4009 • AD • €*

2 Terra di Siena

Um dos melhores restaurantes toscanos de Roma. A família importa não só as receitas clássicas, mas os ingredientes produzidos pelos agricultores da região de Siena. *Piazza Pasquino 77-8 • Mapa L3 • 06 6830 7704 • Fechado dom • €€*

3 Lilli

Um ex-jogador de futebol administra este tradicional restaurante escondido em uma ruela próxima do bulevar à beira-rio. Se você quiser provar a autêntica e verdadeira culinária romana, não há outro lugar para ir. *Via Tor di Nona 23 • Mapa L2 • 06 686 1916 • Fechado seg e dom à noite • €*

4 Il Convivio Troiani

Restaurante no centro histórico cuja cozinha estritamente sazonal baseia-se em tradições culinárias italianas e em uma excelente carta de vinhos. *Vicolo dei Soldati 31 • Mapa L2 • 06 686 9432 • Fechado dom • €€€€€*

5 Cul de Sac

Um dos bares de vinho mais antigos de Roma, tem muitas variedades. Embora esteja sempre lotado, é uma opção melhor do que a maioria dos bares na área da Piazza Navona. *Piazza Paquino 73 • Mapa L3 • €€€€*

6 Pizzeria La Montecarlo

Os filhos dos proprietários do Baffetto cuidam desta filial. É menos tradicional e tem filas menores *(p. 72)*. *Vicolo Savelli 12 • Mapa K3 • 06 686 1877 • Fechado seg • €*

7 Tre Archi

Trattoria com duas saletas e um cardápio fixo muito elogiado. *Via dei Coronari 233 • Mapa K2 • 06 686 5890 • Fechado dom • €*

8 Fraterna Domus

As mesas são comunitárias neste albergue dirigido por freiras. O cardápio é fixo e inclui sopa, uma massa, um prato de carne e salada, e fruta de sobremesa. *Via di Monte Brianzo 62 • Mapa L1 • 06 6880 5475 • Fechado qui • €*

9 Zio Ciro

O sucesso desta pizzaria se deve principalmente às mesas ao ar livre e às pizzas grandes, que podem ter duas ou três coberturas diferentes. *Via della Pace 1 • Mapa K3 • 06 686 4802 • €*

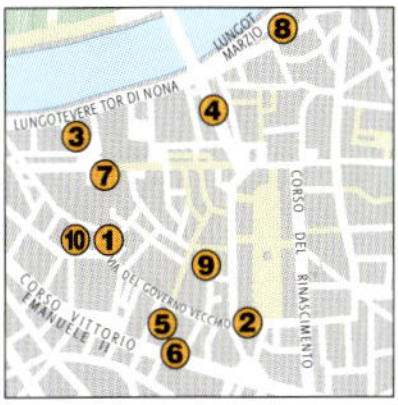

10 Antica Taverna

O leite de cabra, a ricota e o coelho servidos aqui vêm diretamente dos montes Sabinos. *Via Monte Giordano 12 • Mapa K3 • 06 6880 1053 • €*

Piazza di Sant'Ignazio; Friso em Ara Pacis

Pantheon

NO IMPÉRIO ROMANO, *a Curva do Tibre era uma área pública de treinamento de soldados chamada Campo Marzio. Com a queda do Império, Roma deu as costas para esta região ribeirinha: com exceção de alguns poucos agrupamentos de estrangeiros, até o século XV só algumas igrejas estavam sendo construídas aqui. O gosto pelo Barroco resultou na aparência distinta dos palácios da área. Nos anos 1920 e 1930, Mussolini fez uma faxina na área para tentar recuperar a aparência anterior. Retirou o entulho do Mausoléu de Augusto, reconstruiu a Ara Pacis e preencheu os espaços vazios com grotescos prédios facistas, com baixos-relevos autoenaltecedores.*

Marcos Agripa, Ara Pacis

TOP 10 Destaques

1. Pantheon
2. Santa Maria sopra Minerva
3. Galleria Doria Pamphilj
4. Ara Pacis
5. Sant'Ignazio di Loyola
6. Coluna de Marco Aurélio
7. Mausoléu de Augusto
8. Piazza di Sant'Ignazio
9. Obelisco do Elefante, de Bernini
10. Piazza della Rotonda

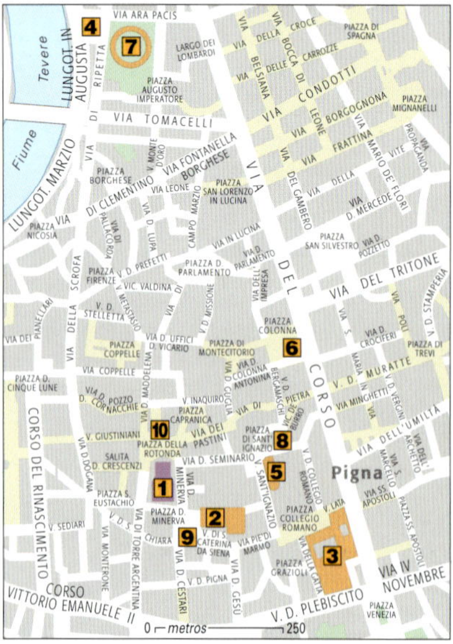

1 Pantheon

"Simples, ereto, grave, austero, sublime" – até Lord Byron teve dificuldade para encontrar palavras que expressassem esta maravilha arquitetônica da Roma Antiga, o único templo romano que sobreviveu há milênios basicamente intacto *(pp. 14-5)*.

Arcos em relevo, no Pantheon

2 Santa Maria sopra Minerva

A única igreja gótica autêntica de Roma foi construída sobre um templo de Minerva. O *Cristo ressuscitado* (1514-21) de Michelangelo é uma interpretação anatômica do Salvador tão chocante que as autoridades eclesiásticas o cobriram com um pequeno pedaço de pano de bronze. Filippino Lippi pintou os afrescos da última capela à direita; a cena inferior na parede direita inclui retratos dos jovens Giovanni e Giulio de Medici (mais tarde papas Leão X e Clemente VII), que estão enterrados em túmulos de Antonio Sangallo, o Jovem, na abside, ao lado de Fra Angelico e Santa Catarina de Siena *(p. 44)*. *Piazza della Minerva 42 • Mapa M3 • Aberta 7h10-19h seg-sáb, 8h-12h, 14h-19h dom • Grátis • AD*

3 Galleria Doria Pamphilj

A melhor galeria de coleção particular de Roma. Além de telas de Rubens, Correggio, Tintoretto, Carracci e Brueghel, os destaques incluem *Maria Madalena*, *Descanso na fuga para o Egito* e *São João Batista como criança* (cópia da versão Capitolina), de Caravaggio; *Salomé com a cabeça de João Batista*, de Ticiano; e o busto do papa Inocêncio X de Bernini *(p. 43)*. *Via del Corso 305 • Mapa N3 • Aberta 9h-19h diariam • Entrada €11 • AD • www.doriapamphilj.it*

4 Ara Pacis

Otávio Augusto ordenou a construção deste "Altar da Paz" entre 13 a.C. e 9 a.C. para celebrar a famosa *pax romana* (paz romana) que ele próprio instituiu – mas não sem antes ter conquistado grande parte da Europa ocidental, o Levante e o norte da África. Escavações feitas ao longo dos séculos recuperaram muitos fragmentos do altar, e nos anos 1920 Mussolini substituiu o reconstituído Ara Pacis pelo Mausoléu de Augusto. O altar encontra-se hoje no museu projetado por Richard Meier, a primeira obra moderna construída no centro de Roma em mais de 70 anos. *Lungotevere in Augusta • Mapa D2 • 060608 • Aberto 9h-10h ter-dom • Entrada paga • www.arapacis.it*

Nave de Santa Maria sopra Minerva

Relevo na Coluna de Marco Aurélio

5 Sant'Ignazio di Loyola

Quando a nova igreja barroca dos jesuítas foi concluída, em 1685, ainda não tinha nome. O mestre de *trompe-l'oeil* Andrea Pozzo usou sua técnica impecável para criar a ilusão de uma alta cúpula no teto circular plano, sobre a nave em forma de cruz. Pare sobre o disco amarelo para sentir o efeito pleno, depois se coloque diretamente sob a "cúpula" e veja como a pintura é enganosa. Pozzo também pintou a *Glória de Santo Inácio* na abóbada da nave. *Piazza di S Ignazio • Mapa N3 • Aberta 7h30-12h20, 15h-19h20 diariam • Grátis*

6 Coluna de Marco Aurélio

A coluna de Trajano fez tanto sucesso *(p. 22)* que outra foi construída em 180-93 d.C., com 29,5m, em homenagem à carreira militar de Marco Aurélio. Os relevos da espiral celebram as campanhas do general contra os germânicos (169-73), e, em cima, os sarmatianos (174-6). Em 1588, o papa Sisto V substituiu as estátuas do imperador e de sua esposa por uma de São Paulo. *Piazza Colonna • Mapa N2*

Templos Reciclados

Os romanos são engenhosos na reciclagem. O Pantheon tornou-se uma igreja, o Templo de Adriano uma bolsa de valores; San Clemente foi erguido sobre o templo de Mitras, Santa Maria sopra Minerva sobre o Templo de Minerva. No século XI, as paredes de San Lorenzo in Miranda, no Fórum, e de San Nicola in Carcere, na Via dell Teatro di Marcello, foram enxertadas em colunas de templos.

7 Mausoléu de Augusto

Em 27 a.C., Augusto encomendou este túmulo imperial; mais tarde, suas cinzas se juntaram às dos imperadores Tibério e Nerva, e beneméritos como Agripa e Marcelo. Depois, os invasores bárbaros sumiram com as urnas e os moradores extraíram a pedra travertina para construir palácios. Ao longo do tempo, a antiga rotunda já foi jardim suspenso, fortaleza, arena e sala de concerto. Na década de 1920, a coroa foi restaurada e voltou a ser como era, coberta de grama e ciprestes; nos arredores Mussolini construiu sua praça facista. Há um grande projeto arquitetônico para esta área. *Piazza Augusto Imperatore • Mapa D2 • Fechada para restauração • Grátis*

8 Piazza di Sant'Ignazio

Francesco Raguzzini projetou esta obra-prima da arquitetura

Mausoléu de Augusto

Piazza della Rotonda

barroca para os jesuítas em 1727-8, criando uma praça planejada nos mínimos detalhes sob as sacadas de ferro ornamental e paredes de gesso rosa. ⊗ *Mapa M2*

9 Obelisco do Elefante, de Bernini

Este é um exemplo do lado bem-humorado de Bernini. Um elefante bebê, desenhado por ele e esculpido por seu discípulo Ercole Ferrata em 1667, carrega nas costas a miniatura de um obelisco egípcio do século VI a.C. É uma referência irônica aos elefantes de guerra do líder cartaginês Aníbal, que atravessaram os Alpes e realizou um cerco para atacar o Império Romano em 218 a.C. ⊗ *Piazza della Minerva • Mapa M3*

10 Piazza della Rotonda

Em frente ao Pantheon, abrigou mercados diários até 1847; algumas colunas ainda exibem orifícios onde eram encaixados os suportes das bancas. Hoje é uma praça para turistas, com mesas ao ar livre e charretes, tudo acontecendo ao redor da fonte de Giacomo della Porta, de 1575, onde se vê um obelisco egípcio dedicado ao faraó Ramsés II. ⊗ *Mapa M3*

Uma Manhã no Pantheon

Comece tomando um cappuccino no **Caffè Sant'Eustachio** *(p. 96)*. Siga pela Salita de' Crescenzi até a **Piazza della Rotonda** e a indescritível beleza do **Pantheon** *(pp. 14-5)*. Siga em direção à Piazza di Minerva, onde estão o Obelisco do Elefante, de **Bernini**, e a igreja **Santa Maria sopra Minerva** *(p. 91)*, em cujo interior há obras-primas de Filippino Lippi e Michelangelo.

A Via Santa Caterina da Siena torna-se Via Pie' di Marmo (à direita você verá o famoso pé de mármore antigo). A rua termina na longa piazza diante da **Galleria Doria Pamphilj** *(p. 91)*. Depois de visitar as obras de Caravaggio, Tintoretto e Bernini, saia da praça pelo lado leste, na Via Lata, e entre no Corso em direção à **Santa Maria in Via Lata** *(p. 94)*. No Corso, dobre à direita para chegar à barroca **Piazza Sant' Ignazio**, e visitar os melhores afrescos em *trompe-l'oeil* de Roma na **Sant'Ignazio di Loyola**. Prossiga por trás dos pequenos palácios até a Piazza di Pietra. Pela viela estreita você chega à **Coluna de Marco Aurélio**. Entre no **Giolitti** para tomar um sorvete delicioso *(p. 96)*.

Vá pela esquerda na Via del Leone para chegar à Piazza Borghese, onde há um mercado de gravuras antigas e o **Palazzo Borghese** *(p. 94)*. Duas quadras ao norte você verá a Piazza Augusto Imperatore, onde há muitas igrejas, o **Mausoléu de Augusto** e a **Ara Pacis** *(p. 91)*. Encerre a sua manhã com um bom almoço no badalado **'Gusto** *(p. 117)*.

Fontanella del Facchino; Templo de Adriano

TOP 10

1 Templo de Adriano
Onze colunas enormes ainda podem ser vistas no Templo de Adriano, construído por seu filho em 145 d.C. *Piazza di Pietra 9A • Mapa M2 • Acesso só pelo lado de fora (dentro somente para eventos culturais)*

2 Santa Maria Maddalena
Esta igreja é uma joia barroca. A fachada de 1735, de Giuseppe Sardi, é, talvez, o melhor monumento rococó de Roma. *Piazza della Maddalena 53 • Mapa M2 • Aberta 8h30-11h30, 17h-18h30 dom-sex, 8h30-11h30 sáb • Grátis*

3 Pie' di Marmo
O pé gigantesco com sandália fazia parte de uma estátua antiga não identificada. *Via S. Stefano del Cacco, Via Pie' di Marmo • Mapa N3*

4 San Lorenzo in Lucina
Igreja fundada no século V e reformada entre 1090-1118. Guido Reni é o autor do retábulo *Crucificação,* e Bernini do da segunda capela à direita. *Piazza S. Lorenzo in Lucina 16a • Mapa M2 • Aberta 8h-20h diariam • Grátis*

5 Palazzo di Montecitorio
O palácio de Bernini abriga a Câmara dos Deputados do Parlamento desde 1871. A fachada sul é original; a norte é art nouveau. *Piazza di Montecitorio 33 • Mapa M1 • 06 676 01 • Aberto 10h30-15h30 1º dom do mês, exceto ago-set • Grátis*

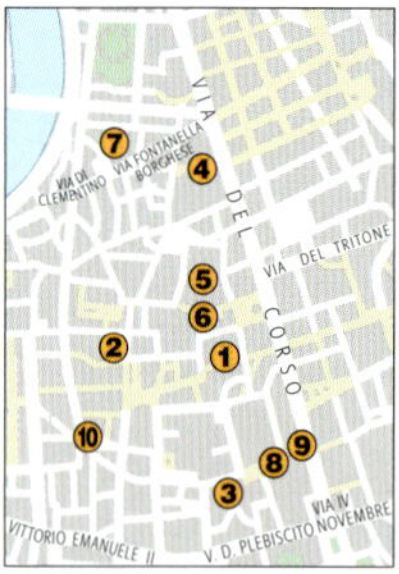

6 Piazza di Montecitorio
O obelisco da praça fazia parte do gigantesco relógio de sol de Augusto, antes ladeado pelo Ara Pacis *(p. 91).* *Mapa M1*

7 Palazzo Borghese
O palácio que é chamado de "cravo de Roma" pela forma extravagante, foi iniciado por Vignola em 1560 e concluído por Flaminio Ponzo com um terraço sobre o Tibre. *Via Borghese e Via di Ripetta • Mapa M1 • Acesso apenas no exterior*

8 Santa Maria in Via Lata
Pietro da Cortona é o autor da fachada e do vestíbulo (1660), e Bernini foi o responsável pelo altar-mor (1639-43). Os afrescos do século VI estão atualmente na Cripta Balbi *(p. 52).* *Via del Corso 306 • Mapa N3 • Aberta 5h-22h30 seg-sáb, 9h45-11h30, 5h-22h30 dom e feriados*

9 Fontanella del Facchino
A escultura desta pequena fonte de parede (c. 1570) representa um vendedor de água de cujo barril sempre jorra água fresca. *Via Lata, perto da Via del Corso • Mapa N3*

10 Piazza Sant'Eustachio
Dois cafés desta bela praça disputam o título de "melhor cappuccino" de Roma. Há ainda um campanário de 1196 e uma vista espetacular de Sant'Ivo *(p. 93).* *Mapa M3*

Davide Cenci; Il Papiro

TOP 10 Lojas

1 Davide Cenci
Marca de roupa masculina e feminina desde 1926. Os modelos com leve tendência conservadora, mas muito atuais, são vendidos ao lado de marcas internacionais como Ralph Lauren, Church's, Brooks Brothers e Fay. *Via di Campo Marzio 1-8 • Mapa M2*

2 Vittorio Bagagli
Fornecedor de artigos para casa desde 1855. Entre eles destacam-se os divertidos objetos da marca Alessi e as máquinas de *espresso* Pavoni. *Via di Campo Marzio 42 • Mapa M2*

3 Simotti Rocchi
Especialista em antiguidades gregas, estruscas e romanas, vende de moedas a vasos e estátuas por preços muito abaixo do que se pagaria num leilão, onde uma moeda simples de terracota começa custando €75. *Largo Fontanella Borghese 76 • Mapa M1*

4 Mercato dell'Antiquariato
Ótima feira de antiquários com apenas dezessete bancas de gravuras e livros antigos. *Piazza Borghese • Mapa M1*

5 Città del Sole
Pertence a uma rede italiana de lojas especializadas em brinquedos finos e os melhores jogos educativos. *Via della Scrofa 65 • Mapa L1*

6 Poggi dal 1825
Uma das lojas de suprimentos de arte mais famosas de Roma. Aqui estão à venda desde tinta a óleo e cadernos de esboços até diversos tipos de lápis, como os de carvão. *Via del Gesù 14*

7 Il Papiro
A filial romana de uma renomada rede florentina especializada em objetos de papel marmorizado, canetas e ferramentas de caligrafia. *Via del Pantheon 50 • Mapa M3*

8 Campo Marzio Design
Aqui você encontra uma linha própria de canetas-tinteiro de prata, além de outros utensílios de escrita e caligrafia. A caderneta com lombada de couro é um ótimo presente. *Via di Campo Marzio 41 • Mapa M2*

9 Campomarzio70
Luxuosa perfumaria com as melhores marcas italianas e sofisticados tratamentos estéticos. Há também fragrâncias artesanais de perfumistas afamados. *Via di Campo Marzio 70 • Mapa M2*

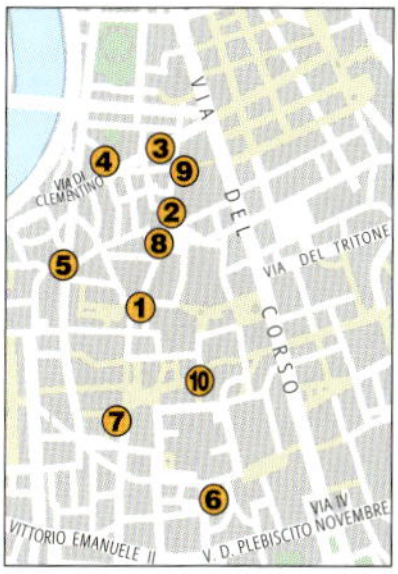

10 Bartolucci
Os brinquedos, os relógios e a mobília desta loja encantadora são feitos de madeira por artesãos italianos. Entre suas recriações dos contos de fadas há cavalinhos de balanço e Pinóquios de madeira. *Via dei Pastrini 98*

Caffè Sant'Eustachio; Cremeria Monteforte

TOP 10 Cafés, Sorveterias e Bares

1 Giolitti
Neste café centenário você pode provar o que muitos consideram ser o melhor sorvete de Roma *(p. 70).* ✆ *Via degli Uffici del Vicario 40 • Mapa M2*

2 Caffè Sant'Eustachio
Este é outro campeão: aqui é servido o melhor cappuccino. Tanto que a receita é um segredo guardado a sete chaves *(p. 70).* ✆ *Piazza Sant'Eustachio 82 • Mapa M3*

3 Trinity College
É o bar mais popular do Corso. Cardápio saboroso no andar de cima e, embaixo, comida típica de bar. Tem mesas fora *(p. 78).* ✆ *Via del Collegio Romano 6 • Mapa N3*

4 Black Duke
Pub irlandês relativamente autêntico, instalado em um porão confortável, tem comida típica e mesas ao ar livre no verão. ✆ *Via della Maddalena 29B • Mapa M2*

5 Grom
Esta rede de sorvetes 100% orgânicos conquistou o país com suas receitas à moda antiga *(p. 71).* ✆ *Via della Maddalena 30A • Mapa M2*

6 La Tazza d'Oro
A "Xícara de Ouro" existe desde 1946 para servir o que os seus devotos frequentadores garantem ser o melhor café que se faz na cidade *(p. 71).* ✆ *Via degli Orfani 84 • Mapa M2*

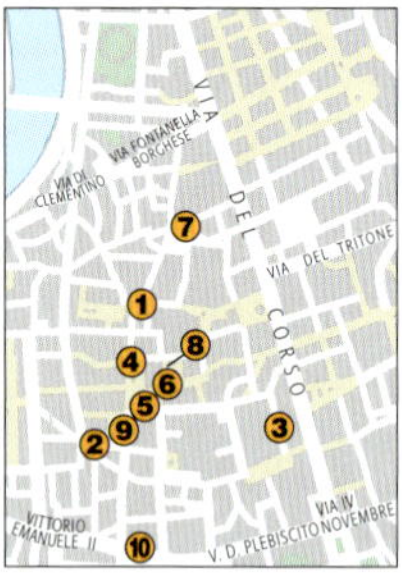

7 Enoteca al Parlamento
Este elegante bar de vinhos é vizinho dos prédios do Parlamento, por isso muito frequentado pelos políticos que ali trabalham. ✆ *Via dei Prefetti 15 • Mapa M1*

8 Enoteca Capranica
Bar de vinhos e restaurante, é o lugar para um rápido aperitivo ou um almoço mais prolongado ao ar livre. O interior decorado com uma impressionante coleção de garrafas garante a seriedade da casa, que ainda tem uma adega climatizada com muitas opções de rótulos. ✆ *Piazza Capranica 99 • Mapa M2*

9 Cremeria Monteforte
Com localização turística privilegiada (perto do Pantheon), a casa cujo porteiro é um Pinocchio de madeira serve o melhor fragola (sorvete de morango) da cidade e interessantes invenções como o chocolate com laranja *(p. 14).* ✆ *Via della Rotonda 22 • Mapa M3*

10 Pascucci
É aqui que você encontra os milk-shakes mais cremosos e espumantes da cidade. Vêm numa deliciosa variedade de sabores e combinações. ✆ *Via di Torre Argentina 20 • Mapa M4*

Obikà

Categorias de Preço

Refeição para uma pessoa com três pratos, uma taça de vinho ou cerveja, impostos e serviço.		
	€	até €30
	€€	€30-40
	€€€	€40-50
	€€€€	€50-60
	€€€€€	acima de €60

TOP 10 Onde Comer

1 L'Eau Vive

Entre afrescos do século XVI, irmãs leigas do mundo todo, em seus trajes típicos, servem refinada culinária francesa e pratos de seus países de origem. Elas cantam a "Ave Maria de Lourdes" diante de seus crêpes flambées. Talvez seja um pouco kitsch, mas todo o lucro vai para obras de caridade. *Via Monterone 85 • Mapa M3 • 06 6880 1095 • Fechado dom • €€*

2 Il Bacaro

É essencial fazer reserva nesta pequena osteria. Embora o design interior seja contemporâneo, você se sente na Roma Antiga em uma mesa ao ar livre, ao lado de um muro coberto de hera. Da cozinha saem pratos tradicionais da Itália. *Via degli Spagnoli 27 • Mapa M2 • 06 687 2554 • €€*

3 Osteria dell'Ingegno

Moderno bar de vinhos, serve carnes e queijos em porções generosas. *Piazza di Pietra 45 • Mapa N2 • 06 678 0662 • €€*

4 Trattoria Enoteca Corsi

Uma loja de vinhos transformada em restaurante (só almoço), serve excelente culinária tradicional a preços honestos. Os pratos do dia estão escritos em uma lousa. *Via del Gesù 87 • Mapa N3 • 06 679 0821 • Fechado dom • €*

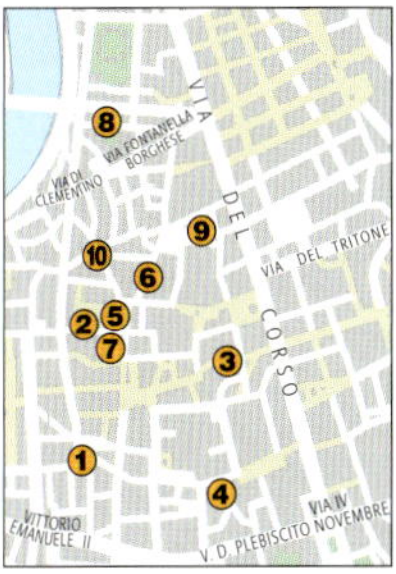

5 Maccheroni

As salas arejadas por ventiladores lembram um bistrô parisiense. O cardápio, porém, é bem romano. *Piazza delle Coppelle 44 • Mapa M2 • 06 6830 7895 • €€*

6 Ristorante Boccondivino

Restaurante moderno e elegante, abriga uma coleção de arte contemporânea e mesas ao ar livre. *Piazza in Campo Marzio 6 • Mapa M2 • 06 6830 8626 • Fechado dom • €€€*

7 Trattoria

Os pratos de inspiração siciliana servidos aqui são leves e saborosos. *Via del Pozzo delle Cornacchie 25 • Mapa L2 • 333 468 9106 • Fechado dom • €€€*

8 Settimio all'Arancio

Muito movimentado, mas a culinária romana é excelente. *Via dell'Arancio 50-52 • Mapa M1 • 06 687 6119 • Fechado dom • €*

9 Da Gino

Visite estas abóbadas em *trompe-l'oeil* e saboreie uma comida como só a *nonna* sabia fazer. *Vicolo Rosini 4 • Mapa M1 • 06 687 3434 • Fechado dom • €*

10 Obikà

Este "mozzarella bar" serve uma dezena de variedades, preparadas de diversas maneiras. *Piazza di Firenze 26A • Mapa M1 • 06 683 2630 • €*

Todos os restaurantes aceitam cartões de crédito e servem pratos vegetarianos, exceto quando há indicação do contrário

Mercado do Campo dei Fiori; Praça Campidoglio

Campo dei Fiori até o Capitolino

ESTA ÁREA CONCENTRADA *distingue-se duplamente: por ter sido o local em que César foi assassinado e por abrigar o monte Capitolino, a suprema glória de Roma até os dias de hoje. Em épocas mais remotas, a região era repleta de importantes monumentos cívicos, mas no século XIV, quando o papado transferiu-se para França e Roma quase foi extinta, nesta curva do rio amontoaram-se 15 mil cidadãos que sobreviviam na mais absoluta miséria. A volta do papa abriu caminho para um grande movimento migratório: os palácios papais proliferaram, longas avenidas foram abertas para ligá-los às basílicas e o comércio prosperou. Hoje, ainda são vistos claros sinais da longa história desta que é a área mais autêntica de Roma.*

Palazzo Senatorio

TOP 10 Destaques

1. Campo dei Fiori
2. Monte Capitolino
3. Largo di Torre Argentina
4. Sant'Andrea della Valle
5. Santa Maria in Cosmedin
6. Fórum Boario
7. Chiesa del Gesù
8. Santa Maria in Aracoeli
9. Fontana delle Tartarughe
10. Teatro di Marcello

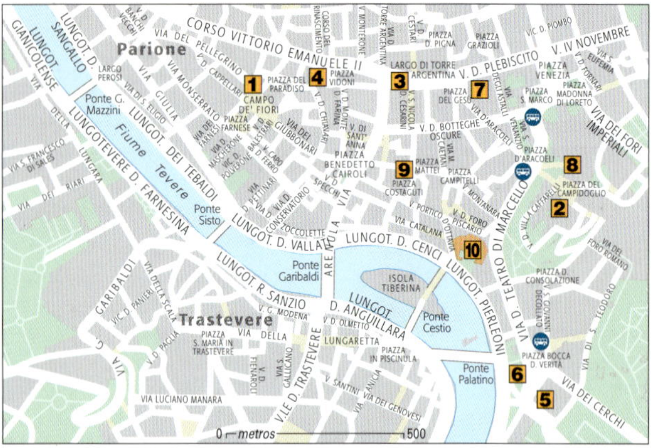

1 Campo dei Fiori

Em outras épocas, o "Campo das Flores" *(p. 46)* ocupava todo o espaço em frente ao Teatro de Pompeu. A partir da Idade Média tornou-se uma das áreas mais movimentadas de Roma, frequentada tanto por príncipes como por romeiros. Aqui aconteciam as execuções da Inquisição, como indica a presença da estátua de Giordano Bruno, queimado na fogueira nas celebrações do Jubileu de 1600. *Mapa L4*

2 Monte Capitolino

O princípio básico para se compreender Roma é que tudo está construído em cima de uma outra coisa. Por exemplo, originalmente o Capitolino *(pp. 24-5)* eram duas colinas: uma delas chamada Arx, onde estava o Templo de Juno, e na outra, Cavo, o Templo de Júpiter, hoje quase toda ocupada pelo Palazzo dei Conservatori *(pp. 26-7)*. Entre as duas colinas foi construído o grande Tabularium (Arquivo Público) em 78 a.C., formando uma só colina que passou a se chamar Capitólio. Sobre o Capitólio foi erguido o Palazzo Senatorio no século XII. *Mapa N5*

3 Largo di Torre Argentina

Importantes ruínas de quatro templos republicanos (um deles do século IV a.C.) foram escavadas neste local em 1925 *(p. 41)*. A noroeste está a bonita fachada do Teatro Argentina, do século XVIII, onde se lê uma inscrição sobre as

Santa Maria in Cosmedin

Largo di Torre Argentina

Musas. Muitas óperas estrearam aqui no século XIX, entre elas "O Barbeiro de Sevilha", de Rossini. O evento foi um fracasso total, porque a grande inimiga de Rossini, Pauline Bonaparte, pagou a um bando de desocupados para tumultuar a estreia. *Mapa M4*

4 Sant'Andrea della Valle

Como é possível que uma das mais belas igrejas barrocas do século XVII tenha uma fachada tão assimétrica? A resposta é simples: o artista era temperamental. Observando o edifício grandioso, percebe-se que um único anjo, do lado esquerdo, sustenta toda a parte de cima. Quando a igreja ficou pronta, o papa Alexandre VII ousou criticar a obra do escultor Cosimo Fancelli, que se recusou a criar outro anjo do lado direito. "Se ele faz muita questão, que ele mesmo o faça!", foi a resposta à Sua Santidade *(p. 45)*. *Piazza Vidoni 6 • Mapa L4 • Aberta 7h30-12h30, 16h30-19h30 diariam • Grátis*

5 Santa Maria in Cosmedin

Este antigo centro de distribuição de pães foi transformado em igreja no século VI e, 200 anos mais tarde, passou a congregar a comunidade grega exilada em Roma. O termo grego "in Cosmedin" significa "enfeitada". Restam poucos ornamentos originais; a maior parte do que se vê hoje

Os Judeus de Roma

Os judeus estão presentes em Roma desde o século II a.C. Eles prosperaram muito na Idade Média até que, em 1556, o papa Paulo IV, o fundador da Inquisição, os manteve confinados num gueto esquálido, onde permaneceram até 1870. Seiscentos anos depois, sofreram uma perseguição mortal durante o regime facista. Hoje, os romanos judeus estão perfeitamente integrados à vida cívica e já somam 14 mil membros.

é dos séculos XII e XIII, embora o retábulo seja típico das igrejas Ortodoxas. O elemento mais popular, porém, é a Bocca della Verità ("Boca da Verdade"), que era a tampa de uma antiga cisterna. Segundo dizem, a boca se fecha sobre a mão dos mentirosos. *Piazza della Bocca della Verità 18 • Mapa N6 • Aberta diariam 9h30-17h (até 18h aos dom) • Grátis*

6 Fórum Boario

O nome se refere a um antigo mercado de gado que existia aqui. Hoje, a área é um pequeno parque arqueológico com dois templos do século II a.C. e um Arco de Janus, mais recente. Não fosse o trânsito caótico e perigoso, seria um lugar maravilhoso para caminhar. Erguido no reinado de Constantino ou logo em seguida, o arco nada tem de gracioso, mas os templos estão surpreendentemente bem preservados. O santuário retangular é dedicado a Portunus, deus dos rios e dos portos, e o circular é um Templo de Hércules. *Mapa N6*

7 Chiesa del Gesù

Nesta praça de passeios sinuosos há um protótipo de uma igreja da Contrarreforma. O tamanho e a decoração exagerados tinham como finalidade combater a austeridade dos jesuítas, que era

Capela de Santo Ignácio, Chiesa del Gesù

então predominante. Se a fachada é elegante, o interior desta igreja é deslumbrante. À primeira vista, o que mais impressiona é o excesso de acabamentos dourados refletindo os raios de sol. Depois, são os anjos e santos que ascendem aos céus sugados por milagrosos orifícios no teto. O túmulo de Ignácio, o fundador da ordem, é adornado com a maior pedra de lápis-lazúli que existe no mundo. *Piazza del Gesù • Mapa N4 • Aberta diariam 7h-12h30, 16h-19h45 • Grátis*

8 Santa Maria in Aracoeli

A igreja do século VI está no mesmo local, primeiro, do antigo Templo de Juno Moneta (Juno, a Sentinela), depois, da casa da moeda romana – de onde vem a palavra "dinheiro". Dizem que você pode ganhar na loteria se subir de joelhos a escadaria do século XIV até a fachada inacabada – mas o que se ganha mesmo é uma vista belíssima. No interior, as

Santa Maria in Aracoeli

22 colunas da nave foram retiradas de esculturas mais antigas; a terceira coluna à esquerda tem a inscrição "a cubiculo Augustorum" ("do aposento do Imperador").
Scala dell'Arce Capitolina 14 • Mapa N4 • Aberta 9h30-17h30 (9h-18h30 no verão) diariam • Grátis

9 Fontana delle Tartarughe

A "Fonte das Tartarugas" é fruto do trabalho de três artistas. Foi desenhada por Giacomo della Porta no final do século XVI por encomenda da família Mattei. Os quatro meninos de bronze foram esculpidos mais tarde por Taddeo Landini. O toque final veio quase um século depois, quando um artista desconhecido acrescentou as tartarugas, que dão nome à fonte *(p. 47)*. *Piazza Mattei • Mapa M5*

Fontana delle Tartarughe

10 Teatro di Marcello

Um dos três teatros da antiguidade existentes neste distrito *(p. 41)*, este remonta ao século I a.C. Era provavelmente o mais frequentado dos três, até o Coliseu ganhar a preferência do público. As arcadas inferiores que abrigavam pitorescas lojas medievais foram descobertas pelos arqueólogos na década de 1920. À direita do teatro há três colunas e um fragmento de friso que pertenciam ao Templo de Apolo, também do século I a.C. *Via del Portico d'Ottavia 29 • Mapa N5 • Aberto 9h-18h (até 19h no verão) diariam*

A Cultura Romana: Uma Camada sobre a Outra

Em razão dos horários de funcionamento das igrejas, comece a sua caminhada (de duas a quatro horas) por volta de 10h ou então às 16h. Inicie pelo **Teatro di Marcello;** observe as altas pilastras que sustentam o palácio e foram acrescentadas no século XVI. Dobre a próxima esquina e você verá a **Santa Maria in Campitelli** *(p. 104)*. Veja através de binóculos as folhas de carvalho esculpidas entre as pequenas imagens do altar. Continuando à esquerda, ao aproximar-se da **Fontana delle Tartarughe** você ouvirá o barulho da água ecoando nas paredes medievais. Ao norte, o Museu Cripta Balbi *(pp. 52-3)* tem excelentes exposições sobre a história dos arredores. Na quadra seguinte está a bela **Gesù**.

Prove uma das melhores combinações de cappuccino-cornetto no Bernasconi *(Piazza Cairoli, 16)*.

Em **Sant'Andrea della Valle** *(p. 99)*, não deixe de observar o raro teto de abóbadas. Em seguida, vá para a Via di Grotta Pinta ver as ruínas do **Teatro de Pompeu** *(p. 53)*. Uma quadra adiante, a noroeste, você chegará ao **Palazzo Farnese** *(p. 104)*, onde as fontes gêmeas são feitas com as pedras tiradas das Termas de Caracalla. Atravesse o **Campo dei Fiori** *(p. 99)* até o **Palazzo della Cancelleria** *(p. 51)* para contemplar a perfeição renascentista.

Encerre com um drinque na **La Curia di Bacco** *(p. 106)*, sob as abóbadas do século I a.C. do Teatro de Pompeu.

Nas páginas seguintes, **o Campidoglio à noite**

Sinagoga; Tabernáculo, Santa Maria in Campitelli

TOP 10 Outras Atrações

1 Palazzo Farnese
O maior palácio de Roma é adornado por uma cornija maravilhosa e criações de Michelangelo *(p. 50)*. *Piazza Farnese 67 • Mapa K4 • 06 688 92818 • Visitas de 45 minutos às 15h, 16h e 17h seg, qua e sex. Reserve*

2 Galleria Spada
No século XVII, os irmãos Bernardino e Virginio Spada reuniram uma coleção de pinturas. Hoje, a casa deles abriga o Conselho de Estado e uma galeria *(p. 51)*. *Piazza Capo di Ferro 13 • Mapa L5 • Aberta 8h30-19h30 ter-dom • Entrada paga*

3 Il Vittoriano
A mistura de estilos que se vê neste monumento em homenagem a Vittorio Emanuele II inspirou o apelido "Bolo de Casamento" dado pelos romanos. *Piazza Venezia • Mapa N4z • Aberto 9h30-16h30 (inverno), até 17h30 (verão) diariam*

4 Museo Palazzo di Venezia
O papa Paulo II costumava assistir corridas de cavalo da sacada no século XV. Do mesmo lugar Mussolini proferiu seus discursos facistas *(p. 51)*. *Via del Plebiscito 118 • Mapa N4 • 06 678 0131 • Aberto 8h30-19h30 ter-dom • Entrada paga*

5 Portico d'Ottavia
Construído em homenagem a Otávia, a irmã de Augusto, o pórtico era uma das entradas do Circus Flaminius. É possível ver as escavações arqueológicas e as ruínas do alto dos andaimes. *Mapa M5*

6 Museo Barracco
Este palácio abriga uma pequena coleção de esculturas antigas *(p. 53)*. *Corso Vittorio Emanuele II 166 • Mapa L4 • 06 0608 • Aberto 9h-16h (até 19h no verão) ter-dom • Entrada paga*

7 Via Giulia
Rua elegante traçada por Bramante no início do século XVI. *Mapa K4*

8 Sinagoga e Museu Judaico
Datada de 1904, esta sinagoga abriga o museu judaico da cidade *(p. 100)*. *Lungotevere dei Cenci • Mapa M5 • Museu: aberto 10h-16h15 dom-qui, 9h-13h15 sex (inverno); 10h-18h15 dom-qui, 10h-16h sex (verão)*

9 Palazzo della Cancelleria
Esta construção do Renascimento era a sede da Chancelaria Papal. *Piazza della Cancelleria 1 • Mapa L4 • Aberto 7h30-14h, 16h-20h seg-sáb • Entrada paga*

10 Santa Maria in Campitelli
Aqui estão os mais ricos sacrários de Roma. *Piazza Campitelli 9 • Mapa N5 • Aberta 7h30-meio-dia, 15h30-19h30 diariam • Grátis*

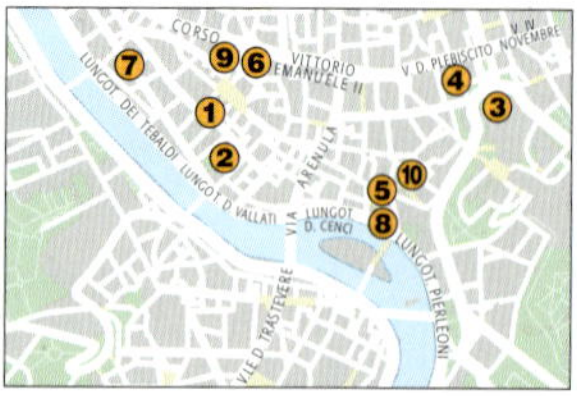

Libreria del Viaggiatore; Momento

TOP 10 Lojas

1 Acqua Madre Hammam
Após um dia agitado, recarregue as baterias indo a este luxuoso banho turco. Há sauna, banhos e diversos tratamentos corporais.
Via di S Ambrogio 17 • Mapa M5

2 Ethic
Esta marca romana é especializada em roupas casuais e elegantes, para mulheres que preferem um estilo mais alternativo e romântico. Para quem procura algo original. *Piazza Cairoli 11*

3 Cartolerie Internazionali
A atraente papelaria de dois andares tem em seu estoque artigos de escritório e artísticos, além de canetas luxuosas, presentes, álbuns de fotografia e muitos cartões de saudação. *Via Arenula 85 • Mapa D4*

4 Boccione Limentani
Esta pequena confeitaria de esquina serve apenas três itens, incluindo um irresistível bolo de ricota e cereja. Há sempre uma fila do lado de fora. *Via del Portico d'Ottavia • Mapa M5*

5 Sciam
Visite esta loja para ter uma experiência incrível de um bazar oriental. Aqui, a especialidade são os vidros soprados. *Via del Pellegrino 55 • Mapa K3*

6 Fahrenheit 451
Muitos livros sobre cinema, arte e fotografia. *Campo dei Fiori 44 • Mapa L4*

7 Prototype
Loja popular que oferece moda de rua para jovens antenados: são suéteres, casacos com capuz, camisetas, tênis e jeans.
Via dei Giubbonari 50 • Mapa L4

8 Momento
Esta butique eclética agrada a todos os gostos: há vestidos longos de noite, casacos de lã até os pés e tops com estampas fortes, além de uma coleção de acessórios divertidos e originais.
Piazza Cairoli 9 • Mapa L5

9 Orologeria Timeline
Quer um relógio bacana que não estoure seu orçamento? Esta loja simpática vende relógios de marca cerca de 30% a 50% abaixo do preço normal. Os Swatch são a maioria. *Via dei Pettinari 41 • Mapa L4*

10 Libreria del Viaggiatore
Viajantes de todas as idades e orçamentos buscam material nesta livraria pequena, mas completa. Há muitos livros sobre viagens, guias, mapas, romances, livros de fotografias, mapas-múndi e pôsteres. Tudo está à venda.
Via del Pellegrino 78 • Mapa K4

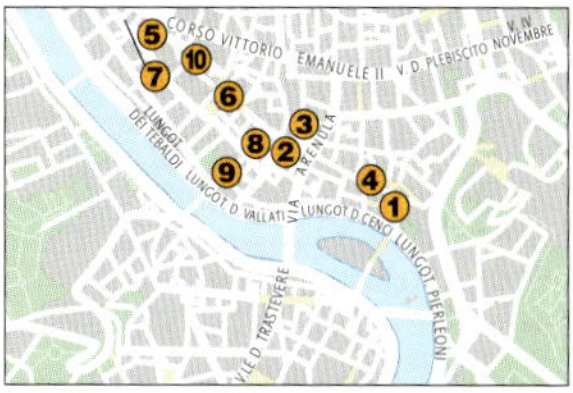

Vineria Reggio; Barnum

TOP 10 Casas Noturnas

1 The Drunken Ship

É a balada do momento, com jovens cheios de energia lotando a praça todas as noites. Do lado de dentro, é só rock'n'roll. Fora, longas filas para comprar bebida. *Campo dei Fiori 20-21 • Mapa L4*

2 Bartaruga

Modelos e celebridades locais reúnem-se neste bar cheio de charme, com teto e mobília decorativos. No verão, as pessoas ocupam as mesas espalhadas pela bela praça Mattei. Às vezes há música ao vivo. *Piazza Mattei 8 • Mapa M5*

3 Il Goccetto

Considerada por especialistas como a principal loja de vinhos de Roma, permite que você prove um golinho de qualquer uma das mais de 500 marcas. O proprietário aconselha quais os melhores rótulos para levar para casa. *Via dei Banchi Vecchi 14 • Mapa J3*

4 Vineria Reggio

Os clientes antigos deste pequeno bar de vinhos ocupam pelo tempo que quiserem as mesas ao ar livre, saboreando uma boa taça. *Campo dei Fiori 15 • Mapa L4*

5 Caffè Farnese

Difícil imaginar lugar mais chique do que este. Situado em uma esquina da elegante Piazza Farnese, suas mesas ao ar livre recebem jovens e ricos de Roma para beber um bom vinho. Casa muito simpática e acolhedora. *Piazza Farnese 106 • Mapa K4*

6 Sciam

Aqui, o que lhe espera é uma atmosfera das Arábias. Na entrada, uma fonte de pastilhas turquesa jorrando água; do lado de dentro, só madeira e azulejos. Serve chás e iguarias com música relaxante. *Via del Pellegrino 55 • Mapa K4*

7 La Curia di Bacco

O espaço comprido e estreito sob abóbadas era um corredor do antigo Teatro de Pompeia *(p. 53)*. *Via del Biscione, 79 • Mapa L4*

8 Mad Jack's

Clássico pub irlandês com todas as cervejas imagináveis, especialmente Guinness. *Via Arenula 20 • Mapa L4*

9 Barnum

Este café homenageia o famoso showman americano P. T. Barnum e o mundo do circo. Apresentações ao vivo, arte e gastronomia. *Via del Pellegrino 87 • Mapa K3*

10 Latte Più Milk Bar

Tendo o leite como seu ingrediente principal, este bar serve milk-shakes alcoólicos, coquetéis doces e lanches. *Via dei Funari 21A • Mapa M5*

Categorias de Preço

Refeição para uma pessoa com três pratos uma taça de vinho ou cerveja, impostos e serviço.		
	€	até €30
	€€	€30-40
	€€€	€40-50
	€€€€	€50-60
	€€€€€	acima de €60

Pães tradicionais judaico-romanos

TOP 10 Restaurantes Judaicos e Romanos

1 Piperno
Situado em uma praça discreta, distante do burburinho, oferece pratos tradicionais que incluem a carciofi alla giudia (alcachofras fritas à moda judaica). É preciso fazer reserva. *Via Monte de'Cenci 9 • Mapa M5 • 066880 6629 • Fechado dom no jantar, seg • €€€*

2 Da Giggetto
Cozinha de primeira classe em ambiente elegante, fica muito perto das colunas do Portico d'Ottavia *(p. 104)*. Peça brotos de chicória (puntarelle) com molho de anchova, um típico prato romano. *Via del Portico d'Ottavia 21a-22 • Mapa M5 • 06 686 1105 • Fechado seg • €€€*

3 Vecchia Roma
Um dos restaurantes mais sofisticados de Roma, famoso pelo interior histórico, serviço excelente e carta de vinhos. *Piazza Campitelli 18 • Mapa N5 • 06 686 4604 • Fechado qua, 2 semanas ago • €€€€€*

4 La Taverna del Ghetto
Comida kosher servida em salas medievais e também na praça, ao ar livre. O peixe grelhado é a especialidade. *Via Portico d'Ottavia 8 • Mapa N5 • 06 6880 9771 • Fechado sex jantar, sáb almoço • €€*

5 Sora Margherita
Iguarias judaico-romanas. Não tem placa: procure as fitas vermelhas na entrada. *Piazza delle Cinque Scole 30 • Mapa M4 • 06 687 4216 • Fechado dom e ter para o jantar • Não aceita cartão de crédito • €€*

6 Ba'Ghetto
Moderna trattoria de cozinha judaica kosher, com receitas de Roma e do Norte da África. *Via del Portico d'Ottavia 57 • Mapa M5 • 06 6889 2868 • Fecha sex J, sáb A • €€*

7 Filetti di Baccalà
Pouco mudou desde que abriu. Serve suculentos filés de bacalhau fritos com acompanhamentos romanos. *Largo dei Librari 88 • Mapa M4 • 06 686 4018 • Fechado dom • Não aceita cartão de crédito • €*

8 Da Sergio alle Grotte
Uma experiência gastronômica romana simples e tradicional: spaghetti alla carbonara, gnocchi, entre outros. *Vicolo delle Grotte, 27 • Mapa M4 • 06 686 4293 • Fechado dom • €€*

9 Osteria ar Galletto
Tradicional e querido. Tem mesas na praça no verão e boa comida. *Piazza Farnese 104 • Mapa K4 • 06 686 1714 • Fechado dom • €*

10 Yotvata
Cozinha kosher num palácio. Boa pizza, peixes frescos e massas. Sobremesas excelentes. *Piazza Cenci 70 • Mapa L5 • 06 6813 4481 • Fechado sab almoço e sex jantar • €€*

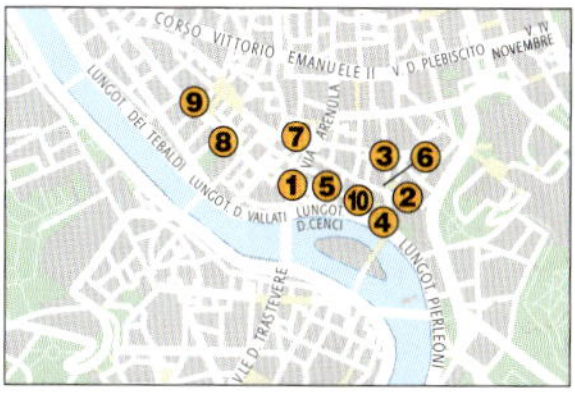

Todos os restaurantes aceitam cartões de crédito e servem pratos vegetarianos, exceto quando há indicação do contrário

Piazza del Popolo; Afresco de Pinturicchio em Santa Maria del Popolo

Scalinata di Spagna e Villa Borghese

O QUE ROMA TEM DE MAIS PRIMOROSO E ELEGANTE *encontra-se aqui, cuidadosamente disposto segundo um planejamento urbano papal do século XVI. Os papas barrocos Leão X e Sisto V reurbanizaram a área (então abandonada) ao redor do Corso, tão extensa quanto a antiga Via Flaminia ao norte do país, numa cidade que crescia rapidamente. Os romanos chamam a região de Tridente, porque as ruas Corso, Ripetta e Babuino formam um tridente na Piazza del Popolo. A área é, por si só, um espetáculo: estão aqui a simétrica e bela Piazza del Popolo; as ruas retas como setas que se estendem a perder de vista; o cuidadoso paisagismo dos Jardins do Pincio e a exuberância e frescor da Villa Borghese; o cenário teatral da Scalinata di Spagna; e a requintada Fontana de Trevi. Como se não bastasse, é também a área mais elegante de Roma, famosa pelas butiques de alta-costura e pelos preços estratosféricos; pelos artistas que adotaram a Via Margutta para morar; pelas galerias e antiquários que aqui proliferam; e, por fim, pela passeggiata romana (o indispensável passeio no final da tarde dos que querem ver e ser vistos) ao longo da Via del Corso.*

Busto, Memorial de Keats e Shelley

TOP 10 Destaques

1. Galleria Borghese
2. Santa Maria del Popolo
3. Scalinata di Spagna e Piazza di Spagna
4. Fontana de Trevi
5. Memorial de Keats e Shelley
6. La Barcaccia
7. Piazza del Popolo
8. Trinità dei Monti
9. Villa Borghese
10. Via dei Condotti

1 Galleria Borghese

Um dos principais museus de pequeno porte da Europa merece ser visto não só pelo local em que se encontra como pela importante coleção de esculturas de Bernini *(pp. 20-1)*.

2 Santa Maria del Popolo

A igreja é, por si só, uma aula de arte, arquitetura e escultura do Renascimento e do Barroco *(pp. 32-3)*.

Scalinata di Spagna e Piazza di Spagna

3 Scalinata di Spagna e Piazza di Spagna

Uma escadaria elegante e excêntrica é o monumento rococó mais apreciado pelos romanos. É ainda mais monumental em maio, quando florescem as azaleias, mas durante o ano todo serve de cenário para a *dolce vita* italiana e palco para os músicos e cantores apaixonados que se apresentam nas ruas. Francesco De Sanctis desenhou a escada em 1723-6 para o rei Luís XV, com o nome italiano de Scalinata della Trinità dei Monti, referência à igreja que se ergue no topo da escadaria *(p. 110)*. Embaixo, está a Praça de Espanha, que tem a forma de uma ampulheta, uma fonte de Bernini Barcaccia e milhares de turistas incansáveis. Seu nome se deve à Embaixada da Espanha, situada nas imediações. *Mapa D2*

4 Fontana di Trevi

Anita Ekberg entra na água da fonte, numa cena clássica de *La Dolce Vita*, de Fellini. A Fonte dos Desejos nos ensina a dar as costas para a fonte e atirar três moedas na água para retornar a Roma (melhor que a antiga tradição de beber a água para dar sorte). Foi graças ao cinema que esta bela fonte se imortalizou e tornou-se uma das atrações mais visitadas de Roma. O relevo à direita representa uma virgem abrindo a fonte que alimenta o aqueduto Acqua Vergine, construído por Augusto *(à esquerda)* e que até hoje alimenta o monumento. Nicola Salvi presta homenagem a essas origens ao adaptar sua exuberante obra barroca à estrutura arquitetônica clássica de um arco triunfal *(p. 46)*. *Piazza di Trevi • Mapa P2*

5 Memorial de Keats e Shelley

O apartamento de estuque rosado sobre a Scalinata di Spagna, onde John Keats faleceu aos 25 anos de idade, em 1821, é hoje um pequeno museu dedicado aos poetas britânicos do Romantismo que viveram grande parte da vida em Roma *(p. 56)*. As exposições incluem documentos, cartas, cópias de obras publicadas e a máscara mortuária de Keats. Ele morreu nos braços de seu companheiro Joseph Severn, autor do desenho *Keats em seu leito de morte*, que também está em exposição. *Piazza di Spagna 26 • Mapa D2 • 06 678 4235 • Aberto 10h-13h, 14h-18h seg-sex, 11h-14h, 15h-18h sáb • Entrada paga*

Romanos por Adoção

Quando Goethe escreveu o seu *Viagem italiana (p. 56)*, muitos outros europeus vieram a Roma, não só para estudar, mas por seus dias ensolarados. Embora a Scalinata fosse chamada de "gueto inglês", pelo fato de Keats morar aqui e ser o endereço das Babington's Tea Rooms, Goethe também vivia aqui. Os melhores alunos da Academia Francesa contemplados com o Prix de Rome vêm completar seus estudos em Villa Medici.

6 La Barcaccia

Talvez o pai de Bernini, Pietro, tenha contribuído para a genialidade do filho quando pôs nesta fonte um barco afundando, em 1929. A solução resolveu engenhosamente o problema da baixa pressão da água, fazendo com que ela escorresse do barco em vez de sair em jatos e borrifos. *Piazza di Spagna • Mapa D2*

7 Piazza del Popolo

Esta elegante praça pública de Roma era originalmente trapezoidal em 1538. Em 1589, Sisto V pediu a Domenico Fontana que construísse uma fonte coroada por um obelisco de 3.200 anos: a peça de 25m de altura que homenageava Ramsés II em Heliópolis foi trazida para Roma por Augusto. Entre 1811 e 1823, o representante de Napoleão em Roma contratou Giuseppe Valadier para dar à praça a aparência neoclássica que tem hoje, uma grande forma oval que ameniza a encosta íngreme do Pincio com um caminho sinuoso. Valadier também acrescentou os leões egípcios *(p. 46)*. *Mapa D2*

Trinità dei Monti

8 Trinità dei Monti

A igreja que se vê no alto da Scalinata di Spagna fazia parte de um convento fundado por Luís XII em 1503. As duas torres gêmeas (1584) foram criadas por Giacomo della Porta; a escada dupla (1587) é de Domenico Fontana. Seu interior barroco abriga três capelas. Daniele da Volterra pintou os afrescos da terceira capela à direita, o retábulo *Assunção* (repare que seu mestre, Michelangelo, é retratado na última figura à direita), e também a *Deposição*, que está na segunda capela à esquerda. A vizinha Villa Medici, do século XVI (só abre para exibições especiais), abriga a Academia Francesa desde 1803. *Piazza Trinità dei Monti • Mapa D2 • Aberta 6h-13h, 15h-20h ter, 6h-20h qua, 6h-24h qui, 10h-20h sex-dom • Grátis*

9 Villa Borghese

A maior área verde de Roma é um parque público de 688ha, com jardins bem cuidados, estátuas, fontes, grutas, passeios, pavilhões e um relógio de água. Há também três museus importantes: a Galleria Borghese *(pp. 20-1)* com arte do Renascimento e do Barroco; a Villa Giulia *(p. 51)* com artefatos etruscos; e a Galleria Nazionale d'Arte Moderna *(p. 43)*, com arte contemporânea. Abriga ainda o Museo

Via dei Condotti

Carlo Bilotti *(p. 112)*, com uma coleção permanente de obras de Giorgio de Chirico (1888-1978). Tudo isso se deve ao Cardeal Scipione Borghese, que em 1608 transformou esta imensa propriedade da família, localizada do lado de fora das muralhas Aurelianas, em um agradável parque privado, mas aberto ao público em 1901. Em 1809-14, Giuseppe Valadier transformou o espaço intramuros nos Jardins do Pincio, um dos destinos mais agradáveis da *passeggiata*, repleto de estátuas de italianos ilustres *(p. 62)*. Nos jardins há também uma agradável casa de chá e um obelisco que Adriano mandou construir em homenagem ao seu bem-amado. *Entradas pela Piazza Flaminio, Piazza del Popolo, Via Trinità dei Monti e Corso Italia • Mapa D2*

10 Via dei Condotti

Esta é a "Quinta Avenida" de Roma, onde estão as lojas mais sofisticadas e as butiques dos estilistas mais famosos. Após flertar com importantes redes de varejo em 1990, a rua voltou a ser ocupada pela *haute couture*, pela qual era famosa *(p. 68)*.
Mapa D2

Uma Tarde na Passeggiata Romana

Comece pela Piazza SS Apostoli para visitar a igreja de mesmo nome *(p. 112)* e o relevo do século II d.C. de uma águia imperial na parede à direita do pórtico. Depois, siga em frente pela Via dell'Umiltà, atravessando uma elaborada passagem para pedestres de ferro e vidro com afrescos da década de 1880. Dobre à direita na Via di Muratte para chegar à **Fontana di Trevi** *(p. 109)*. Dê as costas para a fonte e atire moedas na água para garantir seu retorno a Roma. Saia da praça pela Via di Lavoratore e entre à esquerda na Via di Panetteria para provar o melhor gelato da cidade em **San Crispino** *(p. 70)*.

À sua direita, na Via del Tritone, entre à esquerda na Via Francesco Crispi para chegar à **Galleria Comunale d'Arte Moderna** *(p. 43)*. Desça pela Via Capo le Case, vire à direita na Via Due Macelli até chegar à **Piazza di Spagna** e à **Scalinata di Spagna** *(p. 109)*. Fique quanto tempo quiser admirando as sucessivas vitrines nas ruas a oeste da praça, mas lá pelas 17h tome o sentido norte e vá caminhar pelas Via del Babuino e Via Margutta, onde estão as lojas de arte e antiguidades *(p. 113)*, até a **Piazza del Popolo**.

Tome um cappuccino no **Caffè Canova** *(p. 116)* e visite as obras de Caravaggio, Rafael e Bernini na **Santa Maria del Popolo** *(pp. 32-3)*. Procure chegar a **Santa Maria in Montesanto** *(p. 112)* lá pelas 19h para ouvir canto gregoriano. Por fim, encerre o passeio com um jantar no **Il Brillo Parlante** *(p. 117)*.

Casa di Goethe; Santi Ambrogio e Carlo al Corso

TOP 10 Outras Atrações

1 Museo di Villa Giulia

Este museu nacional homenageia a primeira grande civilização da península italiana, a etrusca, entre os séculos VIII e III a.C. *Piazzale di Villa Giulia 9 • Mapa D1 • Aberta 8h30-19h30 ter-dom • Entrada paga • AD*

2 Galleria Nazionale d'Arte Moderna

O museu nacional de arte moderna reúne trabalhos dos séculos XIX e XX. Embora seja mais forte em arte italiana, também expõe artistas estrangeiros. *Viale delle Belle Arti 131 • Mapa D1• 06 322981 • Aberto 8h30-19h30 ter-dom • Entrada paga • AD*

3 Museo Carlo Bilotti

Sua coleção é pequena, mas reúne a arte de De Chirico, Warhol e outros. *Viale Fiorello la Guardia (Villa Borghese) • Mapa D2 • Aberto 9h-19h ter-dom • Entrada paga • AD*

4 Santi Ambrogio e Carlo al Corso

Pietro da Cartona é o autor da tribuna, da cúpula e dos estuques nesta igreja do Barroco romano (1669). *Via del Corso 437 • Mapa N1 • Aberta 7h-19h diariam • Grátis*

5 Santa Maria dei Miracoli e Santa Maria in Montesanto

Carlo Fontana construiu estas igrejas "gêmeas" do século XVII. Na mais elaborada, Montesanto, a decoração foi orientada por Bernini. *Mapa D2 • Miracoli: Via del Corso 528; aberta 7h-12h30, 16h15-20h diariam. Montesanto: Via del Babuino 198; Aberta 6h30-20h seg-sáb, 11h15-12h dom • Grátis*

6 Estúdio de Canova

Note que as paredes do estúdio são incrustadas com fragmentos de estátuas. *Via del Babuino 150a • Mapa D2 • Aberto 8h-20h seg-sáb • Grátis*

7 Galleria Colonna

A galeria exibe trabalhos de Tintoretto, Lotto e Veronese. *Via della Pilotta 17 • Mapa N2 • Aberta 9h-13h15 sáb ou com hora marcada (06 678 4350) • Fechada ago • Entrada paga*

8 Porta del Popolo

Michelangelo inspirou-se no Arco de Tito para criar esta porta. *Piazza del Popolo • Mapa D2*

9 Casa di Goethe

As cartas de Goethe estão expostas aqui, onde ele morou de 1786 a 1788 *(p. 56). Via del Corso 18 • Mapa D2 • Aberta 10h- 18h diariam (visitas guiadas só a pedidos) • Entrada paga*

10 Santissimi Apostoli

Esta igreja do século VI d.C., reformada entre 1702 e 1708, tem uma abóbada trabalhada em *trompe-l'oeil* sobre o altar. *Piazza SS Apostoli 51 • Mapa N2 • Aberta 7h-12h, 16h-19h • Grátis*

Galleria Veneziani; Dott. Cesare Lampronti

TOP 10 Lojas de Arte e Antiguidades

1 Dott. Cesare Lampronti
Por mais que pareça um museu, esta galeria vende todos os trabalhos expostos. São naturezas-mortas, pinturas religiosas, composições mitológicas, cenas do cotidiano romano e estátuas neoclássicas datadas dos séculos XVI e XIX. *Via del Babuino 174-5 • Mapa D2*

2 Benucci
Arte e antiguidades que chegaram até nós e geralmente só são vistas em museus: Virgens romanas e florentinas do século XV com o Menino Jesus, obras de mestres como Luca Giordano e Fra Bartolomeo, além de móveis de madeiras nobres com incrustações em madrepérola. *Via del Babuino 150C • Mapa D2*

3 Galleria Veneziani
Esta grande galeria vende antiguidades de qualidade, que vão de móveis a óleos antigos, estátuas, vasos e *objets d'art* variados. Sem dúvida, merece uma visita. *Via Margutta 47 • Mapa D2*

4 Maurizio Grossi
Maurizio Grossi é especialista em mármores. Este é o lugar certo para comprar uma reprodução de um busto romano ou a escultura de uma fruta absolutamente fiel à original. *Via Margutta 109 • Mapa D2*

5 Alberto di Castro
Nesta loja vendem-se xilogravuras, litogravuras e outras impressões de 1660 até a década de 1920. *Piazza di Spagna 5 • Mapa D2*

6 Libreria Il Mare
Todos os livros e pôsteres desta loja têm como tema o oceano. Há também mapas e uma pequena seleção de instrumentos de navegação. *Via di Ripetta 239 • Mapa D2*

7 Galleria Antiquaria
A galeria guarda uma pequena seleção de obras de arte, entre esculturas, pinturas e *objets d'art*. *Via Margutta 67 • Mapa D2*

8 Monogramma Arte Contemporanea
Esta galeria contemporânea organiza exposições com o objetivo de apresentar artistas italianos para um público internacional. *Via Margutta 57 • Mapa D2*

9 Danon
Oferece tapetes orientais e decoração do século XVIII e começo do XX: há produtos persas, indianos, tibetanos e chineses. *Via Margutta 36-37 • Mapa D2*

10 La Bottega del Marmoraro
Sermões italianos gravados em pedaços de mármore ficam pendurados ao redor de uma típica oficina antiga. *Via Margutta 53B • Mapa D2*

Gucci; Giorgio Armani

TOP 10 Lojas de Grife

1 Giorgio Armani
Talvez o nome mais importante da moda italiana. O Emporio Armani da Via del Babuino vende várias coleções a preços mais baixos. A marca mais em conta, Armani Jeans, está na mesma rua, número 70A. ⊗ *Via dei Condotti 77 • Mapa D2*

2 Prada
É a mais cara das grandes marcas italianas. A butique de moda milanesa faz roupas minimalistas, levemente retrô. ⊗ *Via dei Condotti 92-5 • Mapa D2*

3 Gucci
O fabricante de selas florentino transformou sua habilidade com o couro em um dos primeiros sucessos da moda italiana. A onda dos fechos "G's" já passou, mas os acessórios ainda estão entre os objetos de desejo de muitos. ⊗ *Via dei Condotti 8 • Mapa D2*

4 Valentino
As coleções *prêt-à-porter* deste estilista romano ocupam o topo do alto escalão da moda desde que Jackie Kennedy e Audrey Hepburn vestiam suas roupas, na década de 1960. ⊗ *Via dei Condotti 15 • Mapa D2*

5 Ferragamo
O sapateiro das estrelas da Era de Ouro de Hollywood na década de 1950 não perdeu a mão, mas hoje produz modelos em série em vez de criar sapatos exclusivos. ⊗ *Via dei Condotti 73-4 • Mapa D2*

6 Gianni Versace
A casa que leva o nome deste estilista de moda não faz concessão aos modelos de corte extravagante e muito coloridos. ⊗ *Via Bocca di Leone 26/2 • Mapa D2*

7 Fausto Santini
Sapatos elegantes de modelos clássicos a preços estratosféricos. ⊗ *Via Frattina 120 • Mapa D2*

8 Fendi
Cinco irmãs ergueram este império da moda romana a partir da modesta oficina de seus pais e hoje dominam o mercado de casacos de pele na Itália. ⊗ *Largo Goldoni 420 • Mapa D2*

9 Philosophy di Alberta Ferretti
Roupas bem cortadas para mulheres que são a um só tempo femininas, fortes e modernas. ⊗ *Via Condotti 34 • Mapa D2*

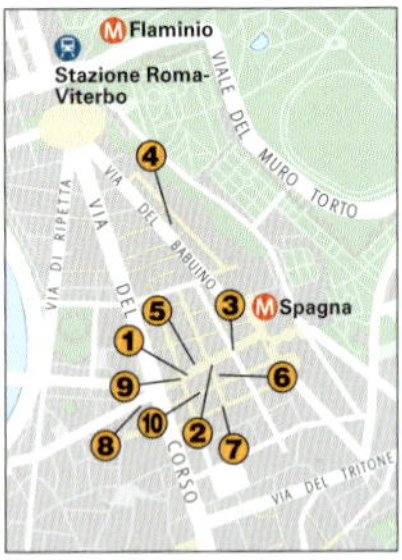

10 Laura Biagiotti
Esta estilista faz roupas elegantes para mulheres desde 1972. Nas roupas masculinas, ela introduziu um tipo de lã muito macia que lhe rendeu o apelido de "A Rainha do Cashmere". ⊗ *Via Mario de' Fiori 26 • Mapa D2*

Buccone; Profumum Durante

TOP 10 Lojas Especializadas

1 Il Discount dell'Alta Moda
Esta loja oferece, principalmente, roupas e acessórios para homens e mulheres. Os atendentes são muito prestativos. Os descontos chegam a 50% em etiquetas como Versace, Donna Karan, Armani, Dolce & Gabbana entre outras. ✆ *Via di Gesù e Maria 16A • Mapa D2*

2 Profumum Durante
Os aromas criados por esta luxuosa marca de perfumes incluem Açúcar, Água-Marinha e Âmbar. Prepare-se para esvaziar a carteira. ✆ *Via di Ripetta 10 • Mapa D2*

3 Buccone
Loja de vinhos histórica com uma grande variedade e preços excelentes. Vende também produtos especiais da culinária italiana. ✆ *Via di Ripetta 19-20 • Mapa D2*

4 Enigma
Esta loja da Bulgari oferece uma linha exclusiva de relógios e joias. ✆ *Via Margutta 61A • Mapa D2*

5 Vertecchi
É a principal papelaria de Roma: tem centenas de canetas (as mais originais são vendidas na loja ao lado, no nº 72), milhares de cadernos de todos os tipos e os melhores materiais artísticos. ✆ *Via della Croce 70 • Mapa D2*

6 C.U.C.I.N.A.
O lema desta loja que oferece o que há de melhor em utensílios para a cozinha é: "Como a cozinha pode inspirar novos apetites". ✆ *Via Mario de' Fiori 65 • Mapa D2*

7 Milluminalistinto
Objetos de design selecionados e acessórios para a casa podem ser encontrados neste empório do design, que também apresenta lindos abajures. ✆ *Via Angelo Brunetti 56*

8 Tebro
Fundada em 1867, esta loja de departamentos é especializada em roupas de cama, toalhas e lingerie luxuosas. Também oferece produtos sob medida. ✆ *Via dei Prefetti 46-54 • Mapa M1*

9 Giunti Kids
Grande livraria infantil com muitas obras em inglês, além de brinquedos educativos e artigos criativos de papelaria. Promove algumas leituras de livros. ✆ *Piazza Santi Apostoli 59A/65 • Mapa P3*

10 Ottica Efrati
Óptica que vende óculos escuros de grandes grifes como Armani, Prada, Gucci, Dior, Cavalli, D&G e Tom Ford. ✆ *Via del Corso 161 • Mapa N1*

Caffè Rosati; Babington's Tea Rooms

TOP 10 Cafés e Bares

1 Enoteca Antica
Deliciosos antipasti e vinho na taça servidos em uma animada casa à moda antiga. *Via della Croce 76b • Mapa D2*

2 Gilda
Bem no centro de Roma, um lugar para dançar que há muitos anos atrai vasta clientela. À noite é uma pizzaria com música ao vivo até a meia-noite. No fim de semana o couvert é muito caro, mas a casa está sempre lotada. *Via Mario dei Fiori 97 • Mapa D2*

3 Antico Caffè Greco
O melhor café literário de Roma desde 1760, famoso por ter sido frequentado pelos poetas românticos ingleses no século XIX *(p. 70)*. *Via Condotti 86 • Mapa D2*

4 Stravinsky Bar
O dry martini preparado com perfeição, a atmosfera de alta classe e o espaço ao ar livre no jardim encantador do Hotel de Russie fazem deste bar um dos mais exclusivos da cidade. *Via del Babuino 9 • Mapa D2*

5 Cinecafé Casina delle Rose
Situado no interior da Villa Borghese, este café serve bebidas e lanches leves que incluem saladas, sanduíches e alguns frutos do mar. *Largo Marcello Mastroianni 1 • Mapa E2*

6 Ciampini al Café du Jardin
Nada melhor do que tomar uma bebida e apreciar o pôr do sol neste café encantador. *Viale Trinità dei Monti • Mapa D2 • 06 678 5678 • Fechado nov-fev*

7 Caffè Rosati
Concorrente art nouveau do conservador Canova, do outro lado da praça, este café é há muito tempo o reduto dos intelectuais de esquerda *(p. 71)*. *Piazza del Popolo 4-5 • Mapa D2*

8 Caffè Canova
Na "trincheira" da direita na longa guerra entre os cafés da Piazza del Popolo, o *espresso* é mais barato, o sorvete é melhor e há um restaurante no andar superior (embora o Rosati seja mais refinado). *Piazza del Popolo 16-17 • Mapa D2*

9 Angelina a Trevi
Romântico café e bar montado no galpão de um jardineiro. Funciona desde o café da manhã até o jantar e utiliza apenas os ingredientes mais frescos. *Via Poli 27 • Mapa N1*

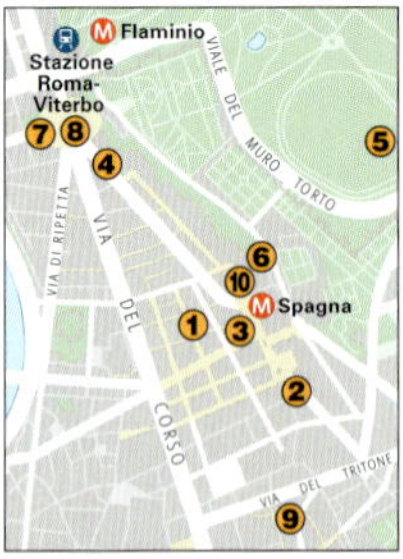

10 Babington's Tea Rooms
Bom lugar para um caro bule de chá e outras delícias. Criado em 1893 por uma dama de Derbyshire, era o ponto de encontro dos ingleses na época do Grand Tour. *Piazza di Spagna 23 • Mapa D2*

Veja mais sobre bares e locais para dançar nas ***pp. 78-9***

'Gusto

Categorias de Preço

Refeição para uma pessoa com três pratos, uma taça de vinho ou cerveja, impostos e serviço.		
	€	até €30
	€€	€30-40
	€€€	€40-50
	€€€€	€50-60
	€€€€€	acima de €60

TOP 10 Onde Comer

1 Fiaschetteria Beltramme (da Cesaretto)

Fregueses e turistas sentam-se ao redor de mesas comunitárias nesta *trattoria* tradicional a uma quadra da Scalinata di Spagna. ✆ *Via della Croce 39 • Mapa D2 • Fechada dom • Não aceita cartão de crédito • €*

2 Edy

Comida excelente e barata num bairro onde tudo é muito caro. A especialidade são os pratos romanos e frutos do mar. O toque são as mesas à luz de velas na calçada. ✆ *Vicolo del Babuino 4 • Mapa D2 • 06 3600 1738 • Fechado dom • €*

3 'Gusto

Dos mais atuais na cena gastronômica: combina restaurante, pizzaria e bar de vinhos tailandês *(p. 75)*. ✆ *Piazza Augusto Imperatore 9 • Mapa D2 • 06 322 6273 • €€€*

4 Antica Birreria Peroni

Cerveja excelente e comida boa e barata patrocinadas pela maior cervejaria da Itália. Não deixe de experimentar a deliciosa Nastro Azzurro *(p. 75)*. ✆ *Via San Marcello 19/Piazza SS Apostoli • Mapa N3 • 06 679 5310 • Fechada dom • €*

5 Oliver Glowig

Ingredientes da estação e técnicas culinárias modernas são a chave do sucesso de Oliver Glowig. Este restaurante de classe junto a uma piscina é um cenário à altura das obras-primas comestíveis desse célebre chef alemão. ✆ *Aldrovandi Palace, Via Aldrovandi 15 • 06 321 6126 • Fechado dom e seg • €€€€€*

6 Osteria Margutta

Jante à luz de velas neste restaurante romântico. Peça penne ao molho de vodca e salmão defumado. Excelente carta de vinhos. ✆ *Via Margutta 82 • Mapa D2 • 06 323 1025 • Fechado dom, seg para almoço • €€*

7 Hosteria St Ana

Amontoado de salas num porão forrado de fotos de clientes famosos. Culinária romana clássica. ✆ *Via della Penna 68-9 • Mapa D2 • 06 361 0291 • Fechado dom, seg para almoço • €€*

8 Al 34

Cardápios com ótimos preços e cozinha italiana das mais criativas. ✆ *Via Mario dei Fiori 34 • Mapa D2 • 06 679 5091 • Fechado seg A • €€*

9 Il Brillo Parlante

Restaurante popular sempre cheio, cuja atração são as enormes travessas de salada e as pizzas. ✆ *Via della Fontanella 12 • Mapa D2 • 06 324 3334 • €*

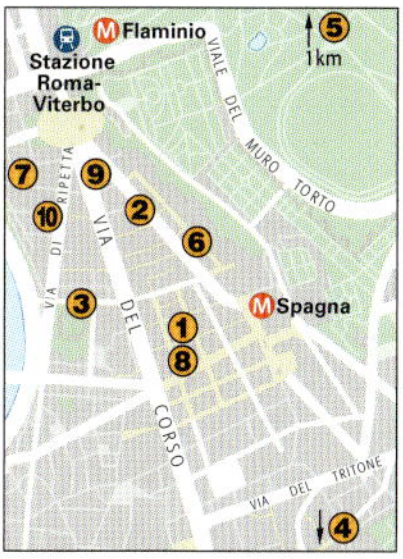

10 Mare

A pesca do dia, vinda do mar Tirreno, por perto, é preparada segundo métodos tradicionais. ✆ *Via di Ripetta 242 • Mapa D2 • 06 890 17481 • €€€*

Todos os restaurantes aceitam cartões de crédito e servem pratos vegetarianos, exceto quando há indicação do contrário

Cenários de San Teodoro

Roma Antiga

ESTA ÁREA SEMPRE FOI MARCADA PELO FORTE CONTRASTE *entre o superior e o inferior, entre o luxo mais extravagante e a rude vida do dia a dia. Antigamente, os palácios dos imperadores eram construídos no Palatino, mas eles não estavam muito longe do porto, onde os estivadores desembarcavam toneladas de produtos vindos das cidades mais ricas do mundo. Existem três montes nesta região: o Palatino e o Aventino são dois dos sete montes originais, mas o Testaccio é totalmente feito pelo homem. Diz a lenda que foi no Aventino que Remo formou uma colônia populista para rivalizar com o acampamento ditatorial de seu irmão, Rômulo* (p. 38). *Durante muitos séculos esta área foi habitada por trabalhadores pobres e instituições religiosas. Hoje, ela voltou a ser uma área verde de belas residências, com muitos tesouros artísticos escondidos, alguns dos principais monumentos antigos do planeta e preciosas descobertas arqueológicas.*

Capitel das Termas de Caracalla

TOP 10 Destaques

1. Fórum Romano e Monte Palatino
2. Coliseu e Fóruns Imperiais
3. Museus Capitolinos
4. Santa Sabina
5. Termas de Caracalla
6. Piazza dei Cavalieri di Malta
7. San Saba
8. Pirâmide de Caio Cestio
9. San Teodoro
10. Cemitério Protestante

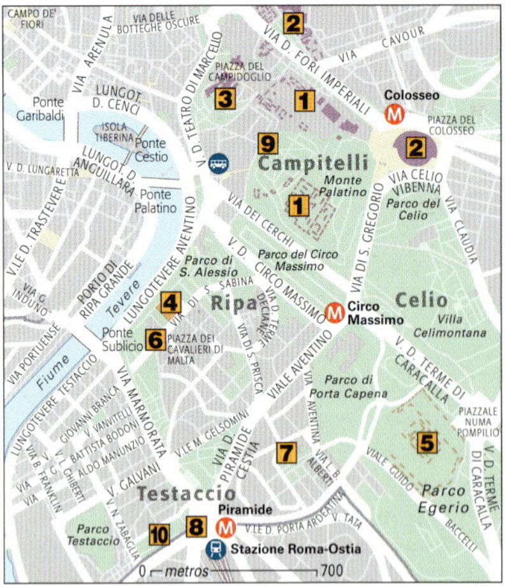

1 **Fórum Romano e Monte Palatino**
No local em que antes palpitava o coração do Império Romano, hoje há um amontoado de ruínas soltas na paisagem desolada, por onde circulam os fantasmas de uma antiga civilização *(pp. 16-9).*

2 **Coliseu e Fóruns Imperiais**
Estes monumentos preservam a memória da supremacia imperial. Na época, o Fórum de Trajano foi considerado uma das Maravilhas do Mundo; hoje, só o que resta dele é a Coluna de Trajano, representante do auge da arte escultural romana. O Coliseu incorpora a paixão dos antigos romanos pela diversão brutal *(pp. 22-3).*

3 **Museus Capitolinos**
Embora sejam de uma beleza indiscutível, a motivação original para a existência destes museus foi meramente política. Quando os papas criaram aqui o primeiro museu, em 1471, eles o fizeram para afirmar a autonomia cívica de Roma – o Palazzo dei Conservatori foi o trono dos irados conselheiros papais, que governavam a cidade "aconselhando" os senadores. Hoje abrigam uma espetacular coleção de arte *(pp. 24-7).*

4 **Santa Sabina**
Esta igreja foi erguida sobre o Templo de Juno Regina por volta de 425 para homenagear uma ma-

Santa Sabina

trona romana martirizada. A restauração em 1936-8 devolveu seu estado original, com exceção de alguns acréscimos do século IX, como os trabalhos cosmatescos e o campanário. Vinte e quatro colunas coríntias idênticas sustentam as arcadas com frisos de mármore; as janelas de selenita filtram a luz através de suas folhas; e as portas entalhadas de madeira de cipreste, do século V, têm dezoito painéis com cenas bíblicas, entre elas a Crucificação mais antiga de que se tem notícia – estranhamente, sem as cruzes. *Piazza Pietro d'Illiria 1 • Mapa D5 • Aberto 8h15-12h30, 15h30-18h diariam • Grátis • AD*

5 **Termas de Caracalla**
Inaugurados em 217, os banhos foram usados até 546, quando os invasores godos destruíram o aqueduto. Até 2 mil pessoas por vez podiam usar as luxuosas *thermae*. Em geral, os banhos roma-

Gymnasia das Termas de Caracalla

Leve uma garrafa de água que possa ser reabastecida nas pequenas fontes espalhadas pela área

nos tinham áreas sociais, galerias de arte, bibliotecas, bordéis e *palestrae* (áreas de exercícios). O banho constituia-se de uma sauna seca, outra a vapor, relaxamento e, por fim, um mergulho na água fria. Aqui foi encontrada uma coleção de esculturas antigas da família Farnese, entre elas um *Hércules* grego original com assinatura. Hoje ainda se veem as ruínas das salas individuais. *Via delle Terme di Caracalla 52 • Mapa E6 • Abertas 9h-14h seg, 9h até 1 hora antes do anoitecer ter-dom • Entrada paga • AD*

Pirâmide de Caio Cestio

6 Piazza dei Cavalieri di Malta

Todo mundo vem a esta praça espiar pela famosa fechadura de bronze, através da qual vê-se a Basílica de São Pedro emoldurada por um arvoredo uniforme *(p. 53)*. Não deixe de visitar também a praça do século XVIII decorada por Giambattista Piranesi, famoso pelas gravuras com fantasias da antiguidade. Em homenagem à antiga ordem dos cavaleiros cruzados (fundada em 1080), o arquiteto Piranesi decorou as paredes com obeliscos anões e armaduras. Os cruzados que ficavam sediados na ilha de Rodes, depois em Malta, hoje estão concentrados em Roma. *Mapa D5*

Divisões de Classes e Disputas pelo Poder

As lutas incessantes entre a classe governante e a dos trabalhadores estão tipicamente exemplificadas na história desta área. Rômulo no Palatino, contra Remo no Aventino deram origem aos patrícios e aos plebeus, respectivamente. Essas diferenças persistem até hoje, entre o rico Aventino e o pobre Testaccio.

7 San Saba

O que no século VII era um oratório de monges palestinos refugiados de seus locais de origem, hoje é uma igreja que foi renovada no século X e ganhou muitos acréscimos. O pórtico da bela *loggia* do século XV é um tesouro de fragmentos arqueológicos. Os adornos da ala central com três absides em estilo grego são principalmente cosmatescos *(p. 35)*. O afresco do século XIII que mostra São Nicolau atirando um saco de ouro a três jovens nuas, deitadas em uma cama, para tirá-las da prostituição, causa estranheza. *Piazza Gian Lorenzo Bernini 20 • Mapa E6 • Aberta 8h-12h, 16h-19h10 seg-sáb, 9h30-13h, 16h-19h30 dom e feriados • Grátis*

Escultura do pórtico de San Saba

Lanterna e binóculos são acessórios úteis para examinar de perto os detalhes das igrejas

8 Pirâmide de Caio Cestio

Esta pirâmide do século XII a.C. continua sendo um imponente monumento à rica Tribuna do Povo para a qual foi erguida. Tem 36m de altura e levou 330 dias para ser construída, pelo que se lê na inscrição entalhada em suas pedras. Diferente das pirâmides egípcias originais, esta é toda de tijolos e revestida de mármore, típica do pragmatismo dos romanos. *Piazzale Ostiense • Mapa D6*

9 San Teodoro

Aos pés do Palatino, esta pequena e circular igreja ortodoxa do século VI é um dos tesouros a ser descobertos em Roma. São Teodoro foi martirizado neste local e a igreja foi erguida sobre as ruínas de um grande *horrea* (armazém de grãos) que existia aqui. O mosaico da abside, com Cristo sentado sobre uma esfera, é original, mas a cúpula florentina (1454) e outros acréscimos são restaurações encomendadas pelo papa Nicolau V, no século XV. O pátio é de Carlo Fontana, de 1705. *Via di San Teodoro 7 • Aberta 9h30-12h30 dom-sex • Mapa P6*

Túmulo de Keats

10 Cemitério Protestante

Também é chamado de Cemitério Acattolico (não católico), pois pessoas das mais variadas crenças estão enterradas aqui desde 1738. Entre os famosos estão os poetas ingleses Keats e Shelley *(pp. 56-7)*. Até 1870, eram proibidas cruzes ou referências à vida eterna. *Via Caio Cestio 6 • Mapa D6 • Aberto 9h-17h ter-sáb, 9h-13h dom • Aceita doações*

Um Passeio Matinal pelo Parque

O parque que vai do monte Palatino até outro lado do Circus Maximus abriga igrejas antigas e outras joias. Comece pelo lado sul do Circus Maximus, hoje uma faixa de areia e mato que já foi uma majestosa pista de corrida, até os papas retirarem as pedras para construir seus palácios. Suba o monte até o **Jardim das Rosas** *(p. 60)*. Poucos lugares em Roma concentram tanta beleza na primavera e no verão. Continue seguindo o antigo muro para entrar no **Jardim das Laranjas** *(p. 60)*, de Parco Savello, e admirar a vista do parapeito. Ao lado está **Santa Sabina** *(p. 119)*. Use lanterna e binóculos para examinar as portas de madeira entalhada e a cena da Crucificação. Vá para a **Piazza dei Cavalieri di Malta**, de Piranesi, para espiar pelo famoso buraco da fechadura.

Desça pela sinuosa Via di Sant' Alessio até Viale Aventino e **San Saba**. Aprecie com calma o famoso afresco de São Nicolau na parede à esquerda. No **Parco della Resistenza dell'8 Settembre** *(p. 63)*, compre um gelato no café do parque e vá apreciar a **Muralha Aureliana** *(p. 152)*, do século III, em toda a sua extensão.

Caminhe pelo bonito **Cemitério Protestante**, eleve o pensamento diante dos túmulos de Shelley, Keats e amigos, pare para refletir sobre a esplêndida **Pirâmide de Caio Cestio** e, antes de sair, deixe a sua doação na caixa de coleta.

Uma excelente opção para o almoço é o **Volpetti** *(p. 125)*, onde você pode comer um delicioso sanduíche gourmet.

Nas páginas seguintes, **o monte Palatino**

Alpheus; L'Alibi

TOP 10 Casas Noturnas

1 Alpheus
No Alpheus há três pistas de dança, cada uma tocando um tipo diferente de música e com o próprio jardim. Às vezes tem programações especiais, além de noites temáticas e apresentações ao vivo. Na maioria das noites, está incluída uma dose de bebida no preço do ingresso. *Via del Commercio 36 • Mapa D6 • AD*

2 Rough Bar
É aqui que os ricos e famosos se encontram e tomam champanhe e vodca ao som ensurdecedor de house music. Há também algumas bandas interessantes ao vivo. Vale a pena aproveitar o farto bufê de aperitivo a partir das 18h30. *Via di Monte Testaccio 96 • Mapa D6*

3 Radio Londra
Antigo favorito de Roma para uma noite animada. Com tema inspirado na força aérea, esta barulhenta e agitada casa de rock'and'roll não só tem apresentações de bandas excelentes como serve uma ótima comida. *Via di Monte Testaccio 65B • Mapa D6 • AD*

4 L'Alibi
É a maior e a mais concorrida danceteria gay de Roma; tem várias pistas de dança, lounges e um grande terraço ajardinado para tomar um ar fresco nas noites de verão. *Via di Monte Testaccio 44 • Mapa D6*

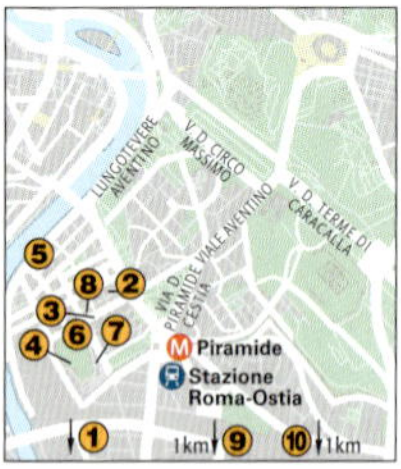

5 Villaggio Globale
O "Aldeia Global" ocupa parte de um antigo matadouro e oferece world music de qualidade e petiscos étnicos. Só abre no inverno. *Via di Monte Testaccio 22 • Mapa C6*

6 Akab
Cinema, exposições de arte e música variada atraem frequentadores de todas as idades. *Via di Monte Testaccio 68 • Mapa D6 • 06 5725 0585 • Fechado dom, seg*

7 Café de Oriente/Caruso
De vez em quando, a casa apresenta um grupo de samba brasileiro, mas o resto do tempo a música dançante com tempero latino garante a animação. *Via di Monte Testaccio 36 • Mapa D6 • AD*

8 Contestaccio
Um dos bares mais populares de música ao vivo, costuma apresentar talentos emergentes. *Via di Monte Testaccio 65B • Mapa D6*

9 Goa
No clube noturno mais animado de Roma, a clientela é abastada e os DJs estão entre os mais famosos do mundo. *Via Giuseppe Libetta 13 • Mapa D6*

10 Saponeria
Atrai sobretudo jovens de até 30 anos, e a música varia de pop a house. *Via degli Argonauti 20 • Mapa D6*

Categorias de Preço

Refeição para uma pessoa com três pratos, uma taça de vinho ou cerveja, impostos e serviço.

€	até €30
€€	€30-40
€€€	€40-50
€€€€	€50-60
€€€€€	acima de €60

Checchino dal 1887

TOP 10 Restaurantes Tradicionais

1 Checchino dal 1887
Este excelente restaurante romano oferece iguarias feitas com vísceras, como o rigatoni alla pajata (macarrão com intestino de vitelo). *Via di Monte Testaccio 30 • Mapa D6 • 06 574 6318 • Fechado dom, seg • €€€€*

2 Agustarello
Aqui, o padrão são os pratos pesados ao gosto romano. Prove a tripa, o coda alla vaccinara (rabo de boi), língua e outras receitas rústicas *(pp. 76-7)*. *Via G Branca 100 • Mapa D6 • 06 574 6585 • Fechado dom • Não aceita cartão de crédito • €*

3 Da Remo
Uma das tradicionais pizzarias locais. Autêntica, barata e sempre cheia. *Piazza S Maria Liberatrice 44 • Mapa D6 • 06 574 6270 • Fechada dom • €*

4 Volpetti
A melhor mercearia de Roma e o lugar certo para comer um sanduíche caprichado durante o dia ou encomendar um piquenique completo. *Via Marmorata 47 • Mapa D6 • 06 574 4306 • Fechado dom • €*

5 Felice
Esta trattoria simples e modesta é um dos melhores lugares da cidade para provar o tradicional carciofi alla romana *(p. 76)*. *Via Mastro Giorgio 29 • Mapa D6 • 06 746800 • €€€*

6 Osteria Degli Amici
Uma osteria tradicional, criada por dois amigos gourmet. Serve especialidades romanas em um ambiente muito agradável. *Via Zabaglia 25 • Mapa D6 • 06 578 1466 • Fechada ter • AD • €€*

7 Da Bucatino
Trattoria tradicional, exibe paredes forradas com painéis de madeira e mesas de madeira. A especialidade da casa é o bucatini all'amatriciana *(p. 76)*. O ambiente é barulhento, mas o serviço é rápido, como os romanos gostam. *Via della Robbia 84-86 • Mapa D6 • 06 574 6886 • Fechado seg • AD • €€*

8 Acqua e Farina?
No "Água e Farinha?" quase tudo que está no cardápio, da entrada à sobremesa, é feito com massa e receitas originais. *Piazza O Giustiniani 2 • Mapa C6 • 06 574 1382 • €*

9 Il Seme e la Foglia
Ótimo para saladas e sanduíches diferentes, como queijo de cabra, radicchio e azeite. *Via Galvani 18 • Mapa D6 • 06 574 3008 • Não aceita cartão de crédito • €*

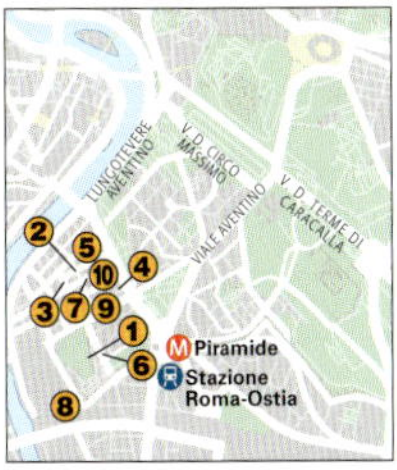

10 Né Arte né Parte
Os donos são dois astros da TV e no cardápio, clássicos como carbonara e cordeiro assado. *Via Luca della Robbia 15-17 D6 • 06 575 0279 • Fechado seg • €€*

Todos os restaurantes aceitam cartões de crédito e servem pratos vegetarianos, exceto quando há indicação do contrário

Mosaico em Santa Prassede; Nave da igreja Santi Giovanni e Paolo

Esquilino e Laterano

ANTIGAMENTE, A MAIOR DAS SETE COLINAS DE ROMA *era toda residencial e consistia basicamente de palacetes, onde morava a classe alta. A encosta oeste, atrás dos Fóruns Imperiais* (pp. 22-3), *concentrava a população mais pobre, e por isso era considerada insalubre – o grande muro que existia atrás dos Fóruns tinha a função de esconder a miséria. No século IV, porém, essa área tornou-se fundamental para a disseminação do cristianismo. Ao instituir a doutrina como a religião oficial, Constantino, que não ousava caminhar onde pés pagãos tinham pisado, construiu centros cristãos além dos muros da cidade, por cima de antigos cemitérios consagrados. O principal deles ficava onde hoje está a Igreja de San Giovanni in Laterano. Rapidamente surgiram outras igrejas, que culminaram na deslumbrante Santa Maria Maggiore, construída no século V. Até hoje essa região é caracterizada pela riqueza histórica e pela mística religiosa.*

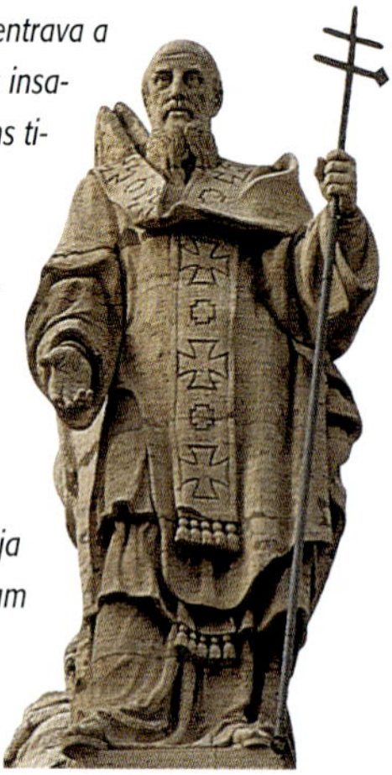

Estátua de San Giovanni in Laterano

Destaques

1. San Clemente
2. Palazzo Massimo alle Terme
3. Santa Maria Maggiore
4. San Giovanni in Laterano e Scala Santa
5. San Pietro in Vincoli
6. Casa Dourada de Nero
7. Santa Prassede
8. Santo Stefano Rotondo
9. Santi Giovanni e Paolo
10. Museu de Arte Oriental

1 San Clemente

As camadas arquitetônicas desta igreja elucidam a história de Roma, do século II a.C. ao século XV d.C. *(pp. 34-5).*

2 Palazzo Massimo alle Terme

Pela extraordinária coleção de afrescos, mosaicos e esculturas da antiguidade, talvez este seja o mais inspirador dos anexos do Museo Nazionale Romano. O edifício foi construído pela família Massimo no fim do século XIX e mais tarde abrigou um colégio jesuíta *(pp. 28-9).*

3 Santa Maria Maggiore

Esta basílica é uma rara mistura arquitetônica. A nave e seus mosaicos são originais do século V; os trabalhos cosmatescos, os mosaicos da abside e o campanário românico são medievais; o forro do teto em caixotões (com ouro do Novo Mundo) é renascentista; as cúpulas gêmeas e as fachadas da frente e de trás são barrocas. O papa Sisto V ergueu o obelisco egípcio em 1587 em função de um novo planejamento urbano que previa a criação de pontos de referência para os romeiros. A coluna da frente foi tirada da Basílica de Maxêncio e Constantino em 1615 *(p. 44).* *Piazza di S Maria Maggiore • Mapa F3 • Aberta 7h-19h diariam • Grátis*

Catacumba em San Clemente

4 San Giovanni in Laterano e Scala Santa

Esta volumosa construção barroca é um antigo complexo papal que abriga o primeiro batistério do mundo, cujo formato octogonal serviu de modelo para todos os demais. Em outro edifício da praça está a Scala Santa, que dizem ser a escada da casa de Pôncio Pilatos, pela qual Jesus subiu para enfrentar o julgamento – os devotos sobem os 28 degraus de joelhos. Segundo a tradição, a escada foi trazida de Jerusalém por Santa Helena, mãe do imperador Constantino *(p. 45).* *Piazza di S Giovanni in Laterano • Mapa F5 • Aberta 7h-18h45 diariam (claustros 9h-18h; batistério 7h-12h30, 15h-18h30; museu 10h-17h30); Scala Santa 6h15-12h, 15h-18h (15h-18h30 out-mar) diariam • Adm for cloisters diariam*

5 San Pietro in Vincoli

Nesta igreja, a experiência mais forte é o *Moisés* de Michelan-

Fachada de Santa Maria Maggiore

gelo. Com dois chifres na testa e um olhar fulminante, é como se a qualquer momento o indignado patriarca fosse atirar as tábuas dos mandamentos sobre o povo idólatra. Esta poderosa escultura foi uma das 40 planejadas pelo artista, mas jamais concluídas, para o túmulo do papa Júlio II *(p. 49)*. A igreja original do século IV foi construída para guardar as correntes que teriam sido usadas para prender São Pedro no calabouço. Desde então, foi reformada, primeiro no século VIII e novamente no século XV. *Piazza di S Pietro in Vincoli 4A • Mapa R4 • Aberta 8h-12h, 15h-19h diariam (8h-12h30, 15h-18h out-mar) • Grátis • AD*

Estátua de San Pietro in Vincoli

6 Casa Dourada de Nero

Os imperadores que o sucederam sentiram-se tão constrangidos com a extravagância desmesurada de Nero que não mediram esforços para destruir o que fosse possível. Uma das maneiras foi devolvendo parte das terras que Nero tomou para si ao povo romano. Os Flavianos drenaram o lago e ergueram o Coliseu *(p. 22)* para que o povo tivesse um lugar adequado para assistir às lutas de gladiadores. Depois, Trajano construiu o primeiro grande complexo de banhos de Roma por cima da casa em que Nero viveu *(p. 41)*. *Via della Domus Aurea • Mapa E4 • Visitas temporariamente suspensas para restauração • AD*

Fundação da Igreja

Esta área teve papel fundamental para o início do cristianismo. Embora o próprio Constantino não fosse um convertido convicto, sua mãe, Santa Helena, era infatigável na promoção da nova religião. Ela convenceu o filho a usar a antiga *villa* da família Laterani, que sua nora Fausta havia herdado, como sede oficial do Bispado de Roma.

7 Santa Prassede

A igreja foi construída no século IX sobre um oratório do século II, o qual ainda pode ser vislumbrado apesar das restaurações. Na nave central, uma laje de pedra cobre a boca do poço onde Santa Prassede teria enterrado 2 mil mártires. Artistas bizantinos decoraram a abside com mosaicos onde estão representados santos, cordeiros, palmeiras e papoulas. As paredes e abóbadas da Capela de São Zeno também têm mosaicos do mesmo período. Entre as relíquias, há um fragmento da coluna em que Cristo foi açoitado. *Via di S Prassede 9A • Mapa F4 • Aberta 7h30-12h, 16h-18h30 seg-sáb (a partir de 8h dom) • Grátis • AD*

8 Santo Stefano Rotondo

O formato incomum desta antiga igreja (468-83) talvez seja uma prova de que ela foi erguida na rotunda do *Macellum Magnum* (mercado de carnes) de Nero. Ou, talvez, que tenha sido inspirada na Igreja do Santo Sepulcro em Jerusalém. Seja como for, escavações recentes revelaram um Mithraeum soterrado *(p. 53)*. A igreja é um santuário agradável, distante do burburinho da cidade, e abriga afrescos do século XVI, de Niccolò Pomarancio, representando as mais sádicas formas de martírio. *Via di S Stefano Rotondo 7 • Mapa F5 • Aberta 9h30-12h30 diariam e 14h-17h inverno, 15h-18h ter-dom verão • Grátis*

9 Santi Giovanni e Paolo

Os dois santos que dão nome a esta igreja foram mártires no século IV. A casa em que eles viviam ainda pode ser vista sob a estrutura do século V. Eles foram decapitados aqui em 361 por ordem do imperador Juliano. Salvo o Barroco tardio em seu interior, boa parte da igreja é medieval. A estrutura que sustenta o campanário pertencia ao Templo de Claudio, do século I. *Piazzale SS Giovanni e Paolo 13 • Mapa E5 • Aberta 8h30-12h, 15h30-18h diariam (até 24h45 dom) • Grátis*

10 Museu de Arte Oriental

Uma coleção impecável do Oriente Médio e Extremo Oriente, na qual se destacam cerâmicas pré-históricas da Pérsia, pinturas tibetanas do século XVIII e o Ghand-haran, que são trabalhos budistas indianos do século III a.C. ao X d.C., cujas influências asiáticas e gregas se devem à conquista do que hoje é o Paquistão por Alexandre, o Grande. *Via Merulana 248 • Mapa F4 • Aberto 9h-14h ter, qua, sex; 9h-19h30 qui, sáb, dom e feriados • Entrada paga • AD*

Santo Stefano Rotondo

Visita às Igrejas Antigas

Manhã

Comece por **San Clemente** *(pp. 34-5)* e suas misteriosas camadas. Na camada inferior, use uma lanterna para apreciar o bonito afresco com a cabeça de um homem barbado.

Siga mais uma quadra até o mercado da **Via dei Santi Quattro Coronati** e ande por entre as bancas de frutas e verduras *(p. 69)*. Dobre à esquerda e suba a colina para a Santi Quattro Coronati, uma igreja preciosa e pouco visitada do século IV com afrescos notáveis na capela (1246). Siga até chegar a **San Giovanni in Laterano** *(p. 127)*. Os claustros com colunas retorcidas e incrustações de mosaico são inesquecíveis.

Para um almoço igualmente inesquecível, vá ao **Cannavota** *(p. 131)*.

Tarde

Terminado o almoço, chegou a hora de conhecer outra incrível basília, **Santa Maria Maggiore** *(p. 127)*. Olhe com atenção a coluna antiga que está na frente dela, e dentro examine com binóculos os mosaicos do século V que contornam a parte superior da nave. Por fim, vá para **Santa Prassede** e se comova diante dos mosaicos bizantinos mais radiantes de Roma e uma pintura fortíssima do Flagelo na sacristia.

Para finalizar o seu passeio, desça a colina, passe pela escadaria de Santa Maria Maggiore e tome uns drinques no **L'Angolo di Napoli** *(p. 131)*, até a hora de saborear uma deliciosa pizza napolitana.

Lanterna e binóculos são acessórios úteis para examinar de perto os detalhes das igrejas

Mercado da Via Mamiani; Mercado da Via Sannio

TOP 10 Lojas e Mercados

1 Mercado da Via Sannio
Neste mercado você encontra boas jaquetas de couro com ótimos preços. Há também muita etiqueta falsificada, roupas de segunda mão em bom estado e muito mais *(p. 69)*. *Mapa G5*

2 Mercado da Via Mamiani
Ingredientes e temperos exóticos, flores, roupas, malas, produtos de couro e vinho – você encontra tudo isso e muito mais neste grande mercado coberto *(p. 69)*. *Mapa F4*

3 Oviesse
Roupas bem-feitas a preços baixos, e uma grande oferta de cosméticos e artigos de toalete. Esta é a maior das muitas filiais da Oviesse em Roma. *Piazza Vittorio Emanuele 108-10 • Mapa F4*

4 Coin
Esta loja de departamentos vende roupas da moda a preços bem razoáveis. Oferece principalmente artigos de uso pessoal, sapatos e acessórios, mas também utensílios para a cozinha e móveis em geral. *Piazzale Appio 7 • Mapa G5*

5 MAS
A sigla corresponde a *"Magazzini allo Statuto"*. Fazer compras aqui é como garimpar em um grande bazar. Há toneladas de mercadorias empilhadas em cestos, a preços absurdamente baixos. Não deixe de olhar os utensílios domésticos no andar inferior. *Via dello Statuto 11 • Mapa F4*

6 Barrita Boutique
Aqui, os sapatos de couro feitos a mão valem o que custam. O estoque inclui botas, sapatos e bolsas de couro. Tem também um serviço para lacear as botas. *Via Appia Nuova 41 • Mapa G5*

7 UPIM POP
A filial mais cara e moderna desta rede de lojas de departamentos de categoria média. Tem marcas conhecidas de roupas, objetos de design para casa e produtos de uso corporal. *Via Gioberti 64 • Mapa F3*

8 Leam
Armazém de roupas ultramoderno com uma loja de fábrica no último andar que vende Prada e D&G. *Via Appia Nuova 26 • Mapa G5*

9 Pacific Trading
O único supermercado asiático em Roma vende massas tailandesas, temperos indianos e até sorvete filipino. *Via Principe Eugenio 17 • Mapa F4*

10 Teichner
Um paraíso de moda de estilistas. A parte de outlet vende com descontos itens da estação passada. *Via Appia Nuova 2 • Mapa G5*

Agata e Romeo

Categorias de Preço

Refeição para uma pessoa com três pratos, uma taça de vinho ou cerveja, impostos e serviço.		
	€	até €30
	€€	€30-40
	€€€	€40-50
	€€€€	€50-60
	€€€€€	acima de €60

TOP 10 Onde Comer

1 Agata e Romeo
O casal que dá nome à casa assume diferentes funções: ela é chef e ele maître d'. Peça o *menu degustazione* dos especiais do dia. Reservas obrigatórias *(p. 74)*. *Via Carlo Alberto 45 • Mapa F3 • 06 446 6115 • Fechado sáb almoço, dom, seg almoço • AD • €€€€€*

2 Pompi
Para muitos romanos, o melhor tiramisù da cidade é servido aqui. Há também bons sanduíches e lanches. *Via Albalonga 7B/9/11 • Mapa G6 • 06 700 0418 • €*

3 Cannavota
Um tradicional restaurante de bairro. Prove o risotto alla pescatora (com frutos do mar). *Piazza S Giovanni in Laterano 20 • Mapa F5 • 06 7720 5007 • Fechado ago • AD • €€*

4 Trattoria Monti
Simpático e intimista, este restaurante serve pratos criativos da região de Marcas. O tagliatelle con ragù é excelente, e o vinho da casa está acima da média. Recomenda-se fazer reservas. *Via di San Vito 13A • Mapa F4 • 06 446 6573 • Fechado seg, dom jantar, ago • €€*

5 F.I.S.H.
Os frutos do mar e a cozinha fusion são servidos por atendentes bilíngues. *Via dei Serpenti 16 • Mapa Q3 • 06 478 24 962 • Fechado ago, seg; A • €€€*

6 Al Maharajah
A especialidade deste elegante restaurante indiano são os pratos Tandoori. Também oferece cardápios fixos. *Via dei Serpenti 124 • Mapa Q4 • 06 474 7144 • AD • €€*

7 Hang Zhou
É, sem dúvida, a melhor comida chinesa da cidade, recomendada pelo guia gourmet *Gambero Rosso*. As filas na porta são longas, portanto, faça reserva. *Via Principe Eugenio, 82 • Mapa F4 • 06 487 2732 • AD • €*

8 Enoteca Cavour 313
Antigo bar de vinhos com clima de clube privé. Rótulos do mundo todo a escolher, bem como um cardápio bastante decente de saladas, massas, sanduíches e muito mais. *Via Cavour 313 • Mapa R4 • 06 678 5496 • Fechado dom no verão • €*

9 L'Angolo di Napoli
Venha almoçar num ambiente arejado com cara de cafeteria. Ótimo bufê de pratos frios e quentes. *Via Agostino Depretis 77A • Mapa E3 • 06 474 6866 • Fechado dom almoço, seg • €€*

10 Il Guru
Restaurante indiano elegante e diferenciado. A comida é preparada à moda do norte da Índia. *Via Cimarra 4/6 • Mapa R4 • 06 474 4110 • Fechado almoço • €€*

Todos os restaurantes aceitam cartões de crédito e servem pratos vegetarianos, exceto quando há indicação do contrário

Palazzo del Quirinale; Via Veneto

Quirinale e Via Veneto

UMA DAS COLINAS ORIGINAIS DE ROMA, *o Quirinale era principalmente residencial na época do Império, célebre pelos banhos e templos grandiosos. Na Idade Média, voltou ao estado primitivo de zona rural e somente no século XVI voltou a ser importante, quando o topo da colina foi requisitado para o novo palácio do papa. Em seguida, importantes famílias papais ergueram seus palacetes em toda a área, como os Barberini, os Corsini e os Ludovisi. O Palazzo del Quirinale passou por muitas transformações, mas a maior delas foi uma reforma que aconteceu depois de 1870. Os Ludovisi venderam o palacete de sua propriedade a empreendedores, e a Via Veneto e toda a área no entorno atraíram as classes abastadas de um país recentemente unificado. Este bairro transpira elegância e poder há muito tempo.*

TOP 10 Destaques

1. **Termas de Diocleciano e Aula Ottagona**
2. **Santa Maria degli Angeli**
3. **Santa Maria della Vittoria**
4. **Palazzo Barberini**
5. **Piazza Barberini**
6. **Via Veneto**
7. **Cripta e Museu dos Capuchinhos**
8. **Palazzo del Quirinale**
9. **Sant'Andrea al Quirinale**
10. **San Carlo alle Quattro Fontane**

Termas de Diocleciano

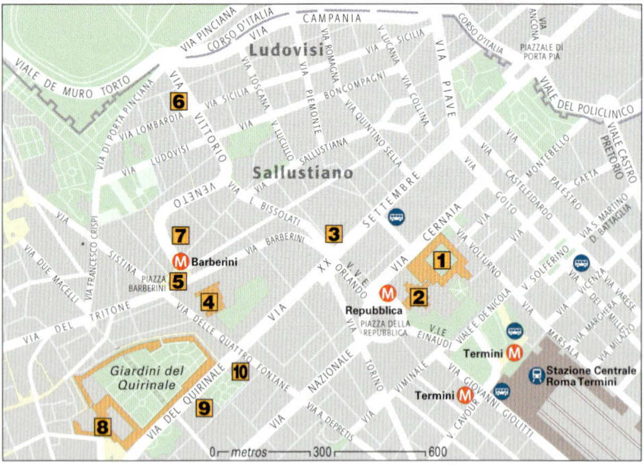

1 Termas de Diocleciano e Aula Ottagona

A principal coleção deste museu é dedicada a materiais mais acadêmicos, como inscrições e *stele* (pedras funerárias). Aula Ottagona são duas esculturas de bronze do século II de grande beleza, que estavam cuidadosamente escondidas 6m abaixo do piso do Templo do Sol, na encosta do Quirinale *(p. 40)*. *Termas de Diocleciano: Viale Enrico de Nicola 79 • Mapa F3 • Abertas 9h-19h45 ter-dom • Entrada paga • Aula Ottagona: via Romita, Piazza della Repubblica • Mapa F3 • 06 477 881 • Aberto apenas durante exposições*

2 Santa Maria degli Angeli

Em 1561, o papa contratou Michelangelo para transformar o vestíbulo central das Termas de Diocleciano, o *frigidarium* (sala de imersão fria), numa igreja. O resultado é este espaço imenso que dá uma ideia mais aproximada de como eram grandes estes banhos públicos. Ainda assim, a igreja final ocupa apenas metade do espaço original. Foi preciso que Michelangelo mandasse suspender o piso 2m, para usar as colunas antigas com 15m de altura, de granito vermelho e rosa, do modo como ele queria. *Piazza della Repubblica • Mapa F3 • Aberta 7h-18h30 seg-sáb, 7h-19h30 dom e feriados • Grátis • AD*

3 Santa Maria della Vittoria

A decoração desta extravagância barroca talvez possa ser considerada a mais rebuscada de Roma; a maior parte dela foi executada por Bernini e seus discípulos. O espaço menos dogmático é a Capela Cornaro à esquerda do altar, onde está o chocante *Êxtase de Santa Teresa (p. 49)*, de Bernini. *Via XX Settembre 17 • Mapa E2 • Aberta 8h30-12h, 15h30-18h diariam • Grátis • AD*

Santa Maria della Vittoria

4 Palazzo Barberini

Em 1949, o Estado italiano comprou o palácio residencial da família Barberini para abrigar uma parte da Galeria Nacional, que havia sido fundada em 1893 com a aquisição, também pelo Estado, do Palácio Corsini. Hoje, a coleção ultrapassa 1.700 telas, todas elas reunidas de coleções que pertenciam a outras famílias nobres, nos anos que se seguiram. Entre os trabalhos mais famosos destacam-se *Madona e o Menino*, de Filippo Lippi, a polêmica *La Fornarina* (a suposta amante de Rafael provavelmente foi pintada por Giulio Romano, seu discípulo favorito) e *Judite e Holofernes*, de Caravaggio *(p. 51)*. *Via delle Quattro Fontane 13 • Mapa Q1 • 06 32810 • Aberto 8h30-19h ter-dom • Entrada paga • AD*

Palazzo Barberini

Poder e Elegância

Desde o século XVI, o monte Quirinale é a mais pura expressão do poder e do domínio temporal de Roma: primeiro foram os papas, depois os reis e agora os presidentes da República. Desde o final do século XIX, a Via Veneto é testemunha dessa supremacia, do carisma e do glamour das grandes fortunas e de tudo o que o dinheiro pode comprar.

5 Piazza Barberini

Ela também poderia se chamar "praça das abelhas", símbolo da família Barberini (as moscas foram sabiamente promovidas quando eles se tornaram mais ricos). As fontes da praça, ambas de Bernini, exibem grandes versões entalhadas daqueles insetos, para que não reste dúvida sobre quem lhes patrocinou a criação. A figura central de um tritão soprando a concha é uma das mais fortes e memoráveis de Roma, feita com pedra travertina em tom de mel escuro. A outra é uma simples concha de vieira *(p. 47)*. *Mapa Q1*

6 Via Veneto

A rua com uma suave curva concentra inúmeros grandes hotéis da Belle Époque e cafés sob toldos nas calçadas. Ela foi palco do auge da *dolce vita,* nos anos 1950-60, quando as estrelas do cinema comiam, bebiam e posavam para os *paparazzi*. Hoje, infelizmente, o glamour limitou-se apenas aos turistas, mas qualquer um que visite Roma deve caminhar pelo menos uma vez à sombra das árvores desta rua memorável. *Mapa E2*

Fonte da Piazza Barberini

7 Cripta e Museu dos Capuchinhos

Se você aprecia coisas macabras, vai gostar deste lugar. E também se tiver estômago forte. Talvez o mais interessante neste intenso *memento mori* é a sua localização, nos subterrâneos daquela que era a mais sofisticada das ruas quando *la dolce vita* estava no auge *(p. 64)*. *Via Veneto 27 • Mapa E2 • Aberto 9h-19h diariam • Entrada paga • AD*

8 Palazzo del Quirinale

A mais alta das sete colinas de Roma, o Quirinale era também o enclave em que viviam as Sabinas *(p. 38)*. Hoje, o palácio exibe cópias romanas de originais gregos do século V a.C. dos Dioscuri em seus cavalos, com 5,5m de altura. O palácio sóbrio e imponente, o maior de Roma, foi construído em 1574 como residência de verão do papa, que fugia da epidemia de malária que rondava o Vaticano. Em 1870, tornou-se o palácio dos reis da Itália e, a partir de 1947, a residência e local de trabalho dos presidentes italianos. *Piazza del Quirinale • Mapa P2 • Aberto 8h30-12h maioria dos dom (jardins abertos ao público 2 jun, Dia da República Italiana) • Entrada paga • AD*

9 Sant'Andrea al Quirinale

Esta igreja representa a maturidade arquitetônica de Bernini. A construção, realizada entre 1658 e 1670, foi a única em que ele conseguiu exercer o total controle artístico. O grande espaço vazio precisava de um plano oval que compensasse a concavidade curva da entrada. O olhar é logo atraído para a elipse interior, onde elemen-

Sant'Andrea al Quirinale

tos canônicos se fundem com a decoração escultural numa harmonia elegante. O impacto é surpreendente para uma igreja tão pequena, embora enriquecida pelas colunas de mármore vermelho da Sicília. *Via del Quirinale 29 • Mapa Q2 • Aberta 8h30-12h, 15h30-19h seg-sáb, 9h-12h, 16h-19h dom • Aceita doações • AD*

10 San Carlo alle Quattro Fontane

A obra-prima de Borromini tem formas tão fluidas quanto só a arquitetura podia ter no século XVII. Ele preencheu o pequeno espaço da igreja com suaves ondulações e complexas inter-relações geométricas. Borromini conseguiu tornar imperceptível a linha que separa a arquitetura da escultura, criando um interior homogêneo sob a cúpula ovalada. *Via del Quirinale 23 • Mapa R2 • Aberto 10h-13h; 15h-18h seg-sex, 10h-13h sáb e dom. De manhã só jul-ago • Grátis • AD*

Uma das estátuas da Quattro Fontane

Passeio pelo Quirinale

Manhã

Comece pelo monte Quirinale (ou Monte Cavallo, pelas esculturas dos cavalos). Aprecie a imponência do **Palazzo del Quirinale**. Atravesse a praça para a Scuderie del Quirinale, onde as exibições são bem melhores. Continue andando pela Via del Quirinale e, em frente a um portão, veja o *tour de force* arquitetônico de Bernini, **Sant'Andrea al Quirinale**. Entre para ver os motivos marinhos que simbolizam André, o pescador.

Siga na direção de **San Carlo alle Quattro Fontane**, de Borromini, para admirar a cripta e o claustro magistrais. Duas quadras adiante, dobre à direita para ver **Aula Ottagona** *(p. 133)*. Os bronzes do *Príncipe* e do *Pugilista* são duas expressões do controle de poder.

Pegue a Via Bissolati no sentido da **Via Veneto**. Para almoçar no elegante **Gran Caffè Doney** *(p. 136)*, você passará por vários cafés, lojas e hotéis.

Tarde

Depois do almoço, vá ver a arquitetura da Belle Époque no **Excelsior Hotel** *(p. 171)*, especialmente a cúpula e as cariátides sexualmente ambíguas. E não deixe de visitar as salas de estar do fantástico hotel **Regina Baglioni** *(p. 170)*, que são o suprassumo do luxo e do bom gosto.

Depois de tanta riqueza, siga em frente para ver a fantasmagórica **Cripta e Museu dos Capuchinhos** e cair de cabeça na vida real. Encerre o dia passeando pela **Piazza Barberini** e admirando a maravilhosa Fontana del Tritone, de Bernini.

Café na calçada, Via Veneto; Café de Paris

TOP 10 Para Apreciar "La Dolce Vita"

1 Gran Caffè Doney
Um dos melhores lugares do mundo para se sentar sob as magnólias, beber um cappuccino e apreciar o movimento – embora seja principalmente de turistas, e não de celebridades de outras épocas *(pp. 70-1)*. *Via Veneto 145 • Mapa E2 • AD*

2 Café de Paris
Há muito tempo que este café é um marco da *dolce vita* nesta rua elegante. É um lugar mágico para tomar um *espresso* ou petiscar. *Via Veneto 90 • Mapa E2 • AD*

3 Harry's Bar
Um típico clube norte-americano: é o lugar certo para tomar um dry martini, usar um smoking e fumar um charuto, com piano-bar, restaurante com cozinha gourmet e um café com mesas ao ar livre. Esteja preparado para gastar muito. *Via Veneto 150 • Mapa E2*

4 La Terrazza dell'Eden
No topo do hotel que tem a preferência das celebridades, este bar-restaurante talvez ofereça a melhor vista de Roma. É perfeito para um jantar romântico ou qualquer ocasião especial *(p. 170)*. *Via Ludovisi 49 • Mapa E2*

5 Gran Caffè Roma
Localizado em uma rua elegante, com mesas ao ar livre aos pés de uma grande escadaria. Ótimo lugar para tomar um cappuccino sem pressa e ler o jornal. *Via Veneto 32 • Mapa E2 • AD*

6 Raphael
É simplesmente fabulosa esta coleção de sapatos, peças de couro e outros artigos de designer. *Via Veneto 96-98 • Mapa E2 • AD*

7 Brioni
Este lendário alfaiate italiano está aqui desde 1945. Seus ternos de talhe impecável foram usados nos filmes de James Bond. *Via Veneto 129 • Mapa E2 • AD*

8 Jackie O'
Pelo nome já se vê que era um bar e clube badalados nos anos 1960. Até hoje atrai estrelas internacionais. Ligue antes se você não for mundialmente famoso. *Via Boncompagni 11 • Mapa E2 • AD*

9 Hard Rock Café
Era inevitável que esta cadeia internacional escolhesse a Via Veneto para se instalar em Roma. Serve o básico norte-americano. *Via Veneto 62/A/B • Mapa E2 • AD*

10 Arion
Livraria independente especializada em livros de arte. Fica aberta até 21h aos domingos. *Via Veneto 42 • Mapa E2 • AD*

Supplì, Andrea

Categorias de Preço

Refeição para uma pessoa com três pratos, uma taça de vinho ou cerveja, impostos e serviço.

€	até €30
€€	€30-40
€€€	€40-50
€€€€	€50-60
€€€€€	acima de €60

TOP 10 Onde Comer

1 Café Veneto
Situado no coração desta famosa rua, aqui os clientes encontram elegância e pratos bem preparados. Entre as especialidades estão carnes de caça e trufas. *Via Veneto 120 • Mapa E2 • 06 482 7107 • Fechado seg • AD • €€€€€*

2 La Scala
Ambiente agradável, com painéis de madeira e claraboias com vitrais. Pratos inusitados como bombolotti spada e melanzane (canelones recheados com carne de peixe e abobrinha). Só jantar; reserve. *Via di S Isidoro 5 • Mapa E2 • 06 481 9264 • Fechado ter • €€€*

3 La Giara
Trattoria tradicional, charmosa e despretenciosa. O cardápio inclui mexilhões com Porto e curry. *Via Toscana 46 com Via Sardegna • Mapa E2 • 06 4274 5421• Fechado dom • AD • €€*

4 Colline Emiliane
Aqui, a especialidade é a culinária da Emília-Romanha, com destaque para uma variedade de pratos que levam prosciutto (presunto) e tortellini in brodo (pastelzinho de carne no caldo). *Via degli Avignonesi 22 • Mapa E2 • 06 481 7538 • Fechado dom almoço no verão, almoço e jantar inverno; ago • AD • €€€*

5 Andrea
Familiar e com um cardápio amplo. Comece pedindo o supplì (bolinho de arroz frito). *Via Sardegna 28 • Mapa E2 • 06 482 1819/474 0557 • Fechado sáb almoço, dom • AD • €€€€*

6 Trimani
Elegante bar de vinhos com cardápio completo de sopas, massas e carnes curadas. *Via Cernaia 37/B • Mapa F2 • 06 446 9630 • Fechado dom • AD • €€*

7 La Gallina Bianca
Esta pizzaria faz a típica pizza napolitana, com massa grossa. Por descansar mais tempo, a massa é muito leve. *Via a Rosmini 9 • Mapa F3 • 06 474 3777 • AD • Aberto diariam • €*

8 Dagnino
O melhor lugar de Roma para provar as tortas sicilianas, como a cassata (bolo de sorvete). *Via Vittorio Emanuele Orlando 75 e Via Torino 95 • Mapa E3 • 06 481 8660 • AD • €*

9 Sapori Sardi
Um restaurante agradável com pratos da Sardenha e licor de murta. *Via Piemonte 79 • Mapa E2 • 06 474 5256 • AD • €€*

10 Africa
Serve legumes e carnes apimentados com pão. *Via Gaeta 26 • Mapa F2 • 06 494 1077 • Fechado seg • AD • €*

Todos os restaurantes aceitam cartões de crédito e servem pratos vegetarianos, exceto quando há indicação do contrário

Afresco, Museo di Castel Sant'Angelo; Mosaico, Santa Maria in Trastevere

Trastevere e Prati

TRASTEVERE (O NOME SIGNIFICA "A OUTRA MARGEM DO TIBRE") *é a Rive Gauche de Roma, o bairro boêmio. Mais que qualquer outra parte da cidade, o antigo gueto da classe operária mantém seu caráter medieval, apesar de ser a região com mais restaurantes e uma animada vida noturna. O Borgo circunda o Vaticano; em suas ruas perfeitamente simétricas, destituídas de quaisquer atrativos, sucedem-se as lojas de suvenires religiosos e restaurantes ruins voltados para os turistas. O caráter medieval foi prejudicado quando Mussolini abriu a larga Via della Conciliazione, que leva à Basílica de São Pedro. Porém, ao norte do Borgo está Prati, um bairro de classe média, não turístico, um dos mais autênticos de Roma, criado no século XIX. Seus amplos bulevares, a Via Cola di Rienzo, Viale Giulio Cesare e Viale delle Milizie, concentram as lojas onde os romanos compram de artigos esportivos e produtos alimentícios importados até roupas, e onde se come o melhor calzone da cidade, saído direto do forno.*

Estátua, Ponte Sant'Angelo

TOP 10 Destaques

1. Vaticano
2. Basílica de São Pedro
3. Villa Farnesina
4. Santa Maria in Trastevere
5. Santa Cecilia in Trastevere
6. Jardins do Vaticano
7. Museo di Castel Sant'Angelo
8. San Francesco a Ripa
9. Gianicolo
10. Ponte Sant'Angelo

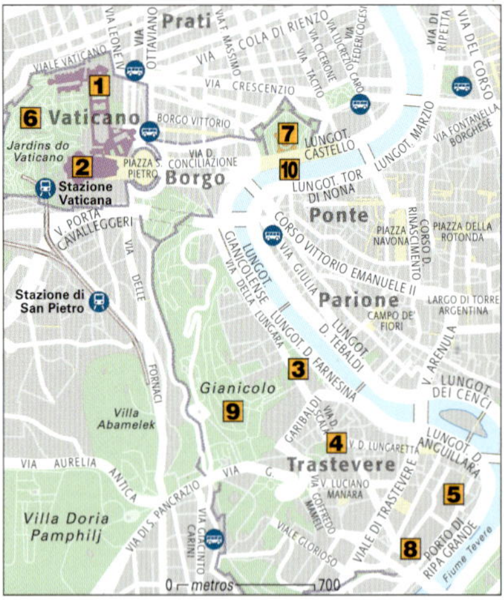

1 Vaticano

Um dos maiores complexos de museus do mundo, inclui a Capela Sistina, de Michelangelo, e as Salas de Rafael *(pp. 8-11)*.

2 Basílica de São Pedro

O centro do cristianismo é repleto de obras de Bernini e estátuas de Michelangelo e oferece vista panorâmica do alto da cúpula *(pp. 12-3)*.

3 Villa Farnesina

O palácio foi construído (1508-11) por Baldassare Peruzzi para o banqueiro papal Agostino Chigi, cujas festas se tornaram famosas pelas representações teatrais e os excessos cometidos por ele e seus convidados. Numa das salas Peruzzi pintou o horóscopo de Chigi no forro; em outra, Sebastiano del Piombo pintou cenas da *Metamorfose* de Ovídio, e Rafael, a sensual *Galatea*. No vestíbulo do andar superior a balaustrada em *trompe-l'oeil*, de Peruzzi, forma um contínuo com o jardim. Os grafites feitos por soldados de Carlos V em 1527 são hoje um vandalismo histórico protegido por vidros. Nos aposentos está a *Noite de núpcias de Alexandre, o Grande* (1517), de Il Sodoma *(p. 50)*. *Via della Lungara 230 • Mapa J5 • Aberta 9h-14h seg-sáb (9h-17h todo 2º sáb do mês) • Entrada paga*

Cúpula da Basílica de São Pedro

4 Santa Maria in Trastevere

A igreja mais antiga de Roma dedicada à Virgem foi fundada em 337 no mesmo local onde dizem ter brotado uma milagrosa fonte de óleo no dia em que Cristo nasceu. Esse milagre está representado nos fantásticos mosaicos *A vida da Virgem* (1291), de Pietro Cavallini, que revestem a metade inferior da abside. A atual igreja do século XII tem mosaicos do século XIII, 22 colunas desemparelhadas e um piso cosmatesco. Possui também um raro painel do século VII onde está representada a *Madonna della Clemenza*, numa capela à esquerda do altar-mor *(p. 45)*. *Piazza S Maria in Trastevere • Mapa K6 • Aberta 7h30-21h diariam • Grátis*

Estátua de Santa Cecília, em Santa Cecilia in Trastevere

O Tibre visto do Museo di Castel Sant'Angelo

5 Santa Cecilia in Trastevere

Diz-se que esta igreja foi construída sobre a casa da mártir Santa Cecília. Observe a pintura de Guido Reni mostrando sua decapitação. Sob os mosaicos da abside, do século IX, há um baldaquino (1293), de Arnolfo di Cambio, e uma estátua da santa (1600), de Carlo Maderno (ele viu o corpo dela intacto quando o túmulo foi aberto, em 1599). Toque a campainha na ala esquerda para ver a metade superior do Juízo Final (1289-93) de Pietro Cavallini, o único afresco do pintor que há em Roma. *Piazza di S Cecilia 22 • Mapa D5 • Aberta 9h30-13h, 16h-18h30 seg-sáb; 11h30-12h30, 16h-18h30 dom e feriados; afrescos abertos só manhã • Entrada paga para a cripta e afrescos*

6 Jardins do Vaticano

Os jardins são em estilo italiano do século XVI, com gramados, bosques, grutas e fontes. Entre as construções, há uma torre da rádio do Vaticano, projetada por Marconi em 1931, a sala de audiências (1971) em forma de concha de Pier Luigi Nervi, e a maneirista Casina de Pio IV (1558-61), que abriga a Pontifícia Academia de Ciências. *Viale Vaticano • Mapa A2 • Visitas diariam exceto qua e dom (06 6988 4676 ou www.vatican.va) • Entrada €31 (inclui Museus do Vaticano) • AD*

Santa Cecília

Cecília era uma patrícia romana e, secretamente, cristã. No ano 230 ela foi trancada por adversários políticos em uma sala de banhos a vapor durante três dias. Saiu cantando (por isso tornou-se a santa padroeira da música); eles então mandaram decapitá-la, mas os três golpes necessários falharam, e ela viveu ainda por três dias, convertendo centenas à sua fé.

7 Museo di Castel Sant'Angelo

Adriano projetou este grande túmulo em 123-39. Em 271, Aureliano cercou-o com as muralhas que construiu em torno da cidade *(p. 152)*. Este foi o castelo dos papas durante mil anos – um viaduto ligado ao Vaticano permitia que os papas se refugiassem aqui em épocas de crise. O nome foi dado por Gregório, o Grande, em 590, que viu o arcanjo Miguel anunciar do alto da torre o fim de uma epidemia. A visão é comemorada com a estátua de bronze do arcanjo brandindo a espada. O castelo abriga aposentos papais com afrescos renascentistas, uma coleção de armas e armaduras e oferece uma bonita vista de suas ameias. *Lungotevere Castello 50 • Mapa J1 • Aberto 9h-19h30 ter-dom • Entrada paga*

8 San Francesco a Ripa

Apesar das alterações feitas durante os períodos do Renascimento e Barroco, a igreja foi construída apenas doze anos após São Francisco ter se hospedado aqui, em 1219. Peça permissão ao sacristão para visitar a cela onde o santo dormiu e ver a cópia do seu retrato feito por Margaritone d'Arezzo. Na última capela à esquerda está a *Beata Ludovica Albertoni* (1671-4), de Bernini, em estado de êxtase religioso. A capela está em reforma. *Piazza di S Francesco d'Assisi 88 • Mapa C5 • Aberta 7h-9h, 14h-19h30 diariam • Grátis*

9 Gianicolo

A longa colina que separa Trastevere do Vaticano oferece belíssima vista de Roma *(p. 60)*. Os seus dois monumentos equestres celebram Garibaldi e sua mulher, Anita, sepultados aqui. *Mapa B4*

10 Ponte Sant'Angelo

Só restam três arcos da ponte construída por Adriano em 133-4. Clemente VII encomendou as estátuas de São Pedro (a Lorenzetto) e São Paulo (a Paolo Taccone) em 1534. Clemente IX contratou Bernini em 1688 para criar as estátuas dos dez anjos que portam os símbolos da Paixão. *Mapa J2*

Escultura de Bernini, San Francesco a Ripa

Um Dia em Trastevere

Manhã

Comece em **San Crisogono** *(p. 142)*; peça ao zelador para ver as escavações subterrâneas. Lá pelas 10h esteja em **San Francesco a Ripa** para ver a belíssima escultura de Bernini. Siga pela Via Anicia Antica, entre à direita na Via Madonna dell'Orto, à esquerda na Via di S Michele até chegar à **Santa Cecilia**. Explore a cripta e faça uma pequena doação às freiras para poder subir e ver os afrescos de Cavallini. Saia do pátio pelo lado esquerdo para entrar na Via di Genovesi, que levará à Viale Trastevere.

Atravessando a Piazza Santa Maria em Trastevere, entre à direita na Piazza S Egidio e, na bifurcação, entre à esquerda na Via della Scala. Passe por Santa Maria della Scala e pela Via della Lungara em direção à **Villa Farnesina** *(p. 139)*. Você chegará aqui antes do meio-dia, tempo suficiente para reservar 30 minutos para ver os afrescos. Dê um tempo em meio às plantas do **Orto Botanico** *(p. 142)*, e volte para o centro de Trastevere para comer uma pizza na **Dar Poeta** *(p. 148)*.

Tarde

Depois do almoço, percorra as coleções do **Museo di Roma in Trastevere** *(p. 142)*, visite a igreja medieval de **Santa Maria in Trastevere** *(p. 139)* e suba pela Via Garibaldi para espiar através da grade o Tempietto de Bramante no pátio de **San Pietro in Montorio** *(p. 142)*. Ou passe a tarde caminhando pelas ruelas medievais até chegar a hora do jantar, quando Trastevere se transforma numa festa.

Palazzo Corsini; Ponte Rotto

TOP 10 Outras Atrações

1 San Pietro in Montorio
Bramante desenhou este minitemplo para marcar o local em que São Pedro teria sido crucificado. *Piazza San Pietro in Montorio 2 • Mapa C4 • Igreja: aberta 8h-12h, 15h-18h diariam. Templo: aberto 9h30-12h30, 14h-16h30 ter-sáb • Grátis*

2 Palazzo Corsini
Abriga uma pequena coleção de pinturas com trabalhos de Fra Angelico, Van Dyck, Ticiano, Rubens e Caravaggio. *Via della Lungara 10 • Mapa J5 • Aberto 8h30-19h30 ter-dom • Entrada paga*

3 Ilha Tiberina
Dizem que a serpente do deus da medicina, Esculápio, saltou do navio e nadou até a margem da ilha em 293 a.C. A maternidade de Roma ainda funciona aqui. *Mapa M6*

4 Orto Botanico
Os belos jardins do Palazzo Corsini são hoje o museu botânico da Universidade de Roma. *Largo Cristina di Svezia 24 • Mapa J5 • Aberto abr-out: 9h-18h30; nov-mar: 9h-17h30 seg-sáb • Entrada paga • AD*

6 Santa Maria della Scala
Encantadora igreja do Renascimento cuja fama se deve à *Virgem e o Menino Jesus* de Cavalier d'Arpino (mestre de Caravaggio). *Piazza S Maria della Scala 23 • Mapa K6 • Aberto 9h-12h, 15h30-18h diariam • Grátis*

7 Fontana Paola
Esta grande bacia no final do aqueduto Paola é o cenário preferido para fotos de casamento. *Mapa B5*

8 Villa Doria Pamphilj
O maior parque público de Roma foi criado em 1644-52 por Camillo Pamphilj. Excelente local para piqueniques *(p. 62)*. *Via di S Pancrazio • Mapa B5 • Aberto do amanhecer ao anoitecer, diariam • Grátis • AD*

9 Museo di Roma in Trastevere
Ocupando um antigo convento lindamente restaurado, o museu abriga algumas salas com dioramas em tamanho natural sobre a Roma Antiga e lojas. *Piazza di S Egidio 1b • Mapa K6 • Aberto 10h-20h ter-dom • Entrada paga*

5 Ponte Rotto
A primeira ponte de pedra de Roma (181-142 a.C.) ruiu em 1598. Restaram três arcos até 1886, quando dois deles foram destruídos para dar lugar à ponte Palatino (*rotto*, em italiano, significa "quebrado"). *Mapa N6*

10 San Crisogono
A fachada de 1626 é uma cópia da medieval. No interior, há 22 colunas antigas e escavações da basílica do século V. *Piazza S Sonnino 44 • Mapa L6 • Aberta 7h-11h30, 16h-19h30 seg-sáb, 8h-13h, 16h-19h30 dom • Entrada paga*

COIN; Polvere di Tempo

TOP 10 Lojas

1 COIN
É nesta loja de departamentos que os romanos compram roupas para a volta às aulas, utensílios de cozinha, artigos de papelaria, objetos para a casa e muito mais. Tem também um supermercado no subsolo com muita oferta de produtos. *Via Cola di Rienzo 173 • Mapa C2*

2 Franchi
Uma das melhores mercearias da cidade, muito frequentada na hora do almoço e também à noite por seus calzone fritos e assados (pizza fechada e recheada). As filas de moradores começam a se formar às 17h. *Via Cola di Rienzo 200 • Mapa C2*

3 Castroni
O templo gastronômico de Roma desde 1932 é repleto de produtos culinários especiais, preparados ou empacotados, vindos de países do mundo todo, como Japão, Grécia, Índia, China e Oriente Médio. *Via Cola di Rienzo 196 • Mapa C2*

4 Energie
Nesta loja você encontra todas as novidades que aparecem no mundo da moda jovem italiana, de jeans a roupas e sapatos mais descolados para ambos os sexos. *Via Cola di Rienzo 143 • Mapa C2*

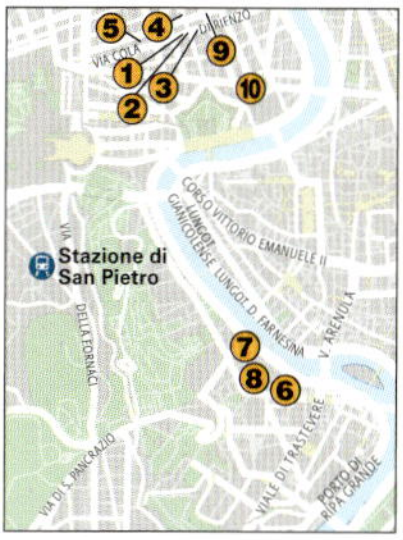

5 Peroni snc
De fôrmas a termômetros para chocolate, uma seleção incrível de acessórios para bolos e tortas, além de outros utensílios para cozinha. *Piazza dell'Unità 16/17*

6 L'Artigianino
Os preços para carteiras, bolsas e cintos de couro puro da L' Artigianino vão de €5 a €200. A maioria tem estilo colorido, mas também há peças mais tradicionais. *Vicolo del Cinque 49 • Mapa C4*

7 Il Picchio
Adoráveis criações em madeira, entre brinquedos e objetos para a casa, todos feitos à mão e pintados um a um pelo próprio dono. *Via del Moro 46 • Mapa K6*

8 Polvere di Tempo
Marcadores de tempo não mecânicos, como ampulhetas, relógios de sol, relógios de vela e astrolábios. Tudo é feito pelo proprietário. *Via del Moro 59 • Mapa L6*

9 Sabon
Luxuosos sabonetes, velas e produtos de beleza feitos com ingredientes naturais. *Via Cola di Rienzo 241 • Mapa C2*

10 Costantini
Esta adega tem uma seleção de vinhos a preços razoáveis. *Piazza Cavour 16 • Mapa C2*

Nas páginas seguintes, **Basílica e Praça de São Pedro** (pp. 12-3)

IN HONOREM PRINCIPIS APOST PAVLVS V BVRGHESIVS ROMANVS PONT MAX

Ombre Rosse; Freni e Frizioni

TOP 10 Pubs, Cafés e Bares

1 Ombre Rosse
Não há quem não se sinta à vontade nesta casa, que é um polo da vida noturna de Trastevere. Não bastasse o ambiente agradável, ainda tem mesas na praça no verão. *Piazza S Egidio 12-13 • Mapa K6*

2 Freni e Frizioni
Uma antiga oficina mecânica foi transformada em bar de aperitivo chique com serviço de bufê no verão. O bar avança sobre um pátio ao ar livre. *Via del Politeama 4 • Mapa K5*

3 Bar San Calisto
Um tranquilo bar de bairro. Aqui, os moradores jogam cartas, leem jornais e ouvem as últimas novidades. Ambiente agradável e bebidas a preços razoáveis. *Piazza San Calisto • Mapa K6*

4 Caffè delle Arance
Caríssimo e com garçons mal-humorados, mas com uma localização privilegiada na "sala de visitas" de Trastevere, a Piazza Santa Maria. A spremuta (suco de laranjas espremidas na hora) é sua especialidade. *Piazza S Maria in Trastevere 2 • Mapa K6*

5 Big Hilda Café
Esta simpática casa movida a rock'n'roll não só tem bebidas baratas como serve sanduíches e saladas de qualidade. *Vicolo del Cinque 33-4 • Mapa K6*

6 Friends
O bar e o restaurante, em forma de semicírculo, parecem abraçar os fiéis frequentadores de Trastevere. O cardápio do restaurante tem pratos criativos e o bar serve ótimos sanduíches. *Piazza Trilussa 34 • Mapa K6*

7 Enoteca Trastevere
Bar de vinhos finos, com muita madeira escura do lado de dentro e mesas do lado de fora voltadas para uma rua de pedras antigas. Serve petiscos e coquetéis. *Via della Lungaretta 86 • Mapa L6*

8 Roma Caput Mundi
Este famoso pub irlandês fica em uma esquina de grande movimento. Os moradores costumam pedir uma dose de Kilkenny ou Harp ou esticar a noite. *Via Luciano Manara 64 • Mapa K6*

9 Il Baretto
Este bar de aperitivos tem um atraente ambiente antigo. Os ótimos drinques e shows ocasionais fazem deste local um concorrido ponto de encontro entre os moradores da região. *Via Garibaldi 27G • Mapa C4*

10 Mr Brown
Bar em estilo inglês muito popular, com tema vagamente esportivo. É o ponto de encontro dos ingleses. *Vicolo del Cinque 29 • Mapa K6*

Big Mama; Alexanderplatz

TOP 10 Música ao Vivo

1 Alexanderplatz
Embora esteja em Prati, um pouco mais distante da badalação, não há em Roma melhor lugar para ouvir jazz. Winton Marsalis, Lionel Hampton, George Coleman e muitos outros músicos internacionais já se apresentaram aqui *(p. 78)*. *Via Ostia 9 • Mapa B1*

2 Big Mama
É a casa de blues mais autêntica de Roma, onde os nomes já consagrados são programados e os menos conhecidos dão canja. Só abre suas portas para apresentações ao vivo *(p. 78)*. *Vicolo S Francesco a Ripa 18 • Mapa C5*

3 Akbar
Os móveis descoordenados e a decoração alegre refletem o espírito boêmio. Cappuccinos são servidos em refinadas xícaras de porcelana. Abre o dia todo e tem música ao vivo nos fins de semana. *Piazza in Piscinula 51 • Mapa M6*

4 Saxophone Pub
Bar em estilo inglês muito agradável, próximo ao Vaticano, serve comida simples e bem-feita, além de saladas e sanduíches. Ambiente amigável; jazz e blues no aparelho de som e canja de bandas locais. *Via Germanico 26 • Mapa B1*

5 Four Green Fields
No piso superior há um pub com toques britânicos, e no porão rola música ao vivo à noite. *Via C Morin 42 • Mapa B1*

6 Fonclea
Inaugurada em 1977, esta histórica casa de música fica perto da Piazza del Risorgimento e apresenta grupos ao vivo com estilos variados, do jazz ao soul, do funk ao rock. Os clientes podem tomar uma bebida no bar ou comer no restaurante, com sistema de bufê. *Via Crescenzio 82 • Mapa B2*

7 Birreria Trilussa
Cerveja e pratos simples são servidos até de madrugada, e em algumas noites há música ao vivo. Ambiente agradável e tradicional. *Via Benedetta 19 • Mapa K6*

8 The Place
Sempre tem um músico no palco, seja um improviso de jazz, seja a apresentação de um cantor. *Via Alberico II 29 • Mapa B2*

9 Caffè della Scala
Um bar descontraído que serve coquetéis fortes e uma grande variedade de grapa. De vez em quando, tem música ao vivo. *Via della Scala 4 • Mapa K6*

10 Lettere Café
Aqui os livros são a atração, mas algumas noites são dedicadas à música de raiz. *Via S. Francesco a Ripa 100 • Mapa C5*

Da Augusto; Pizzeria da Ivo

TOP 10 Restaurantes Acessíveis

1 Da Augusto
Esta é uma antiga osteria de Trastevere, onde as mesas ainda são de madeira e o cardápio é o tradicional. *Piazza de' Renzi 15 • Mapa K6 • 06 580 3798 • Não aceita cartão de crédito • €*

2 Il Rugantino
Uma das mais antigas trattorias de Trastevere, com agradável área ao ar livre e vista para a piazza. Serve culinária romana tradicional. *Via della Lungaretta 54 • Mapa K6 • 06 581 8517 • €€*

3 La Tana dei Noantri
O extenso cardápio que promete a melhor culinária romana inclui penne arrabbiata (massa com molho picante). *Via della Paglia 1-3, fora da Piazza Santa Maria in Trastevere • Mapa K6 • 06 580 6404 • Fechado ter • €€*

4 Pizzeria da Ivo
Ter o futebol como tema e a casa sempre cheia são as características desta pizzaria, uma das favoritas de Roma *(p. 72)*. *Via S Francesco a Ripa 158 • Mapa C5 • 06 581 7082 • Fechada no jantar, ter • €*

5 Sorpasso
Serve cozinha mediterrânea e tem um balcão no qual se encontram delícias para um piquenique. Atmosfera descontraída. *Via Properzio 31-33 • Mapa B2 • 06 890 24554 • Fechado dom • €*

6 Pizzeria dar Poeta
Faz uma pizza romana inovadora, com a massa um pouco mais grossa *(p. 72)*. *Vicolo del Bologna 45-6 • Mapa K6 • 06 588 0516 • €*

7 Osteria dell'Angelo
O Angelo prepara excelentes pratos romanos tradicionais a preços atraentes. A taxa de serviço é de 15%. Reserve com alguma antecedência. *Via G Bettolo 24 • Mapa B1 • 06 372 9470 • Fechado no almoço (exceto seg e sáb), dom • €*

8 Pizzeria da Vittorio
Ótima pizza napolitana, antipasti e um salão decorado com fotos de clientes famosos fazem desta pizzaria uma das melhores da cidade *(p. 73)*. *Via S Cosimato 14A • Mapa K6 • 06 580 0353 • €*

9 Bir & Fud
Mais de cem marcas de cerveja, deliciosos petiscos fritos e as pizzas de massa grossa e crocante feitas com os melhores ingredientes explicam a popularidade desta pizzaria. *Via Benedetta 23 • Mapa K5 • 06 589 4016 • Fechada seg-qua almoço • €€*

10 Meridionale
Restaurante informal e moderno, com receitas do sul da Itália, como salmão com pistache ou peixe à parmegiana. Fica aberto até tarde da noite. *Via dei Fienaroli 30A • Mapa K6 • 06 589 7196 • Fechado seg • €€*

Il Matriciano

Categorias de Preço

Refeição para uma pessoa com três pratos, uma taça de vinho ou cerveja, impostos e serviço.		
	€	até €30
	€€	€30-40
	€€€	€40-50
	€€€€	€50-60
	€€€€€	acima de €60

TOP 10 Restaurantes Sofisticados

1 Sabatini
Cozinha romana e frutos do mar no restaurante favorito de Fellini. Reserve sua mesa na praça principal *(p. 74)*. *Vicolo di Santa Maria in Trastevere 18 • Mapa K6 • 06 581 2026 • €€€€€*

2 Ferrara
Ambiente moderno com decoração minimalista, mesas no pátio e cardápio criativo harmonizado com uma notável seleção de vinhos. *Via del Moro 1a • Mapa K6 • 06 580 3769 • Fechado seg-qua almoço • €€€€*

3 Sora Lella
Teto baixo com vigas de madeira e culinária romana clássica definem este restaurante na ilha Tiberina (só não dá vista para o rio). A comida é excelente, mas as porções são módicas para os padrões italianos. *Via Ponte Quattro Capi 16 • Mapa M6 • 06 686 1601 • €€€€€*

4 Taverna dei Mercanti
Aprecie à luz de velas as pizzas e os pratos romanos de alta qualidade deste restaurante muito romântico e rústico, localizado em um edifício histórico. *Piazza de' Mercanti 3A • 06 588 1693 • €€*

5 Antico Arco
Criativa e moderna cozinha italiana servida no monte Gianicolo. *Piazzale Aurelio 7 • Mapa B5 • 06 581 5274 • €€€€*

6 Il Ciak
Excelentes receitas de caça entre muitas delícias oferecidas nesta *trattoria* toscana. *Vicolo del Cinque 21 • Mapa K6 • 06 589 4774 • Fechada seg-sáb almoço • €€*

7 La Gensola
La Gensola esbanja charme num ambiente clássico, porém informal. A cozinha é principalmente siciliana e baseada em peixes *(p. 74)*. *Piazza della Gensola 15 • Mapa M6 • 06 581 6312 • Fechado dom no verão • €€€€*

8 Il Matriciano
Executivos e diretores de cinema de Cinecittà frequentam este restaurante em Prati. *Via dei Gracchi 55 • Mapa C2 • 06 321 3040 • Fechado qua (no inverno), sáb (no verão) • €€€*

9 La Pergola
Vista da cidade e cozinha de um renomado chef internacional – talvez a melhor experiência gastronômica de Roma *(p. 74)*. *Rome Cavalieri Hilton Hotel, Via Alberto Cadlolo 101 • 06 3509 2211 • Aberto apenas no jantar, fechado dom e seg • €€€€€*

10 Taberna de' Gracchi
A casa de Dante Mililli é moderna, mas o espírito é o da velha Roma com toques atuais. *Via dei Gracchi 266-8 • Mapa C2 • 06 321 3126 • Fechada dom • €€€€€*

Todos os restaurantes aceitam cartões de crédito e servem pratos vegetarianos, exceto quando há indicação do contrário

Coliseu Quadrado, EUR; Via Appia Antica

Fora do Centro

AS MURALHAS AURELIANAS DO SÉCULO III, *que ainda hoje se mantêm parcialmente intactas, serviram para defender a cidade durante 1.600 anos, até a Unificação da Itália, em 1870. Depois disso, foram perfuradas em vários pontos para permitir que o tráfego de veículos atravessasse suas antigas portas e a cidade moderna se expandisse em todas as direções. Não se pode negar que as grandes atrações de Roma estejam dentro de seus muros, mas este outro lado esconde surpresas espetaculares. Estradas e até mesmo uma cidade antiga inteira, bem como algumas das igrejas mais remotas de Roma, místicas catacumbas e até as pretensiosas contribuições de Benito Mussolini à arquitetura são motivos suficientes para você se aventurar além do centro da cidade.*

Mosaico da abside, Sant'Agnese fuori le Mura

TOP 10 Destaques

1. Ostia Antica
2. San Paolo fuori le Mura
3. EUR
4. Via Appia Antica
5. Catacumbas
6. Centro de Arte Montemartini
7. Auditorium Parco della Musica
8. MAXXI Museu de Arte Contemporânea
9. Foro Italico e Stadio dei Marmi
10. Sant'Agnese fuori le Mura e Santa Costanza

1 Ostia Antica

O centro de comércio da Roma Antiga tem ruínas fascinantes que remetem ao cotidiano da cidade *(pp. 36-7)*.

Fachada de San Paolo fuori le Mura

2 San Paolo fuori le Mura

A segunda maior igreja de Roma tem uma história de altos e baixos violentos. Ela foi construída por Constantino no século IV, no exato local em que São Paulo estava enterrado, e durante 400 anos foi a maior igreja da Europa, até ser saqueada por sarracenos em 846. Foi reconstruída, mas por estar fora dos muros, ficou esquecida até meados do século XI, quando ganhou uma renovação completa. Em 1823 sofreu um incêndio e após a reforma ficou como a vemos hoje *(p. 45)*.

Via Ostiense 190 • Metrô Basilica S Paolo • Aberta 7h-19h diariam • Grátis

3 EUR

Organizada por Mussolini como uma vitrine de uma metrópole facista ideal, a EUR (l'Esposizione Universale di Roma) incomodou muitos visitantes. O crítico Robert Hughes descreveu o Coliseu Quadrado como "o prédio mais feio que existe", embora a sua estética tenha servido de inspiração para muitos arquitetos do pós-guerra. Hoje a área engloba residências e empresas, assim como um parque com um lago e o aquário de Roma *(p. 65)*

Metrô EUR Palasporte e EUR Fermi

4 Via Appia Antica

Appius Claudius, o mesmo arquiteto que construiu o primeiro aqueduto de Roma, terminou a "Rainha das Estradas" em 312 a.C. A parte mais rural começa no túmulo circular de Cecilia Metella, que foi contruído dentro de uma fortificação da Idade Média. Se você começar por aqui, verá não apenas outros fragmentos de túmulos como ovelhas pastando e os portões particulares de belos palacetes modernos. Seguindo para leste, verá os arcos de um aqueduto antigo alinhados na direção da cidade *(p. 61)*.

Ônibus 118, 218

5 Catacumbas

Os túneis sepulcrais dos primeiros cristãos de Roma são como casas de abelha sob as estradas consulares, especialmente ao longo da Via Appia Antica. Esses nichos tumulares são cavados no interior da tufa. Essa pedra vulcânica nos subterrâneos de Roma não só é adequada para a escavação de túneis como fica ainda mais maleável se exposta ao ar, para enrijecer em seguida. Há restos preciosos de afrescos gravados nas placas de mármore *(p. 52)*.

Túmulo na Via Appia Antica

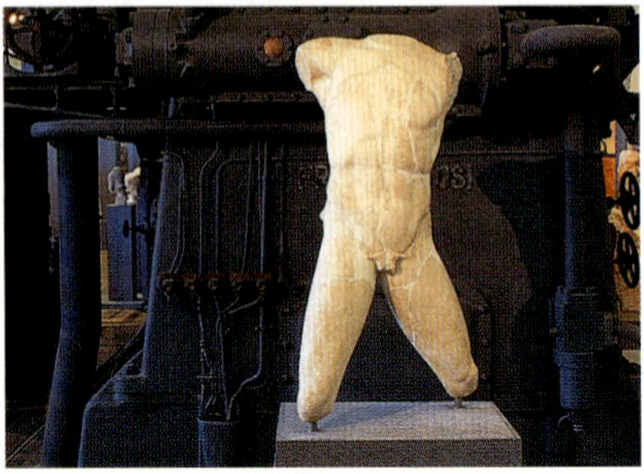

Estátua do Centro de Arte Montemartini

6 Centro de Arte Montemartini

A primeira usina elétrica de Roma foi transformada em uma fantástica vitrine de estátuas gregas e romanas que faziam parte da coleção dos Museus Capitolinos *(pp. 24-7)* e até então ficavam armazenadas em seus porões. O contraste entre o domínio monolítico da moderna arquitetura e tecnologia e a vulnerabilidade nobre e humana destas obras de arte antigas resulta em um efeito visual extraordinário. *Via Ostiense 106 • Metrô Pirâmide, Garbatella • Aberto 9h-19h ter-dom • Entrada paga • AD*

7 Auditorium Parco della Musica

A "cidade da música" do arquiteto Renzo Piano é um centro vital da vida cultural da cidade, com três salas de concerto em forma de baleia exibindo diariamente concertos clássicos, de rock, pop e jazz. No "hall do teatro" são exibidos espetáculos de dança e noites eletrônicas, e exposições temporárias adornam os corredores. Tem ainda um café, uma boa livraria com música e, no inverno, pista de patinação no gelo. *Viale Pietro de Coubertin 30 • 06 802 41281 • www.auditorium.com • Fechado ago • Entrada paga para os concertos*

A Muralha Aureliana

A muralha começou a ser construída pelo imperador Aureliano (270-75 d.C.) e foi concluída por seu sucessor Probus (276-82). Ela tem 18km de extensão ao redor da cidade, com dezoito portas e 381 torres, incluindo as sete colinas de Roma. No século IV, o imperador Maxêncio duplicou a sua altura original. A maior parte da muralha sobrevive até hoje.

8 MAXXI Museu de Arte Contemporânea

Inaugurado em 2010, o primeiro centro de arte contemporânea de Roma foi projetado pelo arquiteto anglo-iraquiano Zaha Hadid e é uma joia da arquitetura moderna. As galerias são distribuídas por longas faixas interligadas. A exposição permanente é composta de mais de 350 obras, e o museu tem duas seções: uma de artes visuais e outra de arquitetura. *Via Guido Reni, 4A • 06 3966 7350 • Aberto 11h-19h (até 22h sáb) ter-dom • www.fondazionemaxxi.it • Entrada paga*

9 Fórum Itálico e Stadio dei Marmi

É compreensível que o que originalmente se chamava Fórum de Mussolini tenha mudado de nome no final da década de 1940,

MAXXI Museu de Arte Contemporânea

embora o obelisco de 16m ainda ostente os dizeres "Mussolini Dux" ("Mussolini, o Líder"). A exemplo dos loucos imperadores romanos do passado, aqui existiria uma estátua de 75m do Duce em pose de Hércules. Não deixe de ver os 60 nus colossais de jovens atletas facistas no 0Stadio dei Marmi. *Viale del Foro Italico • Ônibus 280*

10 Sant'Agnese fuori le Mura e Santa Costanza

Estas joias do século IV compõem um mesmo complexo desde o início do cristianismo. As duas são ornadas com um belíssimo trabalho em mosaico, o da primeira representando a mártir Santa Agnes como ela apareceu em uma visão oito dias após a sua morte. O ambulatório da circular Santa Costanza tem cenas extremamente detalhadas de uma colheita de uvas na Roma Antiga. *Via Nomentana 349 • Ônibus 36, 60, 62, 84, 90 • Abertas 7h30-12h, 16h-19h30 diariam • Grátis • AD*

Santa Costanza

Uma Manhã na Appia Antica

Comece na Porta San Sebastiano, a mais gradiosa de todas as portas, onde você pode visitar o **Museo delle Mura** *(p. 55)*. Suba as escadas para olhar a vista. Daqui, siga em frente pela **Via Appia Antica** *(p. 151)*. Uma das primeiras atrações, situada em um cruzamento à esquerda, é a igrejinha Domine Quo Vadis? Ela está marcando o local em que Pedro, fugindo da perseguição, encontra Cristo e decide retornar a Roma para enfrentar o martírio como um santo. Na igreja há uma réplica de pegadas na pedra, que dizem ser de Cristo, mas é na verdade de um antigo *ex-voto* de um pagão.

Bem mais à frente, você chegará às **Catacumbas de San Sebastiano**. Faça uma visita guiada e não perca o curioso afresco onde se vê uma fruteira e uma perdiz, a qual, segundo alguns autores antigos, era a mais lasciva das criaturas. Seguindo em frente, pare num trailer para comprar petiscos e bebidas e vá visitar a antiga pista de corrida do Circo de Maxêncio. Note as ânforas que foram fixadas nos tijolos para aliviar o peso das arquibancas superiores. A última parada será no Túmulo de Cecilia Matella, do século I a.C. O friso com as cabeças de boi e guirlandas merece atenção, e há muita paz no santuário cônico.

Para almoçar, volte para o **Ristorante l'Archeologia** *(p. 155)*. Depois do almoço, refaça o seu caminho alguns metros para tomar o nº 118 de volta para a cidade.

O melhor dia para visitar a Appia Antica é domingo, quando o tráfego é fechado para os carros

Pavimento de mosaico, Villa de Adriano; Colunas jônicas, Villa de Adriano

TOP 10 Passeios de Um Dia

1 Tivoli, Villa d'Este

Cidade de montanha famosa por seus jardins e pelo palacete do Cardinal d'Este, do século XVI. *Ônibus COTRAL da Ponte Mammolo • Villa d'Este: piazza Trento • 07 7433 2920 • Aberto 8h30 até uma hora antes do anoitecer ter-dom • Entrada paga • AD*

2 Villa de Adriano

Construída como palácio de verão do imperador em 118-34 d.C., a área era um museu a céu aberto de reproduções dos edifícios preferidos de Adriano. *Via Tiburtina, 6km sudoeste de Tívoli • Ônibus COTRAL da Ponte Mammolo • 06 3996 7900 • Aberto 9h até uma hora antes do anoitecer, diariam • Entrada paga • AD*

3 Necrópole de Tarquinia

O museu de artefatos etruscos dentro deste amplo cemitério é famoso pelos cavalos de terracota do século IV a.C. *Trem da Termini ou Ostiense ou ônibus COTRAL de Lepanto • 07 6685 6036 • Aberto 8h30-19h30 ter-dom • Entrada paga*

4 Cerveteri

Estabelecido no século VI a.C., este cemitério da cidade orgulha-se de suas ruas, casas e afrescos intactos. *Trem de Termini para Cerveteri-Ladispoli • 06 994 0001 • Aberto 8h30-1h antes do anoitecer ter-dom • Entrada paga*

5 Castelli Romani

Há boas atrações nesta região dos montes Albano, como um banho no lago di Albano e uma visita ao Palazzo Chigi em Ariccia, complexo barroco do século XVII. *Metrô Anagnina, depois ônibus COTRAL • Palazzo Chigi: 06 933 0053 • Aberto 10h-19h diariam; visitas guiadas às 11h, 16h, 17h30 seg-sex e todos os dias da semana (jardins abertos abr-set) • Entrada paga*

6 Frascati

Dos jardins da Villa Aldobrandini você tem vista magnífica de Roma. *Metrô Anagnina, depois ônibus COTRAL • Villa Aldobrandini: Via Barberini 22 • 06 678 7864 • Aberto 9h-17h30 seg-sex*

7 Palestrina

Aqui fica o templo helenístico mais imponente da Itália. Entre os tesouros desenterrados está um mosaico do século II a.C. *Metrô Anagnina, depois ônibus COTRAL • Museu: Aberto 9h-20h diariam • Entrada paga*

8 Praias de Roma

A costa de Ostia, ao sul de Roma, tem praias privadas e outras que são públicas *(spiaggia libera)*. *Trens partem da Porta San Paolo; bilhetes dos ônibus ATAC ou do metrô.*

9 Viterbo

Nesta cidade medieval, não deixe de visitar o Palácio Papal, a Fontana Grande e o Museu Arqueológico. *A maioria das atrações: abertas 8h30-18h30 ter-sáb • Entrada paga*

10 Pompeia

Em 79 d.C. o vulcão Vesúvio destruiu a cidade e preservou-a para sempre. *Trem de Termini para Nápoles, depois trem "Circumvesuviana" • Aberta 8h30-17h (até 19h30 no verão) • Entrada paga • AD*

Vista de La Sibilla, Tivoli

Categorias de Preço

Refeição para uma pessoa com três pratos, uma taça de vinho ou cerveja, impostos e serviço.

€	até €30
€€	€30-40
€€€	€40-50
€€€€	€50-60
€€€€€	acima de €60

TOP 10 Onde Comer

1 Allo Sbarco di Enea, Ostia Antica

Os garçons usam roupas romanas e a decoração é a de um filme épico B. A especialidade são os peixes; peça o spaghetti alle vongole. *Via dei Romagnoli 675 • Metrô Pirâmide depois trem local • 06 565 0034 • Fechado seg almoço • €€€*

2 Il Pulcino Ballerino

Esta animada trattoria no coração do bairro dos estudantes é conhecida pelo spaghetti al pulcino, ao molho de creme e limão. Também serve uma carne assada na pedra quente. No verão há um pátio muito agradável. Reserve. *Via Degli Equi 66 • Mapa G4 • 06 494 1255 • Aberto diariam • DA • €*

3 Ristorante l'Archeologia, Via Appia Antica

Uma elegante casa de fazenda adaptada, onde você come ao redor de uma lareira no inverno e no jardim no verão. Pratos regionais rústicos, como o carneiro e a massa feita em casa. *Via Appia Antica 139 • Ônibus 118 • 06 788 0494 • €€€*

4 La Villetta dal 1940, Piramide

Era aqui o ponto de encontro do pintor surrealista Giorgio De Chirico e de outros artistas de vanguarda. A comida servida é a romana, forte e tradicional, como na receita de saltimbocca alla romana (vitela com presunto). *Viale della Piramide Cestia 53 • Ônibus 23, 30, 75, 95, 280, 716, 719 • 06 575 0597 • €€*

5 Primo al Pigneto

Alta-culinária preparada pelo chef Marco Gallotta. Muito procurado por moradores da região, atraídos pelo cardápio excelente e pelos preços razoáveis. *Via del Pigneto 46 • 06 701 3827 • Fechado seg • €€€€*

6 La Sibilla, Tivoli

Está no ponto mais espetacular da cidade, voltado para a Villa Gregoriana. *Via della Sibilla 50 • Ônibus COTRAL da Ponte Mammolo • 0774 335 281 • Fechado seg • €€*

7 Ambaradam, Tarquinia

Convenientemente localizada na praça principal, esta trattoria autêntica e rústica é conhecida pelo delicioso raviói e pelo serviço cortês. *Piazza Matteotti 14 • 0766 857 073 • Fechada qua • €€*

8 Pinocchio, Frascati

Restaurante (e hotel) especializado na ótima porchetta (porco assado). *Piazza del Mercato 21 • Metrô Anagnina, depois ônibus COTRAL • 06 941 7883 • Fechado seg-sáb almoço • €€*

9 Scilla, Sperlonga

Fica na praia e serve frutos do mar de qualidade. *Via San Rocco 26 • Trem de Termini para Fondi, depois ônibus • 0771 549 652 • Fechado ter (inverno) • €€*

10 Enoteca La Torre, Viterbo

Este bar-restaurante possui ótimos pratos locais e os vinhos são ótimos. *Via della Torre 5 • Ônibus COTRAL de Saxa Rubra ou trem de Roma Ostiense • 0 761 226 467 • Fechado dom jantar, ter e qua • €*

Todos os restaurantes aceitam cartões de crédito e servem pratos vegetarianos, exceto quando há indicação do contrário

DICAS DE VIAGEM

Logo da ENIT; Quiosque de informações; Jornais locais

TOP 10 Informações Práticas

1 ENIT
O escritório de turismo nacional da Itália, ENIT, é bem intencionado, mas nem sempre pode ajudar. Tem agências na maioria das capitais. *www.enit.it*

2 Escritórios de Turismo em Roma
A cidade tem três grandes escritórios e dez quiosques de informação privados (PI) em pontos turísticos, mas com materiais menos detalhados que os dos escritórios oficiais. A linha de informação turística funciona das 9h às 21h diariamente e atende em seis línguas.

3 Internet
O site oficial de Roma é www.turismoroma.it ou www.060608.it; o do Vaticano é www.vatican.va. Use sites de busca como Google e Yahoo para conhecer outros endereços.

4 Imigração e Alfândega
Turistas brasileiros não precisam de visto para entrar na Itália se a estadia for de menos de 90 dias. No entanto, ao chegar, devem apresentar o passaporte válido, a passagem de ida e volta e uma comprovação de hospedagem e dinheiro suficiente, além de um seguro de viagem. Para não residentes de países da União Europeia, os limites para entrada com produtos estrangeiros sem pagamento de imposto são os seguintes: 200 cigarros ou 50 charutos ou 100 cigarrilhas ou 250 gramas de tabaco; 1 litro de bebida alcoólica ou 2 litros de vinho; e 50ml de perfume.

5 Horários de Funcionamento
O comércio, as igrejas e alguns museus abrem às 8h ou 9h, fecham para o *riposo* a partir de 12h30 ou 13h até 15h ou 16h e encerram às 18h ou 20h.

6 Eletricidade
A Itália funciona em 220V/50. Para usar um aparelho 110V é preciso um adaptador (a maioria dos laptops e câmeras vai requerer esse aparelho).

7 TV e Jornais
Os hotéis com três ou mais estrelas têm TV via satélite com noticiário da CNN e BBC. Entre as fontes de consulta em inglês estão a revista grátis de turismo *Where Rome* (disponível em saguões de hotel) e a revista de expatriados *Wanted in Rome*.

8 Quando Visitar
O clima em Roma é temperado. Em agosto faz muito calor; em fevereiro pode nevar. No auge da primavera os hotéis ficam lotados; no outono há menos gente, mas pode chover. A alta estação vai da Páscoa até julho, e de setembro a outubro. Roma fica vazia durante o mês de agosto, porque os moradores vão para as praias ou montanhas para fugir do calor, e a maior parte das lojas e restaurantes da cidade fica fechada.

9 Feriados
Os feriados nacionais são 1º e 6 de janeiro, domingo e segunda-feira de Páscoa, 25 de abril, 1º de maio, 2 e 29 de junho, 15 de agosto, 1º de novembro e 8, 25 e 26 de dezembro.

10 Como Se Vestir
Como os italianos costumam andar bem vestidos, ponha pelo menos uma roupa mais arrumada na mala. Alguns restaurantes exigem terno e gravata. Muitas igrejas não permitem a entrada de pessoas com os joelhos e os ombros à mostra (proíbem shorts, minissaia e roupas sem manga); por isso tenha sempre um xale na bolsa.

Escritórios de Turismo em Roma

Telefone para Informação
• *060608*

Taxis
060609; 063570; 065551; 066645

Estação Termini
Mapa F3
• *Bilheteria: 892021; 063000 para celulares*

Aeroporto Fiumicino e Ciampino
0665951

Carruagem turística; Ônibus de turismo

TOP 10 Passeios e Feriados

1 Pacotes Turísticos
Companhias aéreas e agências de viagem oferecem pacotes de descontos combinando passagem aérea e hotel. Muitas, porém, trabalham com hotéis de grandes redes internacionais que em geral são mal localizados. Prefira ficar em um hotel menor no centro.

2 Passeios Guiados Padronizados
Os passeios agendados pelo seu agente de viagem deixam a locomoção, os hotéis, as barreiras da língua e todas as decisões por conta da companhia de viagem, e com isso eliminam grande parte da diversão. O que você vê é uma ideia muito bem embalada do que é Roma, mas não a Roma que poderia descobrir se estivesse sozinho. Também é difícil conhecer pessoas novas quando se está rodeado por um grupo grande de compatriotas.

3 Cursos de Férias
A história da arte fica muito mais interessante se o professor puder mostrar as obras originais. Também são oferecidos cursos de história, cultura, pintura, culinária e idioma em www.specialtytravel.com, www.shawguides.com e www.infohub.com.

4 Ônibus de Turismo
O ônibus aberto de número 110, operado pela companhia ATAC, circula durante três horas por 80 pontos turísticos da cidade, sem guia. Sai diariamente da frente da estação Termini a cada 15 minutos, de 8h30 a 19h seg-sex. A passagem de €20 permite que você salte e embarque quantas vezes quiser. Se preferir ouvir comentários de um guia, escolha Green Line Tours. ✆ Ônibus *ATAC: 800-431784, www. trambus open.it • Green Line Tours: Via Farini 16, 06 4827480, www.greenlinetours.com*

5 Passeios a Pé
A Enjoy Rome organiza as seguintes caminhadas de três horas: Roma Antiga, Roma à Noite (ambas diariamente), Vaticano e Trastevere e Gueto Judeu (três vezes por semana). A Presto Tours oferece caminhadas turísticas para grupos pequenos, com guias simpáticos e bem informados. ✆ *Enjoy Rome: via Marghera 8a, 06 445 1843, www.enjoy rome.com • Presto Tours: www.presto tours.com*

6 Passeios de Bicicleta e Segway
A Roma Bike Tour oferece exatamente o que seu nome sugere: tours ciclísticos por Roma. Também aluga bicicletas e capacetes. Outra boa ideia é alugar uma mountain bike (o calçamento é irregular) para percorrer a Via Appia Antica no domingo *(p. 61)*. A Finding Segway Roma leva turistas para passeios a bordo dos velozes Segway Personal Transporters. ✆ *Roma Bike Tour: www. romabiketour.com • Finding Segway Roma: Via Labicana 94, 06 6401 3446, www. romeonsegway.com*

7 Cursos de Italiano
Uma empresa voltada para os viajantes em férias é a Italiaidea, que oferece cursos de idioma com duas a oito semanas de duração, um curso-relâmpago de 15 horas de "sobrevivência na Itália", passeios a pé e viagens de fim de semana, além de aulas de culinária voltadas para a habilidade da linguagem. ✆ *Italiaidea: 06 6994 1314, www.italia idea.com*

8 Aulas de Arte
O que não falta em Roma é inspiração quando se trata de arte visual. O Istituto Italiano Arte Artigianato e Restauro ensina restauração de obras de arte em um curso de uma semana ou técnicas de afresco e vitral em duas semanas. ✆ *Istituto Italiano Arte Artigianato e Restauro: 335 7201671, 06 321 0416, www.scuolarestauro.it*

9 Visitas Guiadas
Algumas igrejas, museus e sítios antigos oferecem visitas guiadas, em geral grátis. Muitos museus têm visitas autoguiadas com MP3.

10 Guias Particulares
O principal escritório de turismo *(p. 158)* mantém uma lista de guias particulares licenciados para contratação. O custo varia muito, mas você não pagará menos que €15-20 por hora.

Aeroporto Fiumicino; Estação ferroviária Termini

TOP 10 Como Chegar

1 Avião do Brasil

Empresas europeias como Air France, Tap Portugal, Lufthansa e Alitalia oferecem voos diários a partir de diversas cidades brasileiras para Roma, com escalas em cidades europeias. A United Airlines opera voos para Roma com escalas em cidades dos EUA. Também há um voo da Aerolíneas Argentinas entre São Paulo e Roma com escala em Buenos Aires. A Alitalia tem a opção de voo direto para Roma a partir de São Paulo, mas o preço é mais alto. A TAM oferece voo sem escalas até Milão, ao norte de Roma.

2 Avião da América do Norte

Há vários voos diretos regulares a partir dos EUA, incluindo os da Alitalia.

3 Avião da Oceania

A Alitalia tem voos de Melbourne para Roma duas vezes por semana. A Qantas (www.qantas.com) voa três vezes por semana de Sydney, Melbourne, Brisbane e Cairns (e de Auckland, Wellington e Christchurch na Nova Zelândia) para Roma, via Milão. Todos os voos fazem pelo menos uma escala.

4 Avião da Europa

Todas as grandes companhias aéreas têm voos das principais cidades europeias para Roma.

5 Ofertas na Internet

As companhias aéreas usam os sites para divulgar ofertas de última hora e tarifas especiais só pela web. Elas estão relacionadas em www.orbitz.com para que se possa comparar as melhores ofertas. Viagens com datas flexíveis podem se beneficiar das tarifas E-savers (e-mails semanais com ofertas para o fim de semana seguinte) e de sites como www.lastminute.com. Para voos europeus, visite www.skyscanner.com.

6 Aeroporto Fiumicino (Leonardo da Vinci)

O aeroporto nacional de Roma está 30km a oeste da cidade. Cobra-se uma tarifa fixa de €48 entre Fiumicino e o centro (dentro dos muros da cidade), que inclui quatro passageiros com malas de dia e à noite. Se houver algum problema, notifique a empresa de táxi. Os trens diretos de hora em hora para Termini levam 30 minutos e custam €14. O trem I para a estação de Trastevere custa €8, depois tome o bonde nº 8 para o centro de Trastevere ou cruze a ponte para o Largo Argentina *(p. 99)*. ✆ *Aeroporto Fiumicino: 06 65951, www.adr.it*

7 Aeroporto Ciampino

Ciampino é um aeroporto menor, 15km ao sul de Roma, usado principalmente para voos domésticos de baixo custo e voos charter da Europa. As empresas Terravision, Atral e Sitbus-shuttle têm ônibus frequentes para a estação Termini. Os táxis não podem cobrar mais que €30 entre o centro e Ciampino (para quatro passageiros com bagagem). Ligue para a empresa de táxi se tiver algum problema. ✆ *Aeroporto Ciampino: 06 65951, www.adr.it*

8 Trem

Se você estiver em Londres, pode atravessar o túnel do Canal para Paris e tomar um trem diurno ou noturno para Roma (13 horas). O trem-bala Eurostar (ES) vai de Milão a Roma, via Florença, em 3h30. Os trens italianos regulares são o expresso EC/IC/EN (todos cobram complementos de alta velocidade), o rápido *Frecciarossa* e o *regionale*, que para em todo lugar.

9 Estação de Trens Termini

A principal estação ferroviária de Roma tem bilheterias e máquinas automáticas no saguão externo, nas lojas, restaurantes e agências de viagem do saguão interno e no shopping center no subsolo. O escritório de turismo fica no saguão interno *(p. 158)*. Há guarda-volumes e farmácia 24h.

10 Carro

A rodovia italiana *autostrada* A1 sai de Milão ao norte, passa por Bolonha e Florença, por Roma, e segue para Nápoles. Todos os trechos cruzam o anel rodoviário de Roma, G.R.A *(Grande Raccordo Anulare)*, que permite contornar ou entrar na cidade de qualquer direção.

Ônibus circular urbano; Placas para pedestres; Táxi romano

TOP 10 Como Circular

1 Ônibus Urbanos

A empresa de ônibus romana ATAC tem terminais centrais em Termini, Piazza Venezia, Largo Argentina e Piazza San Silvestro. Os mapas das linhas são vendidos em bancas de revista; na *fermata* (ponto de ônibus) estão afixados os roteiros das linhas que param no ponto. As passagens custam €1,50 e podem ser compradas nas bancas de jornais, nas tabacarias e nas máquinas que se encontram nos terminais. Valide o bilhete no interior do ônibus; ele vale por 100 minutos com baldeações ilimitadas (mas só para uma viagem de metrô).

2 Metrô

As duas linhas que fazem intersecção em Termini são as que servem os subúrbios. As estações mais turísticas são Spagna (Escada de Espanha), Coliseu, San Paolo (basílica), Ottaviano (a seis quadras da Praça de São Pedro) e Cipro (a seis quadras dos Museus do Vaticano). O bilhete para ônibus e metrô é o mesmo. Atualmente, uma terceira linha de metrô está sendo construída.

3 A Pé

O centro histórico está cada vez mais fechado para os carros, mas ainda há muitas ruas estreitas repletas de carros e outras com o calçamento em péssimas condições. Essas ruas de pedra são difíceis para caminhar, por isso use tênis ou calçados resistentes.

4 Táxi

Ficam parados nos aeroportos, nas estações de trens e nas principais praças e pontos turísticos. A tarifa inicial custa €3, mais 92 centavos por quilômetro. São cobradas taxas extras por bagagem das 22h às 6h, aos domingos e feriados. Arredonde o valor da corrida para cima.

5 Aluguel de Carros

O trânsito em Roma é ruim e os estacionamentos são caros e escassos. Raramente os modelos nacionais são mais baratos que os estrangeiros. As empresas costumam exigir seguro contra roubo; cheque se o seu cartão de crédito cobre essa ocorrência. A gasolina é cara e o diesel é vendido em toda parte. Os postos fecham aos domingos, mas muitos têm máquinas automáticas.

6 Limite de Velocidade

Os limites de velocidade oficiais são 30-50km/h na cidade, 70-110km/h em estradas de mão dupla e 130km/h em rodovias, onde a pista da esquerda é somente para ultrapassagens.

7 Estacionamento

Poucos hotéis têm garagem, mas a maioria dispõe de convênio com garagens locais ou algumas vagas na rua. É proibido estacionar sob a placa azul com traço vermelho; os espaços com faixa branca são gratuitos (mas reservados a residentes); os amarelos são restritos; nos azuis é permitido estacionar por uma hora (com parquímetro). As tarifas de estacionamento são menores em Parcheggio Borghese (a garagem da Villa Borghese) e em Gianicolo, sob a colina.

8 Bicicletas e Scooters

O trânsito de Roma é um perigo para as bicicletas e scooters. Aos domingos é mais calmo; várias ruas são fechadas ao tráfego e abertas aos ciclistas. Há duas locadoras: a On Road e a Treno e Scooter, com desconto para quem tem bilhete de trem. ✆ *On Road: Via Cavour 80, 06 481 5669, www.scooterhire.it • Treno e Scooter: saída da Termini para a Piazza dei Cinquecento, 06 4890 5823, www.trenoe scooter.191.it*

9 Passeios de Um Dia

Se para as atrações mais distantes é preciso tomar o trem em Termini, outras dentro do Lácio, como Ostia Antica *(pp. 36-7)*, são servidas por trens locais que saem da estação Porta San Paolo, perto do Metrô Pirâmide. Muitas são servidas pelos ônibus COTRAL, inclusive Tivoli *(p. 154)*.

10 Mapas

Os mapas do TCI (Touring Club Italiano) são melhores. As placas (verdes nas estradas vicinais, azuis nas estaduais) indicam mais o destino que o número da estrada; saiba o nome das cidades até seu destino.

Vinhos brancos italianos; Sobremesa típica

TOP 10 Dicas de Restaurantes

1 Tipos de Restaurante

Um *ristorante* é, tradicionalmente, um lugar mais caro e formal; a *trattoria* é administrada por uma família e os preços são bem mais em conta; a *osteria* vai um pouco além da simples *trattoria* e equivale a um bistrô onde são servidos alguns pratos de carnes, queijos e vinhos.

2 A Refeição Italiana

O jantar é um evento que se arrasta por duas a quatro horas e termina com uma xícara de café expresso e um digestivo, como a grapa *(p. 77)*. No café da manhã costuma haver um expresso ou cappuccino e um pão doce (cornetto). Muitos hotéis oferecem bufê de café da manhã.

3 Antipasto

Nas pizzarias, a entrada tradicional é a bruschetta (fatia de pão torrado com alho, azeite, sal e, em geral, tomate por cima) e/ou embutidos fatiados, como prosciutto e salame. Muitas casas têm bufê de legumes e verduras para que os clientes se sirvam à vontade.

4 Primo

É o primeiro prato. Entre as massas há bucatini all'amatriciana, spaghetti alla carbonara, gnocchi di patate e cacio e pepe *(p. 76)*. Como opções de sopa (minestre), há minestrone (legumes) e stracciatella (caldo de galinha, ovo e parmesão). O risoto em geral é feito com legumes.

5 Secondo

É o segundo prato. As opções de carne são bistecca ou manzo (bife), vitello (vitela), agnello/abbacchio (carneiro/cabrito), pollo (frango), maiale (porco), cinghiale (javali), coniglio (coelho) e anatra (pato). Em geral as carnes são alla griglia (grelhadas) ou arrosto (assadas). Os peixes são o branzino (atum), acciughe (anchova), baccalà (bacalhau), sogliola (linguado), orata (brema) e rombo (pregado), em geral grelhados, assados ou all'acqua pazza (cozidos em vinho branco e temperos).

6 Dolce

É a sobremesa. As mais comuns são os simples cantucci con vin santo (biscoitos com vinho doce) ou sorvetes, como o tartufo. Cremes à base de leite (panna cotta, latte portoghese) e de ovos (crème caramel) também são apreciados, bem como o tiramisù (bolo esponjoso molhado no expresso ou em bebida alcoólica, coberto com queijo mascarpone e chocolate em pó).

7 Vinho e Água

Nenhuma refeição italiana está completa se não houver vinho tinto (vino rosso) ou branco (bianco), em garrafas de um litro (un litro) ou meio litro (mezzo litro), da casa (vino della casa) ou em garrafa com rótulo *(p. 77)*. Alguns italianos temperam o vinho com água gaseificada (gassata) ou natural (non-gassata).

8 Couvert e Gorjetas

O *pane* (pão), que custa de €1 a €4 por pessoa, pode ser dispensado, mas isso não é comum. Se no cardápio estiver escrito *"servizio incluso"*, significa que as taxas estarão embutidas no preço, embora seja normal deixar algumas moedas. Caso contrário, a gorjeta é de 10%.

9 Etiqueta

Trajes formais não costumam ser a regra. Em lugares mais sofisticados, é essencial fazer reserva. Os garçons esperam que você faça uma refeição tranquila e não irão incomodá-lo (alguns clientes podem confundir isso com serviço lento).

10 Bar, Pizza Rustica e Tavole Calde

Praticamente todos os bares italianos servem cappuccino e cornetto pela manhã, *espresso* o dia todo e aperitivos (aperitivi) à noite, seguidos de sanduíches (panini), massas e sorvete (gelato). A tavola calda é um bar-cafeteria popular que serve pratos prontos no balcão. A pizza rustica ou pizza a taglio vende pizza fatiada, cobrada a cada *etto* (100g).

Veja mais sobre pratos tradicionais nas **pp. 76-7**

Porteiro de hotel; Jardim de hotel

TOP 10 Dicas de Hospedagem

1 Hotel

Os hotéis italianos têm de uma (básico) a cinco estrelas (de luxo), mais pelos recursos oferecidos do que pela localização. De três estrelas para cima, os quartos contam ao menos com banheiro, TV e telefone.

2 Aluguel de Quartos

O escritório de turismo *(p. 158)* tem uma lista de opções muito baratas – desde um ótimo quarto com acesso semiprivativo a uma acomodação apertada no apartamento de alguém. O contato com a família varia, mas pode ser uma boa maneira de conhecer pessoas do local.

3 Apartamentos

A maneira mais fácil de alugar um apartamento é consultando a publicação quinzenal *Wanted in Rome* (www.wantedinrome.com) e o encarte da revista *Porta Portese* (www.portaportese.it), que sai duas vezes por semana. Não deixe de checar anúncios nos murais das livrarias e do cinema Pasquino, em Trastevere.

4 Residências

São apartamentos montados ideais para turistas que pretendem passar duas ou mais semanas ou que fazem questão de privacidade. Os sites oficiais do escritório de turismo (www.turismo roma.it e www.060608.it) trazem listagens de vários tipos de acomodação residencial.

5 Camping

Há campings *(campeggi)* espalhados pela periferia, como o Camping Flaminio, Seven Hills, Camping Tiber e Camping Village. Em geral, os italianos gostam mais de acampar em vans do que em barracas. No entanto, vale a pena lembrar que você pode acabar pagando quase tanto quanto em um hotel barato, pois, além do custo por pessoa, há uma taxa do próprio acampamento.
Camping Flaminio: Via Flaminia Nuova 821, 06 333 2604, www.villageflaminio.com • Seven Hills: Via Cassia 1216, 06 3031 0826, www.sevenhills.it • Camping Tiber: Via Tiberina km 1400, 06 3361 0733, www.camping tiber.com • Camping Village: Via Aurelia 831, 06 662 3018, www.camping.it

6 Albergues

A opção de hospedar-se em um dormitório de albergue custa cerca de €18 a diária. Como os albergues recebem principalmente estudantes, em geral fecham as portas às 24h. O albergue da IYH é no Foro Italico *(p. 152)*, mas há outros muito melhores nos sites www.hostels.com, www.hostel world.com e www.european hostels.com. *Albergue IYH: Viale delle Olimpiadi 61, 06 323 6267*

7 Bed and Breakfast

Esta categoria de hospedagem na Itália ocupa uma faixa que está entre quartos de aluguel e os albergues. É uma releitura das antigas *pensioni* com apenas alguns quartos, café da manhã e uma calorosa recepção familiar.

8 Reservas

É uma boa medida reservar a primeira e as últimas noites da viagem, porque os hotéis mais conhecidos lotam com muita rapidez. Roma fica cheia nos meses de maio e junho, mas você não terá problemas para encontrar quarto se fizer algumas ligações na própria estação ao chegar de viagem ou se buscar informações no escritório de turismo.

9 Serviços de Reserva

A empresa HR, no aeroporto de Fiumicino e na estação Termini *(p. 160)*, faz reservas sem cobrar nada, assim como a agência particular Enjoy Rome *(p. 159)*. Infelizmente, as informações pela internet não são atualizadas.

10 Taxas Adicionais

Você vai pagar mais caro se optar por quartos com banheiro privativo, vista, ou se sua estadia durar menos de três dias. Camas extras custam cerca de 30 a 35% mais. Café da manhã pode não estar incluso, o estacionamento normalmente é cobrado à parte e os preços de frigobar e ligações telefônicas podem assustar. Não esqueça que a taxa de turismo da cidade, de €1 a €3 por noite, será adicionada à sua conta.

Veja mais sobre hospedagem em Roma nas **pp. 172-7**

Luvas de couro; Antiquário

TOP 10 Dicas de Compras

1 Horários de Funcionamento

As lojas seguem o horário comercial normal *(p. 158)*: abrem 8h-10h, fecham para almoço até 15h-16h e encerram as atividades por volta de 18h-20h. Em áreas turísticas e em lojas grandes, o intervalo para almoço *(riposo)* vem desaparecendo, e muitas lojas ficam abertas o dia todo *(orario continuato)*.

2 Quando Pechinchar

A pechincha é aceita em mercados *(p. 69)*, mas não em lojas. Muitos donos de banca são do Oriente Médio, onde a pechincha é uma arte, portanto, prepare-se para o ritual completo: mostre desinteresse enquanto o vendedor se faz de ofendido e jura não poder baixar o preço. Ele jamais venderá se não tiver lucro, portanto, qualquer valor aceito será bom negócio.

3 Restituição de Imposto

O Imposto de Valor Agregado (IVA) já vem embutido no preço de etiqueta de todos os produtos. Se você não for residente e gastar mais que €155 em uma única loja, tem direito à restituição do imposto. Peça ajuda ao vendedor para preencher o formulário; depois, entregue-o junto com a nota fiscal na alfândega do aeroporto do último país que você visitar na Europa e acabe de preencher os papéis. A restituição será enviada por correio, mas pode demorar meses. O processo em lojas que exibem o selo "Isenção de Imposto para Turistas" é mais rápido, pois você receberá um cheque que será selado pelo funcionário da alfândega e deixado no escritório de Isenção de Impostos do aeroporto.

4 Limites da Alfândega

Visitantes de países de fora da União Europeia podem carregar até 400 cigarros, 100 charutos, 200 cigarrilhas ou 500g de tabaco; 1L de bebida alcoólica ou 2L de vinho e 50g de perfume. Só britânicos e residentes da UE podem sair do país com flores, frutas, vegetais, carnes enlatadas e queijos suaves.

5 Vinho

Pela legislação antiterrorismo não é mais possível embarcar com vinhos que não sejam comprados no aeroporto. Uma solução é despachar por navio, o que custa caro.

6 Pontas de Estoque

Artigos de grife não são baratos em lugar nenhum, mas não deixa de ter um certo charme comprar sapatos novos em Roma. As pontas de estoque vendem modelos do ano anterior, com pequenos defeitos, sobras de estoque e artigos que encalham nas prateleiras a preços de 40% a 80% abaixo do normal.

7 Arte e Antiguidade

Por ter sido o centro do Império Romano, do Renascimento e do Barroco, Roma tem uma profusão de antiguidades, pinturas e esculturas que vêm desde a Idade Média. Tem também um bom mercado de móveis do Renascimento ao Art Nouveau, e peças simples e rústicas. Levar esses produtos para casa pode ser muito burocrático.

8 Objetos de Design

Os italianos são mestres em design industrial, das Ferraris às chaleiras Alessi. Se uma Ferrari não couber no seu bolso, compre utensílios para cozinha, artigos para a casa ou luminárias criados pelos melhores designers internacionais.

9 Objetos Religiosos

Artigos religiosos kitsch, solenes ou refinados estão em todos os estandes e lojas do Vaticano e, com menos frequência, por toda Roma. Você pode levar o seu objeto à audiência do papa, às quartas-feiras, para que ele seja benzido durante a missa.

10 Artesanato

As cerâmicas pintadas à mão são famosas e podem ser suvenires úteis. Roma oferece desde joias finas de grandes nomes, como Bulgari, a pequenas butiques de artesãos.

Veja mais sobre locais de compras em Roma nas **pp. 68-9**

Estação Termini; Ônibus nº 64

TOP 10 A Evitar

1 Roma em Agosto

Além de Roma ser uma cidade-fantasma em agosto, faz um calor insuportável. Os italianos tiram o mês de férias. Os pontos turísticos ficam abertos, e os hotéis, vazios, mas as lojas e restaurantes fecham e você só verá o lado turístico da cidade, e não a sua verdadeira personalidade *(p. 158)*.

2 Batedores de Carteira

Eles estão pelas ruas e praças de Roma e nas estações de metrô, mas são muito mais agressivos nos pontos turísticos de maior movimento, como a calçada estreita que acompanha os muros do Vaticano, desde os museus até a Praça de São Pedro; perto do Fórum, principalmente na rua atrás do Capitolino; Mercado Porta Portese; e na Via dei Pastini e Via di Pietra, do Pantheon até a Fontana di Trevi.

3 Museus do Vaticano Grátis

Sim, você entra de graça no último domingo do mês, mas o lado negativo é que os museus, já claustrofóbicos mesmo nos melhores dias, ficam ainda mais lotados.

4 Restaurantes perto do Vaticano e do Fórum

Com raras exceções, os restaurantes que se concentram ao redor desses dois importantes pontos turísticos, com cardápios em seis idiomas e um garçom acenando na porta para você entrar, acabam com qualquer experiência gastronômica. Nenhum italiano que se preze entraria num deles para comer – e você deveria fazer o mesmo.

5 Área de Termini à Noite

Mendigos e desocupados juntam-se nas imediações da estação de trens, onde há muitos hotéis baratos, e a região fica mais perigosa quando anoitece. Em geral, as ruas ao sul da estação são mais escuras e assustadoras que as ruas ao norte.

6 Ônibus nº 64

O "Expresso do Ladrão" ou "Pega-Carteira" que circula entre a estação de trens Termini e a Praça de São Pedro é conhecido como o ônibus menos seguro de Roma. Hoje em dia ele compete com o nº 40, o ônibus expresso que faz a mesma rota. Fique atento e não tire a mão nem da carteira nem da bolsa.

7 Usar Pochete

Esse foi o pior acessório de viagem já inventado. Nada agrada mais aos batedores de carteira que a popularidade dessas bolsas, que contêm os pertences mais importantes fora da vista e na altura perfeita para a mão leve do ladrão procurar o que interessa sem ser perturbado.

8 Dirigir em Roma

Não há nada mais desnecessário em Roma do que ter um carro. A maioria das atrações turísticas está em ruas para pedestres e, obviamente, você não poderá se aproximar delas estando de carro. Além disso, estacionar perto desses lugares é praticamente impossível. Os estacionamentos são poucos e absurdamente caros, e, para quem não está acostumado, os italianos parecem dirigir como loucos *(p. 161)*. Economize com aluguel de carro durante a sua estadia em Roma e só contrate um para sair da cidade.

9 A Piazza Navona e o Pantheon às Quintas-Feiras

Deixe para visitar essas atrações em outro dia, porque os dois pontos mais concorridos da Curva do Tibre não abrem às quintas-feiras: Sant'Agostino e suas obras de Caravaggio *(p. 84)* e a coleção de pinturas da Galleria Doria Pamphilj *(p. 91)*.

10 As Catacumbas nos Fins de Semana

O problema aqui são os ônibus de turismo. É ainda mais difícil aos sábados, porque o tráfego de veículos, com exceção dos micro-ônibus públicos, é desviado da Via Appia Antica (a principal estrada de acesso para as catacumbas) aos domingos *(p. 151)*.

Vendedor ambulante de castanha; Mercado romano

TOP 10 Roma Econômica

1 O Vaticano Grátis

Os Museus do Vaticano *(pp. 8-9)* não cobram ingresso no último domingo do mês, mas ficam lotados *(p. 165)*. O dia grátis pode ser útil se você quiser visitar museus e coleções menos populares.

2 Passeio Turístico Grátis

As igrejas não cobram ingresso e guardam preciosidades de arte e arquitetura. Mas você pagará para entrar em criptas, escavações arqueológicas e sacristias. As praças de Roma são um teatro vivo ao preço de um cappuccino.

3 Turismo com Desconto

Agências nacionais, municipais ou particualres organizam visitas a museus e pontos turísticos, mas os preços variam. Museus nacionais e municipais são gratuitos para europeus menores de 18 e maiores de 65 anos. E também para cidadãos de Liechtenstein, Irlanda, Noruega e Suíça. O Roma Pass (€30) é válido por três dias e dá direito a transporte público. O Cartão *Roma Archeologia*, válido por 7 dias a €23, dá direito a: Coliseu, Palatino, monumentos da Via Appia e anexos do Museo Nazionale.

4 Descontos em Viagens

Menores de 26 anos podem comprar uma *Carta Verde Rail Plus* por €40, que dá desconto de 10% na passagem de trem nacional, mas só para as tarifas básicas, e não para o complemento "rápido" acrescentado em vários trechos. O mesmo se dá com a *Carta Argento*, para quem tem mais de 60 anos. À venda nas estações de trem.

5 Acomodação

É natural que os preços aumentem à medida que você se aproxima do centro da cidade e dos hotéis estrelados. É mais barato hospedar-se em hotel de 1 ou 2 estrelas (menos comodidades) ou alugar um quarto sem banheiro; e é melhor que seja fora do centro ou nas imediações de Termini, onde concentram-se os hotéis econômicos *(p. 175)*. Se você não quiser pagar o café da manhã do hotel, comer a mesma coisa em um café custará um quarto do preço. Evite telefonar ou consumir do minibar do quarto; ambos são caríssimos.

6 Comida Barata

Num país onde se come tão bem, preço e categoria de restaurante pouco têm a ver com a qualidade da comida; uma *osteria* ou *trattoria* barata pode ser tão boa quanto um restaurante granfino. As entradas custam quase o mesmo que o prato principal, mas a porção é muito menor. O vinho da casa é mais barato que o de garrafa; a água filtrada *(acqua dal rubinetto)* é de graça. *Tavole calde* e bares servem pratos rápidos e baratos *(p. 162)*.

7 Piquenique

Entre nas inúmeras mercearias *(alimentari)*, quitandas *(fruttivendolo)*, padarias *(panetteria* ou *pasticceria)*, lojas de vinhos *(vini e olii, enoteca* ou *fiaschetteria)* ou nas simples bancas de rua, para montar a sua própria cesta de piquenique e comer em uma praça, levar para um passeio distante ou voltar para o seu quarto de hotel.

8 Pagamento em Dinheiro

Às vezes, é melhor usar dinheiro do que cartão de crédito, pois você terá descontos em lojas e alguns hotéis. Não deixe de pedir o recibo *(scontrino)* de pagamento.

9 Viagem na Baixa Temporada

De meados de outubro até a véspera da Páscoa é baixa estação em Roma; os preços das passagens aéreas e dos hotéis podem cair bastante e você se livra das multidões e longas filas *(p. 158)*.

10 Compras

Certos artigos de moda não são mais baratos na Itália do que em outros países. Se possível, concentre suas compras em uma mesma loja para obter a restituição de imposto (IVA) *(p. 164)*. Prefira os artesanatos aos suvenires de loja, e diretamente do artesão para evitar remarcações. Ou aproveite os muitos mercados da cidade para pechinchar *(p. 69)*.

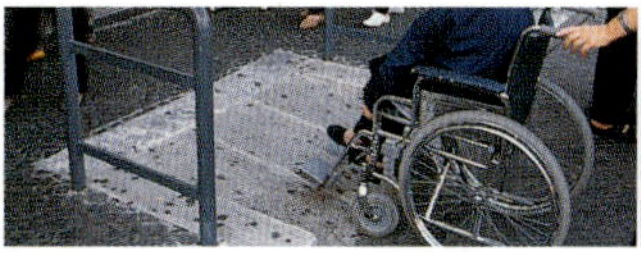 

Acesso para cadeira de rodas; Estudantes

TOP 10 Necessidades Especiais

1 Portadores de Deficiência
Roma não oferece total acesso a portadores de deficiência, em grande parte porque muitos prédios têm centenas de anos e as leis de preservação proíbem alterações. Mas os principais museus têm instalações adaptadas e muitos hotéis, alguns quartos convertidos. Algumas paradas de metrô (mas não a importante Coliseu) têm acesso para cadeira de rodas. O cenário melhora nos meses mais quentes, quando os restaurantes têm mesas ao ar livre (embora sem banheiros adaptados).

2 Associações para Portadores de Deficiência
A RADAR (Associação Real para Deficiência e Reabilitação), com sede em Londres, publica vários planfletos úteis. A inglesa Holiday Care Service informa sobre acomodação adaptada. Em Roma, entre em contato com o Roma per Tutti ou visite o site.
✆ *RADAR: 020 7250 3222, www.radar.org.uk • Holiday Care Service: 01293 774 535 • Roma per Tutti: 06 5717 7094, www.roma pertutti.it*

3 Idosos
Pessoas idosas são tratadas com todo o respeito numa sociedade tradicional como a italiana. Cidadãos europeus com mais de 65 anos têm entrada livre em todos os museus nacionais e municipais, e descontos especiais em muitos outros pontos turísticos e nos trens.

4 Mulheres
O *latin lover* é uma realidade, e as mulheres certamente receberão deles muita atenção. Olhares insinuantes, paqueras verbais, beliscões e até abordagens indiscretas em ônibus são comuns. Seja firme. A maior parte dos assédios é inofensiva, mas pode incomodar e até ofender.

5 Assistência às Mulheres
Há pouco apoio oficial para mulheres, mas a entidade feminista Casa Internazionale della Donna serve de ponto de referência e oferece hospedagem exclusiva para elas *(p. 176)*.

6 Estudantes
Roma oferece dezenas de cursos para estudantes estrangeiros, tem uma grande universidade e recebe milhares de estudantes internacionais. Compre o passe *"studente"* para obter descontos em pontos turísticos. Os estudantes costumam se reunir nos bares de Trastevere *(p. 147)* e Campo dei Fiori *(p. 106)*, frequentar as casas noturnas do Testaccio *(p. 124)*, e, no fim da tarde, se encontrar ao redor da Fontana di Trevi e na Scalinata di Spagna *(pp. 108-11)*.

7 Recursos para Estudantes
Carteira de estudante é útil, mas a única aceita em todo lugar é a ISIC (Carteira de Identidade Internacional de Estudante).

8 Família
Os italianos adoram família e receberão a sua de maneira muito calorosa. A maioria dos hotéis colocarão uma cama a mais em seu quarto por um adicional de 30 a 35% e os restaurantes têm meia porção *(mezza porzione)* para as crianças, 50 a 75% mais baratas que o prato para adultos.

9 Gays e Lésbicas
A homossexualidade já é bem aceita na Itália, ainda mais numa cidade cosmopolita como Roma, que abrigou o festival do Orgulho Gay em 2000.

10 Recursos para Gays e Lésbicas
A organização nacional ARCI-Gay e o correspondente lésbico, ARCI-Lesbica, têm escritórios em Roma. Os grupos locais Mario Mieli e Di' Gay Project são os mais importantes. Os sites úteis incluem www.gay.it e www.mariomieli.org. ✆ *ARCIGay and ARCI-Lesbica: Via Zabaglia 14, 06 6450 1102, www.arcigayroma.it • Gay helpline: 800 713713 (gratuito) • Di' Gay Project: Via Costantino 82, 06 513 4741, www.digayproject.com • Mario Mieli: Via Efeso 2a, 06 541 3985*

Caixa automático; Caixas de correio; Banco italiano

TOP 10 Bancos e Comunicações

1 Trocar Dinheiro

Sempre troque seu dinheiro em bancos (ou, para usuários do cartão American Express, em uma agência Amex) pelas melhores taxas de câmbio e menores comissões. Leve o passaporte para se identificar. As casas de câmbio são mais práticas, mas têm as piores cotações e/ou maiores comissões. Jamais troque traveller's cheque (ou use um para pagar) em lojas ou hotéis, a menos que necessite, porque as taxas são absurdas.

2 Caixa Automático

A maneira mais fácil e barata de obter dinheiro local é sacar diretamente da sua conta corrente em um caixa automático *(bancomat)*. Informe-se com seu banco antes. Não precisa se identificar, não tem filas e você consegue taxas melhores do que no interior do banco. Um valor é cobrado a cada retirada.

3 Cartão de Crédito

MasterCard e Visa são aceitos em toda parte, menos em lojas e hotéis pequenos e nas *trattorie*. O American Express também é bem aceito. O Diner's Club só é aceito em lugares mais caros. Você pode sacar dinheiro com seu cartão de crédito nos caixas automáticos, mas os juros começam a incidir imediatamente, e tanto a empresa do cartão quanto o banco cobram pequenas porcentagens pelo serviço.

4 Traveller's Cheques

Embora ainda seja a maneira mais segura de portar dinheiro (se você perdê-los e tiver guardado o número dos cheques em local seguro, será restituído rapidamente), os traveller's cheques foram prejudicados com a evolução dos caixas automáticos. Porém, ter alguns cheques pode ser útil numa emergência. Compre-os em dólares, libras esterlinas ou euros. Os cheques pessoais são inúteis, a menos que você tenha um cartão Amex e possa descontá-los nas lojas da American Express.

5 Moeda

Como a maior parte dos países europeus, a Itália adotou o euro (€) no lugar da lira em 2002. As moedas são de 1, 2, 5, 10, 20 e 50 centavos de euro e 1 e 2 euros. As notas são nos valores de 5, 10, 20, 50, 100, 200 e 500 euros.

6 Telefone Público

Na Itália, os poucos telefones públicos só aceitam cartões de telefone pré-pagos *(scheda telefonica)*, que são vendidos com vários valores em bancas de revista e tabacarias *(tabacchi)*. Quebre o canto do cartão antes de usar. Os telefones mais novos também aceitam moedas.

7 Como Ligar

Nas principais estações de trem você encontra cabines telefônicas internacionais e uma série de *carta telefonica internazionale* pré-paga para ligar para outros países. Mas é mais barato usar um cartão telefônico com plano internacional vinculado à conta de telefone da sua casa. Para transferir a cobrança, ligue de qualquer aparelho para 170. Não ligue de hotéis, que cobram taxas muito altas. Para ligar para a Itália do exterior, disque o prefixo internacional, o código do país (39) e depois o número precedido de zero para telefone fixo.

8 Acesso à Internet

Se tiver um laptop, procure um café com conexão Wi-Fi. Ou então, o escritório de turismo lhe dirá onde encontrar um cibercafé (mas leve o passaporte).

9 Serviços Postais

O correio italiano não é confiável, e o tempo de entrega pode variar. Você não precisa ir ao posto de correio *(ufficio postale)* para comprar selos *(francobolli)*; basta comprar no jornaleiro ou na tabacaria. Depois é só jogar o envelope numa caixa de correio (de cor vermelha), na qual se lê *"per tutte le altre destinazioni"*.

10 Receber Correspondência

A sua correspondência enviada para a "FERMO POSTA/ Piazza San Silvestro 19/ 00187 Roma, Italia" irá para o correio central na Piazza San Silvestro. Cobra uma pequena taxa para resgatá-la.

Placa de farmácia; Delegacia de polícia; Ambulância

TOP 10 Segurança e Saúde

1 Números de Emergência
Disque 113 para emergências em geral, 112 para chamar a polícia (*carabinieri*), 118 para a ambulância, 115 para os bombeiros e 803-116 para carro quebrado (serviço de guincho pago).

2 Segurança
A Itália é um país bastante seguro. Além dos batedores de carteira, há pouco que temer. São raros os crimes violentos, e apesar de as mulheres (especialmente jovens estrangeiras) chamarem muita atenção, não há perigo. Mesmo assim, é melhor que evitem caminhar sozinhas nos parques da cidade depois do anoitecer. Os italianos dirigem agressivamente, por isso fique atento ao volante e ao atravessar a rua.

3 Pequenos Roubos
Em ônibus lotados, especialmente o nº 64 *(p. 165)*, no metrô, nas estações de trem e nas áreas que concentram muitos turistas, os ladrões fazem a festa. Saia apenas com o dinheiro necessário para o dia e esteja sempre atento. O melhor lugar para guardar seu passaporte, dinheiro, cartões de crédito, passagens de avião ou trem é em um cinto com zíper mantido sob as roupas ou preso na cintura ou no pescoço. O furto de bolsas é menos comum e pode ser evitado se você mantiver a bolsa colada ao corpo e no sentido oposto ao da rua.

4 Crianças Assaltantes
Meninas com roupas sujas, geralmente com um bebê nos braços, pedem esmola insistentemente, enquanto um bando de crianças leva seus bens num instante, às vezes até usando a força. Uma tática comum é interceptar você mostrando um pedaço de papelão com algumas palavras rabiscadas enquanto os pequenos aproveitam a distração para lhe roubar.

5 Golpes
Os golpes costumam ser mais aplicados em turistas. Fique atento e procure estar sempre no comando, e os espertinhos dificilmente conseguirão aplicá-los em você. Fique ligado em táxis que tentam cobrar tarifas "fora da cidade" em vez de local, e nos restaurantes que incluem na conta o que você não pediu. Alguns tentam debitar duas vezes o valor no seu cartão de crédito.

6 Polícia
Há dois departamentos de polícia aos quais você pode recorrer: a *polizia* e a força de *carabinieri* nacional, mais bem treinada militarmente. A delegacia de polícia chama-se *questura*.

7 Seguro-Saúde
Leia a sua apólice de seguro pessoal para saber se você tem cobertura no exterior. Geralmente as taxas hospitalares são cobradas no momento da internação e você preencherá um formulário para receber o reembolso em casa. Os associados da Blue Cross/Blue Shield só podem usar os hospitais conveniados em Roma se apresentarem o cartão.

8 Hospitais
Os hospitais *(ospedale)* romanos são eficientes e semiprivatizados, apesar de seu aspecto muitas vezes precário. A emergência chama-se *pronto soccorso*. Para casos simples que não necessitem de internação, o médico costuma examinar e prescrever um medicamento sem qualquer burocracia.

9 Farmácias
As farmácias italianas *(farmacie)* costumam ser bem equipadas e dão conselhos úteis em caso de um mal-estar simples. À noite e aos domingos, uma placa é colocada na frente de toda farmácia com a lista das que ficam abertas naqueles períodos. Além de outras, as farmácias 24 horas estão na Piazza Barberini 49, Via Arenula 73 e do lado de fora da estação Termini, onde a Via Cavour encontra a Piazza dei Cinquecento.

10 Comida e Água Saudáveis
A água italiana pode ser bebida em toda parte, exceto nos trens e onde houver a placa *"acqua non potabile"*. A comida também é bastante saudável, mas não se aconselha o consumo de frutos do mar crus.

Majestic; Regina Baglioni

TOP 10 Hotéis de Luxo

1 Eden

Há muitos anos que este hotel é o preferido das celebridades e o mais ilustre representante da tradição e do luxo. Cada detalhe é de mais puro refinamento e o excelente restaurante-bar no topo do edifício domina toda a cidade *(p. 136)*. *Via Ludovisi 49 • Mapa E2 • 06 478 121 • www.edenroma.com • AD • €€€€€*

2 Hassler

Um dos raros e refinados hotéis que ainda não foram absorvidos por alguma rede de hotéis de luxo, tem os quartos decorados em tons de mel num estilo requintado e atemporal. Tanto das suítes quanto do restaurante na cobertura, a vista que se tem de Roma é deslumbrante. *Piazza Trinità dei Monti 6 • Mapa D2 • 06 699 340 • www.hotelhasslerroma.com • AD • €€€€€*

3 De Russie

Este hotel histórico, o favorito de Picasso, foi remodelado e ganhou um estilo suntuoso, porém discreto. Entre outros atrativos, tem cafés voltados para os jardins, restaurante excelente, um dos mais renomados bares de coquetéis da cidade, spa e academia, além de um jardim secreto no Pincio. Os quartos são espaçosos e elegantes, em cores neutras e com todo o conforto imaginável. *Via del Babuino 9 • Mapa D2 • 06 328 881 • www.roccofortecollection.com • AD • €€€€€*

4 St Regis Grand

Extravagante e luxuoso, este hotel teve sua origem no César Ritz em 1894 e até hoje faz jus ao nome do ilustre hoteleiro. Completam o pacote o restaurante Vivendo, de padrão internacional, um centro empresarial e um centro de fitness. *Via V E Orlando 3 • Mapa E3 • 06 47 091 • www.stregis.com/grandrome • AD • €€€€€*

5 Majestic

Imponência é a tônica deste hotel da Via Veneto, fundado em 1889. Decoração deslumbrante, como também o são as antiguidades e os banheiros com jacuzzis. *Via Veneto 50 • Mapa E2 • 06 421 441 • www.hotelmajestic.com • AD • €€€€€*

6 Regina Baglioni

Um ambiente digno dos reis que aqui já se hospedaram mais de uma vez. Paredes revestidas de seda, tapetes orientais, pinturas, pisos de mármore, antiguidades. Um verdadeiro palácio por dentro e por fora. As suítes do sétimo andar têm vista panorâmica. *Via Veneto 72 • Mapa E2 • 06 421 111 • www.baglionihotels.com • AD • €€€€€*

7 De la Ville Inter-Continental

Com certeza um dos hotéis mais bonitos de Roma, decorado com obras de arte, mármores e antiguidades, tudo iluminado por candelabros venezianos. Além de cada quarto ter um tema próprio, a localização é privilegiada, no topo da Scalinata di Spagna. *Via Sistina 69 • Mapa D2 • 0800 181 7341 • www.ichotelsgroup.com • AD • €€€€€*

8 Grand Hotel Flora

Pertencente à rede Marriott, o hotel tem o refinamento que se esperaria na Via Veneto e é muito eficiente. Os mármores, as antiguidades e as cores suaves completam a decoração. Tem ainda um restaurante ajardinado na cobertura e um piano-bar. *Via Veneto 191 • Mapa E2 • 06 489 929 • www.hotelflorarome.com • AD • €€€€€*

9 Giulio Cesare

É um antigo palacete que ainda conserva a atmosfera aristocrática. Candelabros, antiguidades, pinturas, tapetes orientais e um piano de cauda dão estilo aos quartos, equipados com banheiro de mármore e distribuídos ao longo de corredores espelhados. *Via degli Scipioni 287 • Mapa B2 • 06 321 0751 • www.hotelgiuliocesare.com • €€€€*

10 Atlante Star

Serviço competente e comodidades como traslado para o aeroporto e jacuzzis. O restaurante na cobertura dá vista para a Praça de São Pedro. *Via Vitelleschi 34 • Mapa B2 • 06 68638 • www.atlantehotels.com • €€€€*

Todos os hotéis aceitam cartões de crédito e têm quartos com banheiro e ar-condicionado, exceto quando há indicação do contrário

Suíte, Raphael

Categorias de Preço

Diária de quarto de casal (com café da manhã, se houver), impostos e taxa de serviço.

€	até €100
€€	€100-€150
€€€	€150-€250
€€€€	€250-€350
€€€€€	acima de €350

TOP 10 Hotéis Charmosos e Românticos

1 Westin Excelsior

É a grande *dame* dos hotéis de Roma pela arquitetura belle époque e a localização privilegiada. Os detalhes elegantes estão por toda parte, sem falar nos vários e bons restaurantes. *Via Veneto 125 • Mapa E2 • 06 470 81 • www.starwoodhotels.com • AD • €€€€€*

2 Lord Byron

O prédio original deste hotel-butique abrigava um mosteiro, mas já perdeu toda a austeridade. Seu interior é uma eclética mistura de estilos e períodos, mas tudo de muito bom gosto. A localização garante serena privacidade, que é o antídoto ideal para o ritmo caótico do centro. *Via G de Notaris 5 • Mapa B2 • 06 322 0404 • www.lordbyronhotel.com • €€€€€*

3 Raphael

Sem dúvida um dos hotéis mais bonitos de Roma. Tem localização ideal, bem atrás da Piazza Navona. A hera que cobre a fachada empresta um charme e uma intimidade que transcendem a própria arquitetura. No foyer encontram-se raros tesouros artísticos e os quartos, em sua maioria, mantêm a decoração original, alguns com piso de taco e detalhes em mármore. A vista dos terraços é deslumbrante. *Largo Febo 2 • Mapa L3 • 06 682 831 • www.raphaelhotel.com • €€€€€*

4 Caesar House Residenze Romane

Pequeno hotel-butique com vista do Fórum. Todos os quartos têm decoração personalizada com móveis antigos e atmosfera de um apartamento requintado, assegurando uma estadia aconchegante e intimista. Há um banho turco e massagens disponíveis, sob pedido. *Via Cavour 310 • Mapa R4 • 06 679 2674 • www.caesarhouse.com • €€€*

5 Farnese

Nesta mansão belle époque renovada, todos os móveis são autênticos daquele período. Belos afrescos decorativos em *trompe-l'oeil*, banheiros modernos e um jardim na cobertura são só algumas das muitas atrações. Todos os quartos têm pé-direito alto e tecidos elaborados. *Via Alessandro Farnese 30 • Mapa C1 • 06 321 2553 • www.hotelfarnese.com • €€€€*

6 Grand Hotel del Gianicolo

No alto da colina de Trastevere, este antigo convento hoje oferece comodidades como a bonita piscina cercada por um jardim deslumbrante e uma cobertura ajardinada. Está localizado em um ponto tranquilo, apesar do trânsito pesado nas imediações. Os quartos têm venezianas. *Viale delle Mura Gianicolensi 107 • Mapa B4 • 06 5833 5522 • www.grandhotelgianicolo.it • AD • €€€€*

7 Hotel Piranesi

Romântico hotel-butique dirigido por uma família simpática. Os quartos têm piso de madeira, e belos brocados completam a decoração. A vista do terraço da cobertura é deslumbrante. *Via del Babuino 196 • Mapa D2 • 06 328 047 • www.hotelpiranesi.com • AD • €€€€*

8 Portrait Suites

As casas clássicas italianas inspiraram este luxuoso hotel-butique, criado para casais. As suítes são elegantes e românticas, com mobília assinada e serviço personalizado. *Via Bocca di Leone 23 • Mapa D2 • 06 6938 0742 • www.lungarnocollection.com • €€€€*

9 Crossing Condotti

Esta residência privada oferece o conforto de uma maravilhosa casa urbana, com quitinete inclusa. Os cinco quartos são decorados com obras de arte e antiguidades pertencentes ao dono. *Via Mario de' Fiori 28 • Mapa N1 • 06 699 20633 • www.crossingcondotti.com • €€€*

10 San Anselmo e Villa San Pio

Estas duas casas espaçosas estão aninhadas numa colina. Nelas predominam o estilo rococó, tapeçarias e candelabros. *Piazza Sant' Anselmo 2 e Via di Santa Melania • Mapa D5 • 06 570 057 • www.aventinohotels.com • €€€€*

Pantheon; Quarto do Pantheon

TOP 10 Hotéis de Preço Médio

1 Pantheon

Um hotel pequeno, mas de muito bom gosto, está a menos de um quarteirão do famoso templo *(pp. 14-5)*. As áreas comuns ostentam vitrais, mosaicos, vigas aparentes no teto e um imponente candelabro de cristal. As portas dos quartos exibem gravuras antigas dos obeliscos de Roma e no interior deles sempre há flores frescas. *Via dei Pastini 131 • Mapa M3 • 06 678 7746 • www.hotelpantheon.com • AD • €€€€*

2 Dei Borgognoni

Embora esteja muito perto do centro histórico, este prédio de época remodelado parece distanciar-se de tudo. As cores e a iluminação suaves reforçam a atmosfera de antiguidade e o jardim é dos mais convidativos. Alguns quartos têm pátio privativo. *Via del Bufalo 126 • Mapa P1 • 06 6994 1505 • www.hotelborgognoni.it • AD • €€€€*

3 Condotti

Situado no meio das butiques de grife ao longo desta rua *(p. 111)*, é um hotel com móveis de época e muito confortável. Os quartos são à prova de ruído, e muitos dão vista para os telhados da cidade; um deles tem terraço. Os funcionários são atentos e gentis. *Via Mario de' Fiori 37 • Mapa N1 • 06 679 4661 • www.hotelcondotti.com • €€€€*

4 Cesàri

Uma joia já famosa no século XIX, quando Stendhal se hospedava aqui, mas sua fachada está um pouco alterada. O interior, porém, é todo moderno, decorado com peças e gravuras antigas. Nos quartos, o banheiro é de mármore azul. *Via di Pietra 89A • Mapa N2 • 06 674 9701 • www.albergocesari.it • €€€*

5 Fori Imperiali Cavalieri

Muito próximo de todas as atrações do centro antigo, aqui impera a serenidade, graças à decoração e ao serviço, igualmente tranquilos. O prédio histórico foi reformado e todos os quartos são equipados com um transmissor de dados. *Via Frangipane 34 • Mapa Q5 • 06 679 6246 • www.hotelforiimperialicavalieri.com • €€€*

6 Tritone

Localizado muito perto da Fontana di Trevi e outros pontos turísticos, aqui o que se vende é o silêncio garantido pelos vidros duplos e o grosso carpete que recobre o piso. O bufê de café da manhã na cobertura é uma festa. *Via del Tritone 210 • Mapa P1 • 06 6992 2575 • www.tritonehotel.com • €€€*

7 Teatropace 33

Numa rua tranquila a poucos minutos da Piazza Navona, o Teatropace 33 ocupa um palácio restaurado. Elegante, cada quarto é decorado em estilo diferente. Não tem elevador. *Via del Teatro Pace 33 • Mapa L2 • 06 687 9075 • www.hotelteatropace.com • €€€*

8 Santa Chiara

Ocupa três prédios históricos e é administrado pela mesma família há 200 anos. Atrás do Pantheon, tem quartos espaçosos e cheios de personalidade. Alguns detalhes: escrivaninhas com tampo de mármore, camas com cabeceira de carvalho e banheiros em mármore travertino. *Via Santa Chiara 21 • Mapa M3 • 06 687 2979 • www.albergosantachiara.com • €€€€*

9 Hotel Santa Maria

Este hotel situado em um tranquilo claustro do século XVI é um oásis de paz no meio do agitado bairro de Trastevere. São dezoito quartos modernos ao redor de um agradável jardim. Há habitações individuais e coletivas. *Vicolo del Piede 2 • Mapa K6 • 06 589 4626 • www.htlsantamaria.com • AD • €€€*

10 Des Artistes

Hotel para não fumantes. Quadros bonitos e banheiros de mármore dão um toque de elegância. Tem internet nos quartos. Uma das melhores opções na área de Termini, reserva um andar para hóspedes com pouco dinheiro. *Via Villafranca 20 • Mapa F3 • 06 445 4365 • www.hoteldesartistes.com • €€*

Todos os hotéis aceitam cartões de crédito e têm quartos com banheiro e ar-condicionado, exceto quando há indicação do contrário

Sole al Pantheon

Categorias de Preço

Diária de quarto de casal (com café da manhã, se houver), impostos e taxa de serviço.

€	até €100
€€	€100-€150
€€€	€150-€250
€€€€	€250-€350
€€€€€	acima de €350

Top 10 Quartos com Vista

1 Sole al Pantheon

Este hotel, que já funcionava como hospedaria em 1467, era o preferido do escritor renascentista Ariosto. Voltado para o Pantheon, tem pinturas decorativas em vários quartos e detalhes modernos como jacuzzis e janelas à prova de som. *Piazza della Rotonda 63 • Mapa M3 • 06 678 0441 • www.hotelsolealpantheon.com • €€€€*

2 Victoria

Embora seja vizinho de outros muito mais extravagantes *(p. 170)*, este hotel é uma alternativa econômica para quem prefere ficar perto da Via Veneto. O bar no terraço tem uma vista espetacular da antiga Muralha Aureliana e da Villa Borghese. O serviço é excelente. *Via Campania 41 • Mapa E2 • 06 423 701 • www.hotelvictoriaroma.com • AD • €€€*

3 Scalinata di Spagna

Com localização privilegiada no alto da Scalinata di Spagna em um palacete do século XVIII, um dos diferenciais deste hotel é a vista que se tem de muitos de seus quartos e do terraço fechado com treliça. Os quartos não são grandes, mas são bem equipados e decorados. Faça a sua reseva com muita antecedência. *Piazza Trinità dei Monti 17 • Mapa D2 • 06 679 3006 • www.hotelscalinata.com • AD • €€€*

4 Domus Aventina

O antigo convento do século XIV com fachada do século XVII abriga um hotel tranquilo com quartos grandes e decorados em tons suaves. A vista das sacadas e do terraço é fantástica, e as gravuras, as pinturas murais e os artefatos clássicos são detalhes elegantes. *Via di Santa Prisca 11B • Mapa D5 • 06 574 6135 • www.hoteldomusaventina.com • €€€*

5 Teatro di Pompeo

Tome café da manhã sob os arcos do primeiro teatro de Roma construído por Pompeu, o Grande, em 55 a.C. Nos quartos, o teto tem vigas de madeira aparentes, móveis com tampo de mármore e alguns têm vista. As instalações rivalizam com as de um grande hotel. *Largo del Pallaro 8 • Mapa N6 • 06 68300170 • www.hotelteatrodipompeo.it • €€€*

6 Sofitel Villa Borghese

Ocupando um Palácio renovado, é um hotel de luxo, moderno e elegante, com vista para o parque do terraço de cobertura. *Via Lombardia 47 • Mapa E2 • 06 478 021 • www.sofitel.com • €€€€*

7 Homs

Situado em uma tranquila rua de comércio, é um hotel mediano e austero, mas as antiguidades aqui e ali dão o toque que faltava. São dois terraços de cobertura, um deles reservado a cafés da manhã o ano todo e vista panorâmica dos horizontes de Roma. *Via della Vite 71-2 • Mapa D2 • 06 679 2976 • www.hotelhoms.it • €€€€*

8 Inn at the Spanish Steps

Hotel sofisticado, localizado em um prédio do século XVII onde morou Hans Christian Andersen. Destaca-se a bonita cobertura ajardinada que dá vista para a Scalinata di Spagna. Os quartos bem equipados têm TV via satélite e acesso à internet. *Via dei Condotti 85 • Mapa D2 • 06 699 25657 • www.atspanishsteps.com • €€€€*

9 Torre Colonna

Em uma torre medieval, este hotel fica no alto do Fórum e próximo aos Mercados de Trajano. Os quartos, individualmente decorados, têm banheira de hidromassagem. Há também um quarto no terraço, voltado para o Fórum. *Via delle Tre Cannelle 18 • Mapa P4 • 06 8360 0192 • www.torrecolonna.it • €€€€*

10 Abruzzi

Uma pensão antiga com quartos amplos e limpos, todos com pia. Peça um quarto voltado para a vista inesquecível. *Piazza della Rotonda 69 • Mapa M3 • 06 9784 1351 • www.hotelabruzzi.it • €€€*

Cavalieri Hilton

TOP 10 Hotéis Executivos

1 Boscolo Exedra
Em um majestoso palacete voltado para a Fontana delle Naiadi *(p. 47)*, este luxuoso hotel cinco-estrelas tem atendimento e qualidade impecáveis. A iluminação sutil, as cores quentes e as flores frescas evocam a elegância neoclássica, ao passo que o maravilhoso terraço na cobertura é perfeito para almoços de negócios. *Piazza della Repubblica 47 • Mapa E3 • 06 4893 8012 • www.exedra-roma.boscolohotels.com • €€€€€*

2 Parco dei Principi
A fachada moderna deste arranha-céu situado nos limites da Villa Borghese esconde um interior luxuoso no melhor estilo aristocrático italiano. A vista panorâmica de todos os quartos inclui o parque e as cúpulas da cidade. Tem ginásio, piscina, pátios, lounges e um centro empresarial bem equipado. *Via G Frescobaldi 5 • Mapa E2 • 06 854 421 • www.parcodeiprincipi.com • €€€€€*

3 Grand Hotel Plaza
Inaugurado em 1860, este é um dos hotéis mais antigos de Roma, repleto de exageros eduardianos. Salões grandiosos com vitrais, candelabros luxuosos, pinturas murais e antiguidades combinadas com os confortos modernos produziram um ambiente interessante e confortável. Os grandes terraços de cobertura oferecem vistas sensacionais. *Via del Corso 126 • Mapa D2 • 06 6992 1111 • www.grandhotelplaza.com• €€€€€*

4 Cavalieri Hilton
No alto de uma colina, na outra margem do rio e longe do centro, este hotel tem dois restaurantes (um deles com estrelas Michelin), quatro bares, piscinas interna e externa, salão de beleza, spa, centro de fitness, quadras de tênis e parques. É, sem dúvida, o melhor lugar de Roma para fechar grandes negócios. *Via Cadlolo 101 • Mapa B1 • 06 350 91 • www.romecavalieri.it • AD • €€€€€*

5 Mecenate Palace
Com vista para Santa Maria Maggiore *(p. 127)*, é um hotel confortável cujo nome se deve a um grande patrono das artes da época de Augusto. Além do café-terraço que é ideal para negociações particulares, tem uma sala de reuniões que acomoda mais de 40 pessoas. *Via Carlo Alberto 3 • Mapa F3 • 06 4470 2024 • www.mecenatepalace.com • AD • €€€€*

6 Nazionale a Montecitorio
Ao lado do Parlamento italiano, este palácio do século XVI hospeda políticos. O ambiente é majestoso, principalmente no restaurante, que tem piso de mármore. *Piazza Montecitorio 131 • Mapa M1 • 06 695 001 • www.hotelnazionale.it • AD • €€€€€*

7 Bernini Bristol
Um prédio comum na frente da fonte do Tritão, de Bernini *(p. 134)*. A decoração também não diz nada, mas é um hotel confortável, com muito mármore, que oferece seviços de secretaria e outras comodidades. Além da cobertura ajardinada, os quartos mais altos têm vista. *Piazza Barberini 23 • Mapa Q1 • 06 488 931 • www.berninibristol.com • AD • €€€€€*

8 Dei Consoli
Elegante e refinado, tem muitas conveniências, como acesso a internet, hidromassagem e salas de reunião. *Via Varrone 2D • Mapa B2 • 06 6889 2972 • www.hoteldeiconsoli.com • AD • €€€*

9 Frum
Um convento adaptado com restaurante na cobertura ajardinada e vista para os Fóruns Imperiais. Os painéis de nogueira no interior deixam o ambiente aconchegante, e os banheiros têm azulejos decorativos. A sala de reuniões bem equipada acomoda de 15 a 80 pessoas. *Via Tor de' Conti 25-30 • Mapa P4 • 06 679 2446 • www.hotelforumrome.com • €€€€*

10 Radisson SAS Hotel
É um hotel contemporâneo, equipado com modernas instalações para conferências. *Via Fillippo Turati 171 • Mapa F3 • 06 444 841• www.rome.radissonsas.com • AD • €€€€€*

Todos os hotéis aceitam cartões de crédito e têm quartos com banheiro e ar-condicionado, exceto quando há indicação do contrário

Terraço de Cobertura, Campo dei Fiori

Categorias de Preço

Diária de quarto de casal (com café da manhã, se houver), impostos e taxa de serviço.

€	até €100
€€	€100-€150
€€€	€150-€250
€€€€	€250-€350
€€€€€	acima de €350

TOP 10 Hotéis Econômicos

1 Sant'Anna

Hotel pequeno e moderno no Borgo medieval que está próximo da Basílica de São Pedro. Tem pinturas murais na sala de café da manhã e uma fonte no pátio. Os quartos são amplos, e os que estão em andares mais altos dispõem de pequenos terraços. Embora esteja em uma área tranquila, tem muito de Roma Antiga. *Borgo Pio 134 • Mapa B3 • 06 6880 1602 • www.hotelsantanna.com • €€€*

2 San Carlo

A decoração exibe alguma influência clássica, com detalhes em mármore aqui e ali. Situado numa das ruas mais silenciosas nas imediações da Scalinata di Spagna, tem quartos claros e confortáveis, alguns com vista da cidade e terraços privativos. Serve café da manhã na cobertura ajardinada. *Via delle Carrozze 93 • Mapa D2 • 06 678 4548 • www.hotelsancarloroma.com • €€€*

3 Alimandi

Fica perto do Vaticano, tem uma bonita recepção e quartos amplos. Os terraços e a cobertura ajardinada com vistas são raros nesta faixa de preço. O atendimento é impecável, está numa rua tranquila com farto transporte público, tem TV a cabo grátis e ônibus para o aeroporto. *Via Tunisi 1 • Mapa B2 • 06 3972 3941 • www.alimandi.com • €€€*

4 La Cisterna

É o que há de melhor no centro medieval de Trastevere: quartos confortáveis, com localização numa ruazinha silenciosa, distante do movimento. Nos fundos há um pequeno pátio com fonte, onde os hóspedes tomam o café da manhã ou simplesmente se sentam para relaxar. *Via della Cisterna 8 • Mapa K6 • 06 581 7212 • www.cisternahotel.it • €€*

5 Hotel Artorius

Em uma das ruas mais belas de Monti, este hotel de gestão familiar propicia uma estada relaxante a preços razoáveis. Os quartos são espaçosos, confortáveis e elegantes. Há também um bar agradável. *Largo M Gelsomini 25 • Mapa D6 • 06 575 0009 • www.hotelsantaprisca.it • AD • €€*

6 Al Centro di Roma B&B

Este pequeno B&B (apenas três quartos) fica no centro, perto da Piazza Navona. Tem ótima reputação pelo serviço, a limpeza e um excelente custo-benefício. *Piazza Sant' Andrea della Valle 3 • Mapa L4 • 06 6813 5946 • www.bbalcentrodiroma.com • €€*

7 Campo de' Fiori

Hotel agradável, limpo e muito bem localizado. O terraço de cobertura dá vista para os telhados, as torres e os domos deste bairro restaurado. Dentro, muitos detalhes da decoração não deixam esquecer que você está em um prédio medieval: espelhos, afrescos e uma parede antiga exposta. *Via del Biscione 6 • Mapa L4 • 06 6880 6865 • www.hotelcampodefiori.com • €€€*

8 Carmel

Pensão tradicional, com decoração espartana e quartos modestos. Mas há um terraço à sombra de uma parreira e na maior parte dos quartos as janelas são de vidro duplo. Um diferencial é a cozinha kosher para hóspedes judeus. *Via Goffredo Mameli 11 • Mapa K6 • 06 580 9921 • www.hotelcarmel.it • €€*

9 Smeraldo

Excelente escolha tanto pela localização quanto pela qualidade. O nome se refere ao mármore verde-esmeralda da entrada, e por toda parte há detalhes em mármore. A casa possui dois terraços. Os quartos são limpos, alguns com sacada. *Vicolo dei Chiodaroli 9 • Mapa M4 • 06 687 5929 • www.smeraldoroma.com • €€*

10 Trastevere

Hotel simples, mas com o charme medieval. Um diferencial importante são as paredes com tijolos à vista e a decoração com estêncil. Os quartos são todos voltados para o mercado local. *Via L Manara 24A-25 • Mapa K6 • 06 581 4713• www.hoteltrastevere.net • €€*

Hostel Sandy; Alessandro Downtown

TOP 10 Albergues e Instituições

1 Colors

É dirigido pelo pessoal da Enjoy Rome e bem localizado numa rua tranquila, perto da Basílica de São Pedro. Quartos limpos e funcionários atenciosos e poliglotas; acesso grátis à internet; cozinha liberada; terraço e apartamentos com cozinha montada. Não tem hora para fechar. *Via Boezio 31 • Mapa B2 • 06 687 4030 • www.colorshotel.com • €*

2 Blue Hostel

Albergue de alto nível, com fantásticos quartos duplos e triplos no meio do bairro de Esquilino. Cada quarto tem decoração própria, banheiro completo, secador de cabelos, TV de tela plana, wi-fi e piso e teto de madeira. Perfeito para casais, famílias e grupos pequenos. *Via Carlo Alberto 13 • Mapa F3 • 340 925 8503 • www.bluehostel.it • Não aceita cartão de crédito • €*

3 Orsa Maggiore for Women Only

Dirigido pela International Women's House, este albergue em Trastevere oferece dormitórios e quartos duplos só para mulheres. Todos são espaçosos e tranquilos, dando vista para o jardim ou para os telhados. Há também um café-restaurante orgânico. *Via San Francesco di Sales 1/a • Mapa C4 • 06 689 3753 • www.casainternazionaledelledonne.org • Sem ar-condicionado • €*

4 Hostel Alessandro e Alessandro Downtown

Funcionários simpáticos, recepção 24h, cozinha, acesso à internet e café, chá e pães doces de graça costumam lotar estes albergues. Também oferecem armários com chave, mapas e informação turística. O Hostel Alessandro fica ao norte de Termini, o Alessandro Downtown, do outro lado, perto da Via Cavour. *Via Vicenza 42 e Via Carlo Cattaneo 23 • Mapa E2 • 06 446 1958/ 443 40147 • www.hostelsalessandro.com • AD (só no centro) • €*

5 Pensione Ottaviano

Hotel-albergue particular, ao lado dos muros do Vaticano. Equipe simpática que fala inglês. Não tem hora para fechar. TV via satélite, acesso à internet, cofres e informação turística, mas sem café da manhã. É a mesma administração do Hostel Sandy. *Via Ottaviano 6 • Mapa B3 • 06 3973 8138 • www.pensioneottaviano.com • Não aceita cartão de crédito • Não tem ar-condicionado • €*

6 Hostel Sandy

Dormitórios, com três a oito camas, vários com geladeira. Não tem hora para ferchar. Os cofres, a informação turística e a internet são cortesia. *Via Cavour 136 • Mapa E3 • 06 488 4585 • www.sandyhostel.com • Não aceita cartão de crédito • Não tem ar-condicionado • €*

7 Bed & Breakfast Cicerone 28

Apartamentos simples perto do Vaticano; limpos e silenciosos se forem mais altos. Os quartos são básicos, com banheiro ou não. Serve café da manhã em uma sala com TV. *Via Cicerone 28 • Mapa B2 • 06 320 8195 • www.romacicerone28.com • Não aceita cartão de crédito • €*

8 Aluguel de B&B

Para acomodação em bed and breakfast em Roma, procure a B&B Association de Roma. *B&B Association of Rome: Via A. Pacinotti 73 • 06 5530 2248 • www.b-b.rm.it*

9 The Beehive

Dirigido por um casal norte-americano, este hotel-albergue (tem um dormitório) fica perto da Roma Termini, mas é tranquilo e tem um jardim interno cercado por muros. Dispõe de acesso à internet e ligações internacionais. *Via Marghera 8 • Mapa K4 • 06 4470 4553 • www.the-beehive.com • €*

10 Centro Diffusione Spiritualità

Esta é uma casa religiosa situada ao lado do jardim botânico de Trastevere. Não é muito atraente, mas é perfeitamente limpa e bem organizada, e tem um jardim agradável. Fecha às 23h. *Via dei Riari 43-4 • Mapa J5 • 06 6880 6122 • Não aceita cartão de crédito • Não tem ar-condicionado • €*

Todos os hotéis aceitam cartões de crédito e têm quartos com banheiro e ar-condicionado, exceto quando há indicação do contrário

Vista do Residence Palazzo al Velabro

Categorias de Preço

Diária de quarto de casal (com café da manhã, se houver), impostos e taxa de serviço.

€	até €100
€€	€100-150
€€€	€150-250
€€€€	€250-350
€€€€€	acima €350

TOP 10 Alojamentos Independentes

1 Santa Chiara

Situado bem atrás do Pantheon, este palacete é ideal para sentir de perto o centro da cidade. Seus três apartamentos acomodam de duas a cinco pessoas. O mais interessante deles tem vigas no teto, lareira e terraço com vista para a cúpula do Pantheon. ✆ Via *S. Chiara 21 • Mapa M3 • 06 687 2979 • www.albergosantachiara.com • €€€€*

2 Residence Palazzo al Velabro

Este elegante palacete está situado muito perto da Piazza Venezia. Além do luxo discreto, ele oferece privacidade e localização conveniente. Os hóspedes ficam em apartamentos com nome de imperadores, deuses, reis ou poetas. A equipe é atenta e prestativa. A permanência mínima é de três dias. ✆ *Via del Velabro 16 • Mapa N4 • 06 679 2758 • www.velabro.it • AD • €€€*

3 Aldrovandi Residence

Mais afastado do centro, porém logo depois da Villa Borghese, o Aldrovandi fica no bairro de Parioli, onde o verde é preservado. A casa tem lindas mobílias e o serviço de hotelaria é diferenciado. Os hóspedes podem usar a piscina do vizinho Hotel Aldrovandi. A permanência mínima é de uma semana. ✆ *Via Aldovrandi 11 • Bonde nº 19 • 06 322 1430 • www.aldrovandiresidence.it • AD • €€€*

4 Residenza Farnese

Além de estar localizado muito perto da Piazza Farnese e de oferecer espaço e conforto, o prédio é um palacete do século XV reestruturado em uma área que esbanja história. ✆ *Via del Mascherone 59 • Mapa K4 • 06 6821 0980 • www.residenzafarneseroma.it • €€€*

5 Residenza di Ripetta

Muito perto da Piazza del Popolo, é um convento do século XVII reformado com vários tipos de apartamentos, para quem pretende ficar por pouco ou muito tempo. A decoração e o mobiliário são básicos, mas limpos, e os funcionários fazem de tudo para atender às suas necessidades. Permanência mínima de uma semana. ✆ *Via di Ripetta 231 • Mapa D2 • 06 323 1144 • www.ripetta.it • AD • €€€€*

6 Trastevere

Bem no coração do bairro medieval, a apenas uma quadra da praça principal. É um hotel modesto que oferece apartamentos pequenos e limpos, todos com cozinha. ✆ *Via L. Manara 24A-25 • Mapa K6 • 06 581 4713 • www.hoteltrastevere.com • €*

7 Retrome

Gerencia um hotel pequeno e dez apartamentos vintage em várias localidades, como a Praça Navona, o Campo dei Fiore e áreas próximas ao Coliseu. Todos oferecem televisão e acesso à internet. ✆ *Via Marco Aurelio 47 • Mapa E5 • 06 955 57334 • www.retrome.net • €€*

8 Vatican Suites

Três mansões históricas no bairro de Prati foram convertidas em hotel. Cada uma delas conta com estúdios e apartamentos de um quarto de diversos tamanhos, todos simples, limpos e com cozinha. ✆ *Villa Tassoni: Viale Medaglie d'Oro 138, Mapa A2, 06 355 899, www.tassoni.it • Vatican Suites: Via Nicolò V 5, Mapa A3, 06 633 306, www.vaticansuites.com • €€*

9 Aurelia Residence San Pietro

Localizado perto do Vaticano, este hotel com jeito de residência orgulha-se por ser muito acolhedor e perfeito para famílias. Os quartos são estilosos e limpos, e as lojas encontram-se a uma curta distância a pé. ✆ *Via Aurelia 145 • 06 3938 8616 • www.aureliaresidence.it • €€*

10 Aluguel de Apartamentos

Há muitas locadoras e o preço depende do tamanho, do tempo de permanência ou do número de pessoas. ✆ *AT@HOME: Via del Corso 300 • 06 321 20102 • www.at-home-italy.com* ✆ *Rome Sweet Home • 06 699 2409 • www.romesweethome.it* ✆ *Cross-Pollinate • 06 9028 8130 • www.cross-pollinate.com • €*

Índice

Agradecimentos

Autores
Reid Bramblett é um autor norte-americano que, desde a sua infância, morou muitas vezes em Roma. Ele escreveu vários guias da Itália e é autor do *Guia Top 10 Toscana.*

Jeffrey Kennedy nasceu nos Estados Unidos, mas morou dezoito anos em Roma. Formado pela Universidade de Stanford, divide seu tempo entre produzir, escrever e representar. Seus últimos trabalhos foram produzir e escrever guias dos museus da Itália e apresentar o programa do Discovery Channel, *Must See Rome.*

Produzido por Sargasso Media Ltd, Londres

Editor do projeto Zoë Ross

Designer Stephen Woosnam-Savage

Pesquisa de Imagem Monica Allende

Revisão Stewart J Wild

Assistência Editorial Mark Livesey

Fotógrafo Principal Demetrio Carrasco

Fotografias Adicionais Max Alexander, Foto Carfagna & Associati, Giuseppe Carfagna, Mike Dunning, John Heseltine, Gorka Aduriz Lazaro, James McConnachie, Rough Guides/ James McConnachie, Natascha Sturny, Marta Bescos Sanchez, Kim Sayer, Solveig Steinhardt, Simone Strano

Ilustrações Chris Orr & Associates

NA DORLING KINDERSLEY

Editor de Arte Marisa Renzullo
Diretor de Publicações Louise Lang
Gerentes de Publicações Kate Poole, Helen Townsend
Diretor de Arte Gillian Allan
DTP Jason Little
Coordenador de Mapas Casper Morris
Produção Joanna Bull, Marie Ingledew
Assistência de Design e Assistência Editorial Beverley Ager, Rachel Barber, Nadia Bonomally, Imogen Corke, Miche Crane, Nicola Erdpresser, Niki Foreman, Anna Freiberger, Katharina Hahn, Amy Harrison, Gerard Hutching, Integrated Publishing Solutions, Bharti Karakoti, Sumita Khatwani, Priya Kukadia, Leonie Loudon, Carly Madden, Nicola Malone, Alison McGill, Sonal Modha, Helen Partington, Marianne Petrou, Andr Pinnington, Quadrum Solutions P Pete Quinlan, Rada Radojicic, Marisa Renzullo, Ellen Root, Mar Bescos Sanchez, Annie Shapero, Ellie Smith, Solveig Steinhard, Rebecca Taylor

Mapas Dominic Beddow, Simonetta Giori (Draughtsman Ltd

Assistência Especial
Rob Allyn, Giulia Bernardini, Gianluca Borghese, Jeff Burden, Jolie Chain, Diletta Donati, Elizabeth Geoghegan, Suzanne Hartley, Hanja Kochansky, Clark Lawrence, Adrian McCourt, Roberta Mencucci, Odile Morin, Ruth Morss, Maria Giovanna Musso, Frances Nacman, Claudic Nigro, Elaine O'Reilly, Rachel Pott Aloma Valentini, Lila Yawn

édito das Imagens

lto; ac-alto, centro; ad-alto, à direita; -centro, esquerda, acima; ca-centro na; cda-centro, direita, acima; centro, esquerda; cd-centro, direita; -centro, esquerda, embaixo; centro, embaixo; cdb-centro, ita, embaixo; be-embaixo, querda; bc-embaixo, centro; embaixo direita.

emos todo o esforço para localizar detentores dos direitos de imagem edimos desculpas por eventuais issões não intencionais. Teremos o zer de inserir os agradecimentos íveis em edições subsequentes sta publicação.

editores gostariam de agradecer às guintes pessoas, empresas e fontes imagens por sua gentil permissão a reproduzir suas fotografias:

P, Londres: 66b; AISA, rcelona: 6ad, 8-9c, 9a; AKG, ndres: 28b, 38ae, 38ad, 39a, d, 48ae, 56c, 57d, 58ae, 58ad, 2ae, *A criação de Adão* de chelangelo Buonarroti 10ae, *equiel* de Michelangelo onarroti 10ad, *A queda da graça* Michelangelo Buonarroti 11c, *vida de Moisés* de Sandro tticelli 11b, *A escola de Atenas* Rafael 48b, Hilbich 7bd, 36-37c, ch Lessing 19ca, 30b, 31c, 38b, d, *A invocação de São Mateus* Caravaggio 49a, Jean-Louis Nou b; ALAMY IMAGES: AA World vel Libary 80-81; Glyn Thomas ad; ALEX-ANDERPLATZ 147ad; E ART ARCHIVE: Museo pitolino Roma/Dagli Orti 24c.

BINGTON'S ENGLISH TEA OM: 116ae, 116ad; BAR ROSA-70ad; BARNUM CAFÉ: 106ad; IDGEMAN ART LIBRARY: 56ae, lleria Borghese *Amor sagrado e or profano* 1515 6b, 21b, *Apolo Dafne* de Bernini 20b, Pinacoteca Capitolina Palazzo Conservatori *A cigana* de Caravaggio 27a, Biblioteca do Congresso 56ad, Casa Memorial Keats-Shelley, Roma 57be, Palazzo Massimo alle Terme 29cd, 30ad, Santa Maria del Popolo *A crucificação de São Pedro* de Caravaggio 32b, Spirito Santo Prato 67d.

CORBIS: 25ca, 89-81c.; IL CONVIVIO: 89be; CROCE BIANCA ITALIANA: 169ad.

IL BOOM: 148ae; IL DAGHERROTIPO, Roma: Giovanni Rinaldi 66ae, 67c; 165ad; Marco Ravasini 130ae.

FRENI E FRIZIONI: 146ad.

GETTY IMAGES: usabin

LA GENSOLA: 74be.

JACKIE GORDON: 169ae.

HEMISPHERE IMAGES: Jean du Boisberranger 68ae; HOSTELS ALESSANDRO 176ad; HOTEL LORD BYRON ROMA: 74ad; HOTEL RAPHAËL – RELAIS & CHÂTEAUX: 171ae.

LIBRERIA BABELE: Gioris Guerrini 105ae; LIBRERIA RINASCITA: 105ad.

MARKA, Milan: Roberto Benzi 168ac; MAXXI: Roberto Galasso 152bd; MEDIA-COM S.R.L. AGENZIA DI COMUNICAZIONE INTEGRATA: 65ad.

NEWIMAGE S.R.L.: 68ad, 111ae.

PA PHOTOS: Epa/Ansa/Luciano del Castillo 66ad; LA PERGOLA: 74ae.

OBIKÀ MOZZARELLA BAR: 97ae.

SCALA: 7ca, 19b, 20ca, 21a, 21c, 28c, 28-29c, 29t, 29ca, 29b, 30ae, 36a, 36ce, 36b, 37a.

Todas as outras imagens são © DK. Para mais informações: www.dkimages.com

Frases

Em Emergências

Socorro!	**Aiuto!**	ai-ú-to
Pare!	**Ferma!**	fêr-ma
Chame um médico.	**Chiama un medico.**	kia-ma un mé-di-ko
Chame uma ambulância.	**Chiama un' ambulanza.**	kia-ma u-nam-bu-lan-tsa
Chame a polícia.	**Chiama la polizia.**	kia-ma la po-li-tsí-a
Chame os bombeiros.	**Chiama i pompieri.**	kia-ma i pom-pi-e-ri

Comunicação Essencial

Sim/Não	**Sì/No**	si/no
Por favor	**Per favore**	per fa-vo-re
Obrigado	**Grazie**	gra-tsie
Desculpe	**Mi scusi**	mi sku-zi
Olá	**Buongiorno**	buon dgior-no
Até logo	**Arrivederci**	a-ri-ve-dêr-tchi
Boa noite	**Buona sera**	buo-na se-ra
manhã	**la mattina**	la ma-ti-na
tarde	**il pomeriggio**	il po-me-rí-dgio
noite	**la sera**	la se-ra
O quê?	**Che?**	ke?
Quem?	**chi?**	ki?
Por quê?	**Perchè?**	per-ke?
Onde?	**Dove?**	do-ve?

Frases Úteis

Como vai?	**Come sta?**	ko-me sta?
Muito bem, obrigado.	**Molto bene, grazie.**	mol-to be-ne gra-tsie
Prazer em conhecê-lo.	**Piacere di conoscerla.**	pia-tche-re di co-no-cher-la
Está bem.	**Va bene.**	va be-ne
Onde está/ estão?	**Dov'è/ Dove sono…?**	do-vé/dove so-no?
Como eu faço para chegar a ...?	**Come faccio per arrivare a…?**	ko-me fa-tchio per a-ri-va-re a…?
Você fala português?	**Parla portoghese?**	par-la por-to gue-ze?
Eu não entendo.	**Non capisco.**	non ka-pis-ko
Sinto muito.	**Mi dispiace.**	mi dis-pi-a-tche

Compras

Quanto custa, por favor?	**Quant'è, per favore?**	kuan-té per fa-vo-re?
Gostaria de…	**Vorrei…**	vo-rei
Vocês têm…?	**Avete…?**	a-ve-te… ?
Aceitam cartão de crédito?	**Accettate carta di credito?**	a-tche-ta-te kar-ta di cré-di-to?
A que horas abre/fecha?	**A che ora apre/chiude?**	a ke ó-ra a-pre/ kiu-de?
este	**questo**	kues-to
aquele	**quello**	kue-lo
caro	**caro**	ka-ro
barato	**a buon prezzo**	ah buon pre-tso
tamanho (roupa)	**la taglia**	la ta-lhia
tamanho (sapato)	**il numero**	il nu-me-ro
branco	**bianco**	bi-an-ko
preto	**nero**	nê-ro
vermelho	**rosso**	ro-sso
amarelo	**giallo**	djia-lo
verde	**verde**	ver-de
azul	**blu**	blu

Tipos de Lojas

açougue	**la macelleria**	la ma-tche-le-
padaria	**il forno /il panificio**	il for-no /il pa-ni-fí-tch
banco	**la banca**	la ban-ka
livraria	**la libreria**	la li-bre-ri-a
doceria	**la pasticceria**	la pas-ti-tche-r
farmácia	**la farmacia**	la far-ma-tchí
delicatessen	**la salumeria**	la sa-lu-me-ri-
loja de departamento	**il grande magazzino**	il gran-de ma-ga-dzi-no
loja de sapatos	**calzature**	kal-tsa-tu-re
quitanda	**alimentari**	a-li-men-ta-ri
banca de frutas	**il fruttivendolo**	il fru-ti-vên-do
floricultura	**il fioraio**	il fi-o-rai-o
cabeleireiro	**il parrucchiere**	il pa-ru-kie-re
sorveteria	**la gelateria**	la dje-la-te-ri-a
mercado/ feira	**il mercato/ la fiera**	il mer-ka-to la fi-e-ra
peixaria	**la pescheria**	la pes-ke-ri-a
banca de jornais	**l'edicola**	le-dí-ko-la
agência dos correios	**l'ufficio postale**	lu-fi-tchio pos-ta-le
supermercado	**il supermercato**	il su-per-mer-k
tabacaria	**il tabaccaio**	il ta-ba-kai-o
agência de viagens	**l'agenzia di viaggi**	la-djen-tsi-a di vi-a-dji

Pontos Turísticos

galeria de arte	**la pinacoteca**	la pi-na-ko-té-k
ponto de ônibus	**la fermata dell'autobus**	la fer-ma-ta de-lau-to-bus
catedral	**il duomo**	il du-o-mo
igreja	**la chiesa/ la basilica**	la kie-za/ la ba-si-li-ka
fechado para férias	**chiuso per ferie**	kiú-zo per fé-ri-e
jardim	**il giardino**	il djar-di-no
museu	**il museo**	il mu-ze-o
estação de trem	**la stazione**	la sta-tsio-ne
posto de informação turística	**l'ufficio del turismo**	lu-fi-chio del tu-ris-mo

No Hotel

Vocês têm um quarto vago?	**Avete una camera libera?**	a-ve-te u-na ka-me-ra lí-be-ra?
um quarto duplo	**una camera doppia**	u-na ka-me-ra do-pia
com cama de casal	**con letto matrimoniale**	kon le-to ma-tri-mo-ni-a-le
quarto com duas camas	**una camera con due letti**	una ka-me-ra kon du-e le-ti
quarto de solteiro	**una camera singola**	ina ka-me-ra sín-go-la
quarto com banheiro, chuveiro	**una camera con bagno, con doccia**	una ka-me-ra kon ba-nho, kon do-tchia
carregador	**il facchino**	il fa-ki-no
chave	**la chiave**	la ki-a-ve
Eu tenho uma reserva.	**Ho fatto una prenotazione.**	ó fa-to una pre-no-ta-tsio

Restaurante

uma mesa ..?	**Avete un tavolo per... ?**	a-ve-te un ta-vo-lo per...?
reservar mesa.	**Vorrei riservare un tavolo.**	vo-rei ri-ser-va-re un ta-vo-lo
tariano.	**Sono vegetariano.**	sono ve-dge-ta-ri-a-no
da manhã	**colazione**	ko-la-tsio-ne
ço	**pranzo**	pran-tso
	cena	tche-na
ta	**il conto**	il kon-to
nete/ om	**la cameriera/ il cameriere**	la ka-me-ri-e-ra/ il ka-me-ri-e-re
oio de fixo	**il menù a prezzo fisso**	il me-nu a pre-tso fi-sso
do dia	**piatto del giorno**	pi-a-to del djior-no
da	**l'antipasto**	lan-ti-pas-to
iro prato	**il primo**	il pri-mo
ndo prato	**il secondo**	il se-kon-do
panhamento	**il contorno**	il kon-tor-no
mesa	**il dolce**	il dol-tche
ert	**il coperto**	il ko-per-to
de os	**la lista dei vini**	la lis-ta dei vi-ni
	il bicchiere	il bi-kie-re
a	**la bottiglia**	la bo-tí-lha
	il coltello	il kol-te-lo
	la forchetta	la for-kê-ta
r	**il cucchiaio**	il ku-kiai-o

rpretando o Cardápio

ua erale ata/ rale	la-kua mi-ne-ra-le ga-za-ta/ na-tu-ra-le	água mineral com gás/ natural
llo	a-nhe-lo	cordeiro
	a-lho	alho
rno	al for-no	assado
griglia	a-la gri-lha	grelhado
ra	la bi-ra	cerveja
tecca	la bis-te-ka	bisteca
ro	il bu-ro	manteiga
fè	il ka-feh	café
rne	la kar-ne	carne
di le	kar-ne di mai-a-le	carne de porco
olla	la tchi-po-la	cebola
oli	i fa-djio-li	feijões
naggio	il for-ma-dgio	queijo
gole	le fra-go-le	morangos
o o	il fri-to mis-to	fritos
tta	la fru-ta	fruta
di	fru-ti di ma-re	frutos do mar
hi	i fun-gui	cogumelos
beri	i gam-be-ri	camarões
to	il dje-la-to	sorvete
ata	lin-sa-la-ta	salada
e	il la-te	leite
zo	il man-tso	carne de boi
	ló-li-o	azeite
e	il pa-ne	pão
ate	le pa-ta-te	batatas
le patatine fritte	le pa-ta-ti-ne fri-te	batatas fritas
il pepe	il pe-pe	pimenta
il pesce	il pe-che	peixe
il pollo	il po-lo	frango
il pomodoro	il po-mo-do-ro	tomate
il prosciutto cotto/crudo	il pro-chiú-to ko-to/kru-do	presunto cozido/cru
il riso	il ri-zo	arroz
il sale	il sa-le	sal
la salsiccia	la sal-si-tchia	linguiça
il succo d'arancia/ di limone	il su-ko da-ran-tchia/ di li-mo-ne	suco de laranja/ limão
il tè	il té	chá
la torta	la tor-ta	bolo/torta
l'uovo	lu-o-vo	ovo
vino bianco	vi-no bi-an-ko	vinho branco
vino rosso	vi-no ro-sso	vinho tinto
le vongole	le vôn-go-le	vôngole
lo zucchero	lo tsú-ke-ro	açucar
la zuppa/ la minestra	la tsu-pa/ la mi-nes-tra	sopa

Números

1	**uno**	u-no
2	**due**	du-e
3	**tre**	tré
4	**quattro**	kua-tro
5	**cinque**	tchin-kue
6	**sei**	sei
7	**sette**	se-te
8	**otto**	o-to
9	**nove**	no-ve
10	**dieci**	di-e-tchi
11	**undici**	un-du-tchi
12	**dodici**	do-di-tchi
13	**tredici**	tre-di-tchi
14	**quattordici**	kua-tor-di-tchi
15	**quindici**	kuín-di-tchi
16	**sedici**	sê-di-tchi
17	**diciassette**	di-tchia-se-te
18	**diciotto**	di-tchio-to
19	**diciannove**	di-tchia-no-ve
20	**venti**	ven-ti
21	**ventuno**	ven-tu-no
22	**ventidue**	ven-ti-du-e
30	**trenta**	tren-ta
40	**quaranta**	kua-ran-ta
50	**cinquanta**	tchin-kuan-ta
60	**sessanta**	se-ssan-ta
70	**settanta**	se-tan-ta
80	**ottanta**	o-tan-ta
90	**novanta**	no-van-ta
100	**cento**	tchen-to
1.000	**mille**	mi-le
2.000	**duemila**	du-e mi-la
1.000.000	**un milione**	un mi-lio-ne

Tempo

um minuto	**un minuto**	un mi-nu-to
uma hora	**un'ora**	u-no-ra
um dia	**un giorno**	un djior-no
segunda	**lunedì**	lu-ne-dí
terça	**martedì**	mar-te-dí
quarta	**mercoledì**	mer-ko-le-dí
quinta	**giovedì**	djio-ve-dí
sexta	**venerdì**	ve-ner-dí
sábado	**sabato**	sa-ba-to
domingo	**domenica**	do-me-ni-ka

Índice de Ruas